9 789938 883169

يفغيني زامياتين

نحن

ترجمة: دلال نصري

POP LIBRIS 2020

الكتاب: نحن

المؤلف:

تأليف: يفغيني زامياتين

ترجمة. دلال نصري

مراجعة: جاسر عيد

تدقيق لغوي: بيرم الغانمي

تحقيق وإشراف: سنيا بن باهي

تصميم الغلاف: معز طابية

الطبعة الثانية 2020

الترقيم الدولي للكتاب: 9-16-883-9938-998

POP LIBRIS EDITIONS

3 نهج 13 أوت 1956 المرسى

Tél/Fax : 71 65 63 30

Mail : pop.libris@gmail.com

إلى روح من نسيه قرّاء 1984... يفغيني زامياتين

مقـــدّمـــة

لعلّ الصّحفي والروائيّ "يفغيني إيفانوفيتش زامياتين" (1884 – 1937)، الروسيّ – كما هو واضح من اسمه- يعدّ من أبرز روّاد الخيال العلميّ كنوع أدبيّ.

وبالرغم من كونه أحد أعضاء الحزب الشيوعي القدامى كان "زامياتين" مستاءً بشدّة من السياسات التي اتّبعها الحزب الشيوعيّ للاتحاد السوفييتيّ (سي بي اس يو). وفي عام 1921 كانت روايته "نحن" أوّل عمل أدبيّ تحظره هيئة الرقابة السوفييتيّة.

وقد أشعل تهريبه لروايته "نحن" لنشرها في الغرب موجة من الغضب داخل الحزب وبين أوساط كتّاب الاتّحاد السوفييتيّ، بسبب استعماله للأدب لانتقاد دولته، حيث وُصف بأنّه من أوائل المنشقّين عن الاتحاد السوفييتيّ.

كتب "زامياتين" روايته 'نحن' حوالي عام 1920، ولم يعرفها العالم إلاّ بعد أن هرّبها "يفغيني" خارج روسيا لتترجم إلى الإنجليزية عام 1924.. على أنّ النص الروسيّ للرواية لم يظهر كاملاً إلاّ في عام 1966 في نيويورك. ورغم ظهور النص الأصلي في ذلك الوقت، فإنّ الرواية لم تنشر في الاتحاد السوفياتيّ إلاّ في عام 1988 أي بعد ما يقارب 60 عاما من المنع داخل أسواره!

رواية "نحن" رواية ديستوبية بامتياز.. بل يعدّها البعض أوّل ما كُتب في هذا الصنف، إذ إنّ الديستوبيا هي أدب المدينة الفاسدة، أو عالم الواقع المرير، بما هو مجتمع خياليّ أو مخيف، تسوده الفوضى ولا مكان فيه للخير.. تماما عكس اليوتوبيا، المدينة الفاضلة..

ليس غريبا إذن أن نعلم أنّ "زامياتين" بروايته "نحن"، كان هو من فتح الباب ليستلهم منه كتّاب آخرون كبار (لعلّهم فاقوه شهرة فيما بعد) من أمثال "ألدوس

هاكسلي" في روايته "عالم جديد شجاع" التي ألّفها عام 1932، كما نلمس هذا التأثير المباشر أيضا لدى "جورج أورويل" في روايته الشهير "1984" التي ألّفها عام 1948.

أسالت رواية "نحن" حبرا كثيرا، وأثارت فضول كلّ من سمع عنها، وفجّرت ألف سؤال لدى كلّ من قرأها، ولئن كانت رواية "1984" قد أضافت للعالم عبارة كونيّة أصبحت تُستعمل كمرادف للتعسّف الحكوميّ (وهي عبارة 'الأخ الأكبر يراقبك')، فإنّ الأمر سيّان بالنسبة لـ "نحن"، حيث ستحتلّ عبارات من قبيل (الدولة الموحّدة، حامي الحِمى، الأنتغرال، السّور الأخضر، الأرقام، جدول السّاعات..) جزءا من ذاكرتك، لتثري معجما دلاليّا معيّنا داخلك..

قيل في الرواية كلامٌ كثيرٌ، ولهذا يمكن اعتبارها واحدة من أهمّ روايات القرن العشرين.. وقد يكون أفضل من أجاد التعريف بموضوع روايته هو "زامياتين" نفسه في مقابلته مع الناقد الفرنسي المشهور "فريدريك ليفير" في عام 1932 إذ قال: "النقّاد قصيرو النظر لم يرَوْا في هذه الرواية أكثر من هجاء للأنظمة السياسيّة الحاكمة. وهذا غير صحيح على الإطلاق، فالرواية تحذّرنا من الخطر الذي يتهدّد الإنسانيّة قاطبة بسبب الهيمنة المطّردة للآلة والدولة. أيّا كانت هذه الدولة".

"نحن" ليست مجرّد رواية، قليل عليها أن نصفها بالرواية فحسب! "ولهذا فكتابة هذه الأسطر ستكون من تلقاء نفسها قصيدة كُتبت رغما عنّي ورغم محدوديتي. بل سيُمثّل نقلها على الورق بلا أدنى شكّ قصيدة ملحميّة تلقائية".. إنّها هكذا ببساطة! قصيدة نثريّة ملحميّة، كما يصفها بطل الرواية بنفسه.

باسم حامي الحِمى أدعوكم للغوص في ثناياها! تحيا الدولة الموحّدة! يحيا "الأنتغرال"! يحيا الـ...

آسف.. يبدو أنّني لن أشفى قبل مدّة من هذه الرواية!

جاسر عيد

السِجلّ الأوّل

إعلان

الخطّ الأكثر حكمة

قصيدة ملحميّة

فيما يلي نسخ مجرّد لما ورد صباح اليوم في الصحيفة الوطنيّة أنقله لكم حرفيًا كالآتي:

"من المتوقّع أن يتمّ الانتهاء من بناء "الأنتغرال" في غضون 120 يوما. سنشهد قريبا حدثا تاريخيًا عظيما، حيث ستشقُّ مركبة "الأنتغرال" الأولى طريقها نحو فضاء الكون اللاّمحدود..

منذ ألف عام، سَخّرَ أسلافنا الأبطال جهودهم لجعل الكرة الأرضية قاطبة في خدمة قوّة الدولة الموحّدة، والآن أنتم على موعد مع إنجاز أعظم، ألا وهو الاندماج في المعادلة الكونيّة اللاّمتناهية عبر مركبة "الأنتغرال" الزجاجيّة الحماسيّة. مهمّتكم هي إنارة عقول الكائنات المجهولة التي تسكن كواكب أخرى، كائنات قد تكون ما زالت في الحالة البدائيّة والهمجيّة. التي تُلقّب بـ'الحرية'، ثمّ إنّه من واجبنا إجبارهم بالقوة على اعتناق السعادة، وإن استحال عليهم فَهْمُ ما نقدّمه لهم من معادلة دقيقة وفعّالة ليكونوا سعداء، فإنّه علينا أيضا إعمال قوّة الحجّة والكلمة قبل اللّجوء إلى قوّة السّلاح.

باسم حامي الحِمى نسوق هذا الإعلان لكلّ الأرقام في الدولة الموحّدة:

"ينبغي على كلّ رقم يأنس في نفسه القدرة على الكتابة أن يمجد الدولة الموحدة ويصف عظمتها عبر تحرير الخطابات ونظم الأشعار والأناشيد أو أي مؤلفات تشيد بمكانتها.

ستكون هذه أول شحنة تحملها "الأنتغرال" في رحلتها.

تحيا الدولة الموحّدة! تحيا الأرقام! يحيا حامي الحِمى!"

سرى لهيب في وجنتيّ واتّقدتا عند كتابتي لهذه الأسطر. نعم.. علينا أن نندمج كلّيّا في المعادلة الكونيّة الكبرى، نعم لتقويم المنحنى المتوحّش وجعله مستقيما لا يحيد. لأنّ خط الدولة الموحدة هو خطّ سليم مستقيم لا اعوجاج فيه، خطّ دقيق وحكيم، بل إنّه أكثر الخطوط حكمة.

أنا 'D-503' صانع "الأنتغرال"، لستُ إلاّ واحدا من علماء الرياضيات الكثر في الدولة الموحَّدة. إنّ قلمي الذي أَلِفَ الأرقام والمعادلات، غير قادر على نظم النغمات والإيقاعات، لذا سأبذل قصارى جهدي لتدوين كلّ ما أراه، كلّ ما أفكر فيه، أو بالأحرى كلّ ما نفكّر فيه. (نحن، نعم "نحن" هذا ما قصدته حرفيّا. وستحمل مدوّناتي هذا العنوان: "نحن").

لكن هذه المدوّنات ستكون بالتأكيد ملخّصا لحياتنا، للحياة المثاليّة والدقيقة في الدولة الموحَّدة، ولهذا فكتابة هذه الأسطر ستكون من تلقاء نفسها قصيدة كُتبت رغما عنّي ورغم محدوديتي. بل سيُمثّل نقلها على الورق بلا أدنى شكّ قصيدة ملحميّة تلقائية مع جهلي بنظم الشعر. ستكون كذلك بلا شكّ.

ما زالت وجنتاي تتّقدان عند كتابة هذه الأسطر. يخالجني الآن شعور أظنّه شبيها بإحساس امرأة اكتشفت للتوّ نبضات كائن جديد داخلها، كائن لا يزال ضعيفا ومكفوفا.

إنّه أنا وفي الوقت نفسه ليس أنا. سيتعين عليّ تغذية هذا العمل من نسغي ومن دمي ومن آلامي على امتداد عدة أشهر حتّى أتمكّن من اقتلاع هذا الألم منّي ووضعه تحت أقدام الدولة الموحَّدة. لكنّني مستعدّ تماما لهذا ككلّ فرد منّا، أو بالأحرى تقريبا ككلّ واحد منّا، أنا على أتمّ الاستعداد.

السِجلّ الثاني

الباليه

الانسجام المربّع

'X'

إنّه فصل الربيع. من وراء السّور الأخضر، تهبّ الرياح من سهول مجهولة متوحّشة حاملة إلينا غبار حبوب الطّلع مع العسل. فتجفّ شفتاك من جراء هذا الغبار الحلو فتتلمّظها بين الفينة والأخرى.

كلّ النساء اللّواتي اعترضن طريقي اليوم لديهن شفاه حلوة (وكلّ الرجال أيضا بطبيعة الحال). إنّ هذا يزعج تفكيري المنطقيّ بطريقة ما.

يا للسماء الجميلة! إنّها زرقاء صافية خالية من السحب (كم كان أسلافنا بدائيين وذوي ذوق بربريّ.. كيف سمح شعراؤهم أن يستلهموا أشعارهم من كتل بخارية متكتّلة فوق بعضها البعض؟) أنا أحبّ هذه السماء، بل أنا على قناعة تامّة أنّنا كلّنا نحبّ سماءنا الصافية التي لا تشوبها شائبة.

في يوم كهذا، يبدو لي أنّ كلّ العالم صُنع من هذا القالب الزجاجيّ الأبديّ مثله مثل سورنا الأخضر وجميع بناياتنا. في مثل هذه الأيام، تسنح لنا الفرصة لنرى مدى زرقة الأشياء من حولنا، نتأمّل معادلاتها المدهشة التي لم نكتشفها حتّى الآن، نقف مدهوشين حتّى أمام التفاصيل اليومية المألوفة والروتينية.

على سبيل المثال، كنت حاضرا صباح اليوم كالعادة في العنبر المخصص لصنع "الأنتغرال"، وفجأة لمحتُ الآلات الموجودة هناك. تأمّلت الكرات المنظّمة المتدافعة بطريقة ميكانيكيّة عمياء وباستسلام تامّ، وتابعتُ المكابس الميكانيكيّة اللاّمعة التي تنعطف تارّة يمينا وطورا يسارا. أمّا الميزان، فكان يهزّ كتفيه بكبرياء بينما يؤدي المثقب حركته الرياضيّة المعتادة من صعود ونزول على نغمات موسيقى غير مسموعة.

انتبهتُ فجأة إلى جمال هذا الباليه الميكانيكيّ الفخم خاصة حين يغمره النور المنبعث من الشمس الزرقاء الجميلة.

تدافعت الأسئلة في داخلي، ما هو سرّ الجمال إذن؟ ما الذي يجعل هذه الرقصة رائعة؟

الجواب سهل. إنّ سرّ هذه الرقصة يكمن في حركاتها المقيّدة.

نعم، فالمعنى الأساسي للرقص يكمن في تطويعه وضبط إيقاعاته، وخصوصا في "لاَحُرِّيته". إذا كان أسلافنا قد استسلموا للرّقص في أكثر المواقف أهميّة في حياتهم (كالمناسبات الدينيّة والعروض العسكريّة) فهذا يعني بالضرورة أن غريزة اللاّحُرّية موجودة في الإنسان منذ الأزل، أمّا كلّ ما نفعله اليوم هو مجرّد ممارسة واعية لما تمليه علينا غريزتنا.

سيكون عليّ إنهاء هذه الفكرة لاحقًا، فشاشة الاتّصال الداخلي لمعت للتوّ. رُسِم عليها طبعا اسم 'O-90'. ستكون هنا بعد نصف دقيقة لتأخذني في نزهتنا المعتادة.

العزيزة 'O'. لطالما شدّ انتباهي الشّبه الكبير بينها وبين اسمها، تبدو مستديرة القوام وهذا لأنّها أقصر بعشرة سنتميترات من المعيار المحدّد للأمومة. فمها الورديّ الدائريّ يستقبل دائما بترحيب كبير كلّ كلمة أتفوّه بها. تحمل 'O' أيضا طيّة في معصمها تماما كالأطفال.

كانت عجلة التوازن المنطقيّ في داخلي تدور بقوّة غامرة عند دخولها، فلم أستطع منع لساني من الحديث عن المعادلة التي اخترعتها للتّوّ، معادلة تربط حركة الآلات التي نعيشها اليوم برقصة اللاّحُريّة المثالية.

سألتها "هذا رائع أليس كذلك؟"

أجابت بابتسامة ورديّة "نعم رائع، إنّه فصل الربيع.."

ماذا؟ لا أصدّق ما أسمعه. هذا كلّ ما خطر ببالها.. لم تفكّر إلاّ في الربيع، يا للنساء! من الأفضل لي أن أصمت.

كان الشارع مزدحما في الأسفل، فعندما يكون الطقس جيّدا نحظى عادة بجولة إضافية بعد الغداء ضمن ساعتنا اليومية الخاصة، وكما هو الحال دوما، تنشد الأبواق الموسيقية النشيد الوطنيّ للدولة الموحّدة. أمّا الأرقام، فتتجوّل بنظام في صفوف مرتّبة، كلّ صفّ مُؤلّف من أربعة أرقام.

كانت المئات بل الآلاف من الأرقام مرتدية زيّها الرّسميّ الأزرق، وتضع على صدورها شارات ذهبيّة تحمل الرقم الوطنيّ المسند لكلّ شخص. وكنتُ أنا، بل كنّا نحن، نحن الأربعة نشكّل واحدة من الجحافل اللاّمعدودة في هذا التيّار القويّ.

كانت 'O' علي يساري (لو أنّ أحدا من أسلافنا -الذين غطّى الشّعر أجسامهم- كتب هذا قبل ألف سنة من الآن، لكان استعملَ كلمة "فتاتي") وعلى يميني رقمان مجهولان، ذكر وأنثى.

السماء زرقاء جميلة، ألواحنا الرقمية تُشعّ على صدورنا كشموس صغيرة، ووجوهنا لا تُعكّر صفوها الأفكار الخرقاء.

كلّ شيء هنا مصنوع من مادّة واحدة مضيئة مبتسمة ومتألقة. تردّد الإيقاع النّحاسيّ: ترا _تا_تم ترا _تا _تم كخطوات مشعّة تحت الشمس، ومع كلّ خطوة ترتفع أكثر فأكثر وسط هذا اللون الأزرق المذهل.

وفجأة، هأنذا أتأمل تماما كما حدث صباح اليوم في العنبر. ها أنا أرى كلّ شيء بوضوح كأنّني أرى هذا المشهد للمرّة الأولى: الشوارع شديدة الاستقامة، بلور الأرصفة الذي يلمع تحت أشعة الشمس، متوازيات الأسطح السماوية لبناياتنا الشفّافة، والانسجام المربّع لصفوف الأرقام الزرقاء والرماديّة..

راودني فجأة إحساس أنّني حقّقتُ ما عجزت أجيال كاملة متعاقبة عن تحقيقه. أنا وحدي هزمتُ الإله القديم والحياة البالية، أنا من خلقتُ كلّ هذا.

شعرتُ كأنّني برج عال. إحساس تملّكني إلى درجة أنّني خشيتُ أن تُدمّر حركة بسيطة من مرفقي كلّ الجدران والقباب والآلات.

وفي لحظة قفزتُ عبر القرون، من الموجب إلى السالب، تذكرتُ (نتيجة التضادّ) لوحة في متحف. كانت تُجسّد شارعا من شوارع القرن العشرين. كان متوهّجا لدرجة تصيبك بالدوّار.. مزدحما بجموع من النّاس والعجلات والحيوانات والملصقات والأشجار والألوان والطيور.. يقال إن هذا الشارع وُجد حقّا. بدا لي وجوده غير محتمل. عندما فكرتُ بسخافة ذلك، لم أتمالك نفسي من الضحك وصدرت مني قهقهة. في الوقت نفسه سمعت صدى ضحكة على يميني. التفتُّ لتواجهني أسنان حادّة ذات بياض ناصع ووجه أنثى لا أعرفها.

قالت: "أنا آسفة ولكنّ الطريقة التي تتأمّل بها كلّ شيء ملهمة جدّا. كأنّك إله أسطوري في اليوم السابع من خلق الكون. أعتقد جازمة أنك خلقتني. نعم.. أنت ولا أحد غيرك. أنا أشعر بالإطراء حقّا".

قالت هذا دون أن تكلّف نفسها عناء الابتسام، بل بنوع من الاحترام (ربما تعرف أنّني صانع "الأنتغرال")، ولكن هناك شيء غريب في حاجبيها أو عينيها. شيء مزعج يشبه حرف الـ 'X' الذي يصعب عليّ فهمه والتعبير عنه.

لسبب أجهله جعلني هذا الموقف أشعر ببعض الخجل والارتباك وقررتُ أن أبحث عن سبب منطقيّ أبرّرُ به ضحكي. من الواضح أنّ السبب يكمن في هذا التضادّ الكبير. هذه الهوّة العميقة التي من الصعب تجاوزها بين اليوم والأمس.

ولكن لمَ يصعب علينا تجاوزها؟ (يا لها من أسنان حادّة ناصعة البياض) يمكننا بناء جسر عبر الهوّة. تخيّل عاليا: طبل وكتائب ورتب.. كلّ هذا كان موجودا حينها هنا.. ثم..

هتفتُ عاليا: هذا صحيح (كان هذا مثالا حيّا للتّقاطع الفكري.. لقد قالت حرفيا كلّ كلمة كتبتها قبل أن أخرج للنزهة) هل رأيتم؟ نتشابه حتّى في الأفكار. هذا لأننا لسنا أفرادا فقط، بل أفراد من مجموعة. كلّنا متشابهون.

سألت "هل أنت متأكد؟".

التفتُ لأرى زوايا حاجبيها المشدودين إلى صدغيها مثل زوايا حرف 'X' الحادّة وارتبكتُ ثانية. تلفتُّ يمنة ثم يسرة و...

كانت 'I-330' على يميني (أرى رقمها الآن). كانت نحيلة وحادّة وقاسية، ونابضة بالحياة كسوط. على يساري 'O' مختلفة تماما عنها باستدارة قامتها وبالثنايا الطفولية حول معصميها. وفي آخر صفّنا رقم مذكّر لا أعرفه. كان مقوّسا من الجانبين كحرف 'S'. كنّا مختلفين تماما.

الرقم 'I-330' على يميني لاحظتْ على الأغلب نظرتي الحائرة وتنهّدت قائلة: "صحيح، مع الأسف".

لا شكّ في أن قولها في محلّه ولكنّ الأنوف... مرّة أخرى ألاحظ شيئا غريبا في وجهها وصوتها. أجبتها بحدّة لم أعهدها من قبل:

"لا مجال للأسف. من الجليّ أنّ العلم يتطور بخطى حثيثة وما يبدو لنا مستحيلا اليوم سيكون بالتأكيد ممكنا بعد خمسين أو مائة عام".

"حتّى أنوفنا ستكون متشابهة".

بدأ صوتي يعلو حدّ الصراخ "نعم الأنوف.. ما زالت سببا للبغض والحسد. فأنفي مثلا يبدو كالزرّ بينما أنف شخص آخر يشبه.."

"حسنا إن كان الأمر كذلك فأنفك يبدو كلاسيكيا كما كانوا يقولون قديما وبالنسبة ليديك.. دعني أرى".

أنزعجُ عندما يرى الناس يديّ. كلتاهما مغطّى بالشعر الأشعث كأنّهما مخلّفات فترة البدائية. مددت يديّ وأجبتها بأقصى حياد ممكن: "إنّهما يدا قرد".

نظرت إلى يدي ثم إلى وجهي وقالت "نعم. هناك تناغم مثير للاهتمام" كانت تتأملني بعينيها وتقيسني كأنّني أمام ميزان للقيس. وتقوّس حاجباها من جديد.

قالت 'O' بابتسامة ورديّة "إنّه مسجّل باسمي".

لكم تمنّيتُ لو بَقِيَتْ صامتة فما من داع لما قالته. عموما إن العزيزة 'O' حسنا كيف يمكنني صياغة ذلك؟.. لسانها ليس مبرمجا بدقّة على السرعة المطلوبة. فعلى مؤشّر سرعة اللسان أن يُضبط أقلّ من سرعة مؤشر التفكير، وليس العكس.

دقّت الساعة الخامسة في برج التجمّع في نهاية الشارع معلنة نهاية الساعة الشخصية، ابتعدت ‘I-330’ رفقة الرقم المذكّر الشبيه بحرف 'S'. وجهه يفرض الاحترام، أعتقد أنّه وجه مألوف. لقد تقابلنا في مكان مّا ولكنّني عاجز عن تذكّره.

ابتسمت لي ‘I-330’ الابتسامة الغامضة نفسها على شكل 'X' وهي تودّعني قائلة "تعال لرؤيتي غدا في قاعة المحاضرات عدد 112.

هززت كتفي قائلا "هذا إن استُدعيتُ لمهمّة لتلك القاعة".

كيف أمكن لها أن تكون واثقة لتلك الدرجة حين قالت "سيتم استدعاؤك"!

هذه المرأة مزعجة كطرف غير قابل للاختزال مندسّ في معادلة. ثم أنّني كنتُ سعيدا بقضاء الوقت وحدي مع عزيزتي 'O' حتّى ولو لبضع لحظات.

عبرنا معا الخطوط الأربعة للشارع، متشابكي الأيدي.. كان علينا الافتراق عند الزاوية فتذهب هي يمينا وأذهب أنا يسارا..

"كم أودّ أن أزورك وأرخي الستائر اليوم، أو بالأحرى حتّى في هذه اللحظة" قالت ذلك وهي ترفع عينيها المدوّرتين الزرقاوين نحوي بخجل.

إنّها طريفة جدّا، ولكن ما عساي أقول؟ كانت معي البارحة بالتحديد، وهي تعرف جيّدا مثلي أنّ حصّتنا الجنسيّة المقبلة مقرّرة لبعد غد. مرّة أخرى يسبق لسانها أفكارها، تماما كشرارة تشتعل قبل الأوان ويمكن أن تؤدي إلى عواقب وخيمة أحيانا.

قبّلتها مرّتين حين ودّعتها.. لا، بل في الحقيقة ثلاثة، وكانت القبلة الثالثة على عينيها الزرقاوين الرائعتين الخاليتين من السحب تماما كسمائنا.

السِجلّ الثالث

الستّرة

الحائط

الجدول

راجعتُ ما كتبته البارحة وأظنّ أنّه ليس واضحا بما فيه الكفاية.

هو بالطبع واضح تمام الوضوح لأيّ فرد منّا ولكن من يدري؟ قد تكون قراءتكم لكتاب الحضارة أيّها المجهولون قد توقّفت عند الصفحة التي بلغها أسلافنا منذ حوالي 900 سنة.

قد تكون البديهيات مثل: جدول الساعات والساعة الشخصيّة ومعيار الأمومة والسّور الأخضر وحامي الحِمى غريبة عنكم. إنّه لأمر طريف ودقيق في الآن نفسه أن أشرح لكم هذا. كأنّني كاتب من القرن العشرين يجد نفسه مضطرا لتفسير معنى 'سترة' أو 'شقّة' أو 'زوجة' في رواياته. وإن تُرجمت رواياته ليقرأها همجيون، سيكون مُجبرا على توفير شرح كلمة 'سترة' كلّما استخدمها.

أنا على يقين أن الهمجيّ سيتساءل عن معنى كلمة 'سترة' ويقول "ما نفعها يا ترى؟ مجرّد عبء آخر يُثقل كاهلي" أتوقع أيضا أن ترمقني بالنظرة نفسها حين أخبرك أن لا أحد منّا اجتاز السور الأخضر منذ حرب المائتي عام.

ولكن أعزّائي القرّاء.. عليكم هنا إعمال عقولكم قليلا، فقد عهدنا أن تاريخ الإنسان هو انتقال مستمرّ من حياة الترحال إلى حياة أخرى أكثر استقرارا وبهذا المنطق فإن الاستقرار التّام (حياتنا الحالية) هو مرادف للحياة المثالية، وإن كان الناس قد جابوا أقاصي الأرض

في عصور ما قبل التاريخ فذلك لأنّه كانت هناك أمم مختلفة وحروب وتجارة وقارّتان لم تكتشفا بعد.. فما حاجتنا لذلك الآن؟ وما نفعه؟

طبعا لم يكن من السهل بلوغ هذه المرحلة من الاستقرار فلم نبلغها إلاّ بعد أن دمّرت حرب الـ200 عام كلّ الطّرقات وغطّاها العشب، وللمرّة الأولى.. أحسّ الناس بصعوبة العيش في مدن عُزلت عن بعضها البعض بمساحات خضراء متشابكة. ولكن ما الغريب في هذا؟ فبعد أن فقد الإنسان ذيله لا بدّ أنّه عانى كثيرا قبل إيجاد طريقة جديدة لطرد الذباب من حوله.. ولكن اليوم هل تستطيعون تخيّل أنفسكم بأذناب أو أنّكم تطوفون عراة في الشوارع من دون سترة؟ (أتوقّع أنّكم ما تزالون ترتدون سترات). وبالمنطق نفسه، لا أستطيع تصوّر مدينة لا يطوّقها سور أخضر. لا أستطيع تصوّر حياة لا تكسوها فساتين جدول الساعات الرقميّة.

في هذه اللحظة بالذات، أرى الجدول المعلّق في حائط غرفتي، ها هي أرقامه الأرجوانية تتألّق على الخلفيّة الذهبيّة وتنظر إليّ مباشرة بقسوة وحنان. أتذكّر رغما عنّي ما يسمّيه القدماء 'أيقونة' وأشعر برغبة في نظم قصيدة أو صلاة (بما أنّهما الشيء نفسه) آه.. لمَ لمْ أخلق شاعرا حتّى أتمكن من الاحتفاء بك على أكمل وجه أيّها الجدول؟! يا نبض قلب الدولة الموحَّدة!

لقد درسنا عندما كنّا تلاميذا (وربما أنتم أيضا) أعظم عمل أدبيّ من بين الآثار الأدبية القديمة التي نُقلت لنا ألا وهو 'لوح حركة السكّة الحديديّة'. حين تضعون هذا العمل وجدول الساعات جنبا لجنب ترون الجرافيت والماس معا: إنّهما مصنوعان من المادّة نفسها (الكربون). وفي حين أنّ الماس شفّاف وخاطف للأبصار وخالد، فإنّ الجرافيت على العكس من ذلك. مَن منّا لم يحبس أنفاسه عند تصفّح 'لوح حركة السكة الحديدية'؟

ولكن جدول الساعات يُحوّل كلّ فرد منّا إلى قاطرة بشريّة خارقة مبرمجة بدقّة. في كلّ صباح نستيقظ جميعا في الآن نفسه وكأنّنا شخص واحد، وفي الساعة نفسها نبدأ جميعا العمل كرجل واحد، ثم نتوقّف معا مجدّدا في الثانية نفسها المحدّدة بالجدول.. نرفع جميعا ملاعق الأكل إلى أفواهنا كجسد واحد أخطبوطيّ ومن ثم نذهب للنزهة وتليها قاعة المحاضرات، ثم نقصد قاعة الرياضة لمارسة تمارين تايلور ونمضي بعدها للنوم.

حسنا سأكون صريحا معكم، لم نجد إلى حد الآن حلاّ جذريا ودقيقا بنسبة مائة بالمائة لمسألة السعادة. فهذا الكائن الجبّار الموحّد يتفتّت إلى خلايا فردية مرّتين في

اليوم. من الساعة 16 إلى الساعة 17 ومن الساعة 21 إلى الساعة 22. وهذا ما يسمّى في الجدول بالساعتين الشخصيتين اللّتين يقوم خلالهما بعضنا بإسدال الستائر باحتشام بينما يسير البعض الآخر في الشارع على خطى الإيقاع النحاسيّ وآخرون مثلي يظلّون في مكاتبهم.. لكنّني أؤمن إيمانا راسخا -حتّى ولو نعتّموني بالحالم أو المثاليّ- أنّه عاجلا أم آجلا سننجح في إدماج هاتين الساعتين في المعادلة العامّة.

يوما ما ستجد كلّ ثانية من الـ 86400 ثانية مكانا لها في جدول الساعات. لقد قرأتُ وسمعت عن أشياء لا تصدق حدثت عندما كان الناس يعيشون في تلك الحالة الهمجيّة الملقّبة بالحريّة. ولكن الأغرب على الإطلاق بالنسبة إليّ هو أن تسمح الحكومات آنذاك -رغم بدائيتها- للنّاس بالعيش دون قاعدة مماثلة لجدولنا.. دون نزهات إجبارية ودون أوقات طعام منظّمة.

بل إنّ الناس كان لهم الحق أن يخلدوا للنوم ويستيقظوا متى يحلو لهم! بعض المؤرّخين يدّعون أيضا أنّ الشوارع تبقى مضاءة وأنّ الناس يمشون ويتجولون طوال الليل.

شيء لا يقبله عقلي بتاتا. فمهما بلغت محدوديّة عقولهم كان عليهم أن يدركوا أنّهم يقترفون جريمة قتل شنعاء، بل هو اغتيال جماعيّ بطيء استمرّ يوما بعد يوم.

إنّ الحكومة (بل الإنسانيّة جمعاء) تُجرّم قتل فرد واحد، ولكنّها سمحت بارتكاب جريمة كهذه في حق الملايين دفعة واحدة. صدقا أليس من المضحك أنّ قتل رجل واحد -أي ما يعادل طرح 50 عام من مجموع الحيوات البشرية- يُعتبر جريمة، بينما خسارة 50,000,000 عام يُعدّ أمرا عاديّا؟

إنّ أيّ رقم يبلغ عشر سنوات قادر على حلّ هذه المسألة الرياضية الأخلاقية في مدّة لا تتجاوز نصف الدقيقة، في حين عجز أمثال 'كانط' عن ذلك. (عجزوا حتّى عن إنشاء نظام أخلاقيّ مبنيّ على عمليات حسابية كالجمع والطرح والضرب والقسمة).

ثم أليس من العبث أن تسمح الدولة (إن كانت تتجرّأ أصلا على تلقيب نفسها كذلك) للناس بممارسة الجنس بدون أدنى رقابة وبطريقة غير علميّة -تماما كالحيوانات- مع من يشاؤون في أي وقت وقدر ما يشاؤون، وينجبون أطفالا بشكل أعمى كالحيوانات أيضا؟ أليس من المضحك أنّهم عرفوا البستنة وتربية الدواجن والأسماك (لدينا سجلّات دقيقة تنصّ على معرفتهم بكلّ هذا) ولكنّهم عجزوا عن الوصول إلى الدرجة الأخيرة من السُلّم المنطقي ألا وهو تنظيم إنتاج الأطفال؟ لم يستطيعوا أن يبتدعوا شيئا مثل معيارنا الأموميّ والأبويّ.

هذا مضحك وغير معقول.. لدرجة أنّني أخشى -قرّائي الأعزاء- أن تظنّوا أنّني أقصّ عليكم بعض المزحات السمجة، أو قد تخالون أنّني أريد السخرية منكم أو أنّ ما أرويه لكم بهذا الحماس ليس إلاّ مجرّد هراء.

ولكن دعوني أطمئنكم أوّلا أنّني غير قادر على المزاح لأنّ كلّ مزحة تُخفي كذبة.. وعلوم الدولة الموحَّدة تؤكد ثانيا أنّ حياة القدماء البدائية كانت هكذا، وعلوم الدولة الموحَّدة لا تخطئ. ثمّ من أين للحكومة أن تكتسب المنطق إن كان الناس يعيشون في حالة ما يسمّى بـ 'الحرية' تماما كالوحوش والقردة والقطيع؟ وماذا سنتوقّع منهم إن كنّا نحن ما زلنا إلى حدّ هذا اليوم نسمع من حين لآخر صدى شبيها بصوت القرود ليس سوى ما تردّده بقايا البدائية فينا؟

لحسن حظّنا أنّنا لا نسمع هذا الصدى إلاّ نادرا. إنّها أعطاب طفيفة صغيرة ومن السهل إصلاحها من دون إيقاف المسيرة الأبدية العظيمة للآلة كلّها. وإن احتجنا للتخلّص من مسمارٍ مَا قد فقد استقامته.. لدينا يد حامي الحِمى الماهرة الثقيلة وعيون الحرّاس الخبيرة.

هذا يذكّرني بالرقم الحامل لمنحيين كحرف 'S'، أظنّني لمحته مرّة خارجا من مكتب الحرّاس، أدركت الآن سبب ذلك الاحترام الذي اعتراني حين رأيته، وشعوري بالارتباك حين قامت ‘I-330’ في حضرته بـ... عليّ أن أعترف أنّ تلك الـ ‘I-330’..

إنّها الساعة 22.30. لقد رنّ جرس النوم. أراكم غدا.

السِجلّ الرّابع

الهمجيّ مع مقياس الضغط الجويّ

الصرع

لو

كلّ شيء كان واضحا في حياتي حتّى هذه اللحظة (مَيلي لكلمة واضح جدّا لم يأتِ من عدم) ولكنّي اليوم لا أفهم شيئا.

أولاّ كلّفتُ بالذهاب إلى قاعة المحاضرات عدد 112 مع أن احتمال وقوع ذلك في حدود: $\frac{1500}{10.000.000} = 3/20.000$

1500 هو عدد القاعات و10.000.000 هو عدد الأرقام.

ثانيا، من الأفضل أن أروي لكم ما حدث منذ البداية..

قاعة المحاضرة هي عبارة عن نصف كرة هائلة الحجم مضاءة بنور الشمس تتكوّن من أقسام زجاجيّة ضخمة، تعجّ بصفوف دائرية من الرؤوس الملساء والمحلوقة بعناية. تطلّعتُ حولي بقليل من التوجس النابع بلا ريب من محاولتي للبحث عن 'O'، علّني أرى في وسط هذه الأمواج من الزيّ الأزرق الموحَّد، الهلال الوردي المشعّ.. شفتا 'O' العزيزتين. يُخيّل إليّ أنّني أرى أسنانا حادّة ناصعة البياض كأنّها.. لا ليست هي. سيكون لي موعد مع 'O' على الساعة التاسعة ولذا من الطبيعي جدّا أن أودّ رؤيتها هنا.

رنَّ الجرس فنهضنا وأنشدنا نشيد الدولة الموحَّدة. ثمّ اعتلى المنصّة مُحاضرنا الصوتيّ الروحيّ، مشعّا كعادته بذكائه وبمكبّرات صوته الذهبيّة.

"أيتها الأرقام المحترمة.. لقد عثر علماء الآثار خاصتنا منذ فترة على كتاب يعود للقرن العشرين، يسرد كاتبه بسخرية قصّة الهمجيّ ومقياس الضغط الجوي... لاحظ الهمجيّ أنّه كلّما أشار مقياس الضغط الجويّ لكلمة مطر، كانت تمطر بالفعل. وبما أنّ الهمجيّ يريد

أن تتساقط الأمطار.. فقد قرر سحب كميّة من الزئبق ليشير المقياس دائما لكلمة مطر (على الشاشة عُرضت صورة الهمجيّ مكسوّا بالشعر وهو يسحب الزئبق تلاها ضحك جماعيّ) إنّكم تضحكون الآن ولكن ألا تعتقدون أنّ الأوروبي في ذلك العهد أجدر بضحككم؟ فالأوروبي أيضا أراد الحصول على المطر.. المطر الـمُعرّفة بالألف واللاّم.. لكنه كان يقف عاجزا أمام مقياس الضغط الجويّ كدجاجة مبتلّة.

فالهمجيّ على الأقل يتمتع بجرأة أكثر ومنطق أكبر حتّى ولو كان بدائيا. فقد كان قادرا على الربط بين السبب والنتيجة. حين أخرج ذاك الزئبق خطا أول خطوة في الطريق العظيم.

وهنا (أكرّر أنّي أكتب كلّ شيء ولا أخفي شيئا بالمرّة) وللحظات لم يعد للصوت الصادر عن المكبّر وقعٌ في نفسي. بدا لي فجأة أنّه ما كان عليّ القدوم (ولكن لمَ؟ وكيف لا أستجيب إذا أُمرتُ).بدا لي كلّ شيء خاويا كمجرّد قشرة فارغة.. ولم يشدّ انتباهي إلا صوت المحاضر حين انتقل إلى الموضوع الرئيسي.. إلى موسيقانا.. إلى التأليف الرياضي (الرياضيات سبب والموسيقى نتيجة) إلى وصف المقياس الموسيقيّ المبتكر حديثا.

"ما إن يُدار هذا المفتاح ببساطة حتّى يتمكّن كلّ منكم من إنتاج حوالي 3 'سوناتات' بالساعة. كم من الجهد كان هذا ليكلّف أجدادنا؟ لن يقدروا على إنتاجٍ كهذا إلّا بعد أن يرموا بأنفسهم في نوبات من "الإلهام" الذي ليس إلا نوعا من أنواع الصرع.. سأقدم إليكم مثالا مسليًا كان يصدر عنهم: موسيقى 'سكارابيان' في القرن العشرين. هذا الصندوق الأسود (تزاح الستارة عن المنصة لتفسح المجال لآلتهم القديمة القابعة هناك) كان يسمّى البيانو العظيم أو البيانو الملكيّ ممّا يدلّ مرة أخرى أن موسيقاهم..

ثمّ... لكنّني لم أعد منتبها... ربما لأنّ.. بل لأقلها بصراحة لأنّها هي.. الـ 'I-330'.. صعدت لتقترب من البيانو الملكيّ.. الأرجح أنّ ما أدهشني اعتلاؤها السريع والمفاجئ للمنصّة.

كانت ترتدي لباسا غريبا من العصر القديم: ثوب أسود ملتصق بجسدها يكشف بياض كتفيها وتناغم صدرها.. وتمايل الظل الدافئ بين نهديها على إيقاع أنفاسها.. وظهرت أسنانها الحادّة ناصعة البياض.. ابتسامتها كانت أشبه بلدغة وكنتُ أنا فريستها.. جلستْ وبدأت بالعزف، فصدر صوتٌ بدائي.. متشنج وغير متناسق.. كحياتهم آنذاك... حياة تفتقد لأبسط مظاهر العقلانية الميكانيكية.

وبالطبع، كان كلّ من حولي يضحكون.. ما عدا قلّة.. ولكن لمَ؟ لمَ كنتُ أنا ضمن تلك الأقليّة؟

نعم.. الصرع مرض يصيب العقل. إنّه ألم.. ألم بطيء وحلو.. لسعةٌ تستمرّ بوخزك تدريجيا بطريقة أقوى وأعمق. ثمّ تشرق الشمس ببطء.. ليست شمسنا، تلك الشمس البلورية الساطعة في الزرقة القاتمة التي تطلّ علينا دوريّا عبر البلور الزجاجي.. بل شمسٌ وحشية حارقة.. تخترق كلّ شيء وتمزقه إربا صغيرة متناثرة. نظر إليّ الرجل بجانبي وضحك.. إليكم صورةً حيّة عمّا رأيته: فُقاعة لُعاب بالكاد تُرى وُلدت على شفتيه ثم انفجرت.. تلك الفُقاعة أعادتني إلى رشدي.. وعدتُ أنا الذي كنتُه سابقا.

ومثل الجميع، لم أسمع سوى صرير أوتار مبعثر وسخيف، وضحكت.. فكلّ شيء بدا واضحا وبديهيّا...كلّ ما في الأمر أن المحاضر الموهوب نقل لنا صورة حية عن ذاك العصر الهمجيّ.

كم كان من الممتع الاستماع لموسيقانا بعد ذلك (لقد عُرضت على مسامعنا في النهاية لتُبيّن الفرق).. الدرجات اللّونية البلورية التي تتقارب وتتباعد في سلسلة لا متناهية.. والألحان المنسجمة لمعادلة 'تايلور' و'ماكلورين'.. الخطوات المربّعة والفريدة لنظرية 'فيثاغيروس'.. الأنغام الحزينة والحركات المذبذبة.. اللّمسات اللّحنية والخطوط المقطوعة لـ'فراوينهوفر' والتحليل الطَيفي للكوكب.. يا للروعة! يا لَلنظام الدقيق! كم هي مثيرة للشفقة موسيقى القدامى.. المحدودة التي لا يرسم حدودها سوى خيالهم البدائي..

عبر الباب الواسع غادرنا القاعة كعادتنا في صفوف متراصة متألفة من أربعة أرقام. لمحتُ تلك الهيئة المألوفة المنحنية من الجانبين فحيّيته باحترام.

بقيت ساعة واحدة على موعد قدوم عزيزتي 'O'. شعرتُ بحماس أثار نشاطي. مررتُ سريعا لمكتبي واستظهرتُ للضابط المناوب بطاقتي الوردية واستلمتُ منه تصريحا لاستخدام الستائر. فنحن نستعمل الستائر فقط في يوم الجنس وما عدا ذلك.. فإننا نعيش بين جدراننا الشفافة على مرأى من الجميع.. يغمرنا النور دائما فليس هناك ما نخفيه. ثمّ إنّ هذا يُخفّف من العمل الشاق والنبيل الذي يقوم به الحرّاس.. وإلا ما أدرانا ما قد يحدث؟

أعتقدُ أنّ بيوت القدامى سميكة الجدران هي سبب نفسيتهم الانعزالية البائسة. "بَيتي" هو قلعتي أليس كذلك؟ يا للغباء!

أُسدلت الستائر على الساعة 22 تماما. وفي الدقيقة نفسها دخلت 'O' متقطعة الأنفاس.. منحتني شفتيها الورديتين والتذكرة الوردية.. نزعت كعب التذكرة ولكنّني لم أنجح في نزع نفسي من شفتيها الورديتين إلا في آخر لحظة من الـ 22.15.

ثمّ عرضتُ عليها مذكراتي وبدأتُ بالحديث -بطريقة جيدة على ما أعتقد- عن جمال المربّع، المكعّب والخط المستقيم. وكانت تُنصتُ إليّ بطريقتها الوردية الفاتنة.. وفجأة ذرفت من عينيها دمعة، فاثنتان فثلاثة مباشرة على الصفحة أمامها (رقم 7) المفتوحة حينها. فسال الحبر.. ولذا عليّ إعادة نقل ما كتبته

"عزيزي 'D'.. فقط لو...لو..".

ماذا تعني تلك الـ 'لو'؟ لو ماذا؟ ها قد عادت تردّد أغنيتها القديمة مجددا: طفل. أو ربما شيء جديد متعلّق.. متعلّق بذلك.. سيكونُ غباءً متناهيًا.

السِجلّ الخامس

المربّع

سادة العالم

وظيفة جميلة ومفيدة

هأنذا أقترف خطأ جسيما مرة أخرى، وأسمح لنفسي أن أتحدث إليك -أيها القارئ المجهول- بأريحيّة تامّة كما لو كنتَ رفيقي القديم 'R13'. رفيقي الشاعر ذو الشفاه الإفريقية الذي يعرفه الجميع. أمّا أنتم فمن يعلم من تكونون أو أين توجدون؟ قد تكونون في أيّ مكان حاليا.. على سطح القمر أو كوكب الزهرة أو عطارد.

حسنا إليكم هذا:

لنتخيّل مربّعا رائعا مفعما بالحياة يروي على مسامعنا قصّته ويحدّثنا عن حياته المثالية. إنّ آخر ما قد يذكُره لنا هو زواياه المتساوية.. إذ أنّه أمرٌ بديهيّ وطبيعيّ. إنّني أشبه هذا المربّع في أغلب الأحيان... فالتذكرة الوردية وغيرها من تفاصيلنا اليومية هي أيضا بديهيات كزوايا المربّع المتساوية.. أمور يومية ألفناها... أمّا بالنسبة لك فسيبدو هذا أصعب من نظرية ذات الحدّين لنيوتن.

هكذا هو الحال.. لقد قال أحد الحكماء القدامى شيئا في غاية الذكاء بمحض الصدفة طبعا "الحبّ والجوع يحكمان العالم".. ممّا يعني إنّه إذا أراد المرء سيادة العالم... فعليه أن يتحكّم في هذين العنصرين الأساسيين اللّذين يحكمان الإنسانية. لقد تمكّن أجدادنا من السيطرة على مشكلة الجوع مقابل ثمن باهظ ألا وهو حرب الـ 200 عام (بين الريف والمدينة). من المرجّح أنّ المسيحيين البدائيين التجؤوا إلى خرافات دينية لتبرير دفاعهم عن خبزهم وتمسّكهم به. ولكن من حسن الحظّ أنّ غذاءنا النفطيّ قد اختُرِع في العام 35 قبل تأسيس الدولة الموحَّدة. صحيح أنّه لم يتمكّن من البقاء على قيد الحياة إلا

2% من سكان الأرض.. ولكن في المقابل أشرق وجه الكرة الأرضية وأصبح أكثر نضارة بعد تخلّصها من قذارة آلاف السنين.. وهؤلاء النّاجون سيتمتعون برغد العيش في قصور الدولة الموحَّدة.

ألا ترون معي أنّ الرفاهية والحسد هما البَسطُ والمقام لهذا العدد الكسري الملقّب بالسعادة؟ فهل سيكون هناك معنى لتساقط ضحايا حرب المائتي عام إذا استمر سببٌ واحد يبرّر الحسد في حياتنا؟ ولكن رغم ذلك بقيَ سبب.

رغم كلّ جهودنا ظلّ شكل الأنوف سببا مثيرا للغيرة. إذ توجدُ أنوف على شكل زرّ وأخرى كلاسيكية. (تلك التي تحدّثنا عنها في النزهة) وظلّ الحبّ يُشعل فتيلَ الحسد.. فَمِنّا من يسعى الجميع للفوز بحبّهم، وآخرون يقعُ صدُّهُم.

من البديهيّ أن تشنّ الدولة الموحَّدة حربا ضد السيّد الثاني في العالم: الحبّ. وذلك بعد أن أحكمت سيطرتها على السيّد الأول: الجوع (أي ما يعادل في الجبر الوصول إلى قمّة الرفاهية) وفي نهاية الأمر هزمت دولتنا المفدّاة هذا السيّد أيضا.. فقامت بتأطيره - بطريقة حسابية دقيقة- وتقنينه. وقد أُعلن قانون 'Lex sexualis' منذ 300عام: "لكلّ رقم منّا الحقّ في استخدام أيّ رقم آخر كأداة جنسيّة".

أمّا ما تبقّى فهي أمور تقنية بحتة.. حيث تقع معاينتك وفحصك بدقّة في مختبرات الجنس ويُحدّد معدّل الهرمونات الجنسية في دمك لكي يُخصّص لك جدول دقيق مناسب. ثمّ تتقدّم بتصريح يفيد رغبتك باستخدام هذا الرقم أو ذاك (أو مجموعة الأرقام) كأداة للجنس، ومن ثمّ تُمنح كتاب التذاكر (الورديّة) وهذا كلّ ما في الأمر.

كما ترون.. لا يوجد أدنى مجال للحسد والغيرة. مقام كسر السعادة قارَبَ الصفر.. وأصبح العدد الكسريّ عددا لا متناهيا رائعا. وتحوّل الحبّ من سبب مأساة القدامى إلى وظيفة متناغمة مفيدة للجسم. تماما كالنوم والرياضة والأكلّ والتغوّط وما إلى ذلك. أترونَ عظمة قوة المنطق الإلهيّة وكيف تُطهّر كلّ ما تلامسه؟ آه لو تُدركون أيّها المجهولون عظمة هذه القوّة وتستسلمون لها حتّى النهاية.

من الغريب أنّني أكتب طوال اليوم عن أعلى قمم تاريخ الإنسانية حيث يغمرني هواء المرتفعات النقيّ ورغم ذلك، شيء بداخلي ما يزال متلبّدا.. شيء عنكبوتيّ ذو أربع قوائم على شكل 'X'.. أو لعلّ قوائمي هي ما يزعجني.. خاصّة أطرافي العلويّة، كم أرغبُ في نسيان الشّعر الذي يكسوهما. إنّهما بقايا من العصر الحجريّ الهمجيّ.. أمِنَ المعقول أنّني أحمل في جيناتي شيئا من التوحّش..

راودتني رغبةٌ في شطب ما كتبتُه للتّوّ فهو خارج عن موضوع مذكّراتي.. ولكنّني فضّلتُ الإبقاء عليها كما هي. فلتكن مذكّراتي كجهاز دقيق لرصد الزلازل.. فلترصُد أبسط وأتفه اهتزاز في موجاتي الدماغية. غالبا ما تكون هذه الاهتزازات التحذير الأوّل..

ومع ذلك، عليّ شطب كلّ هذا لأنه بلا معنى.. فقد روّضنا قوى الطبيعة كلّها ولم نترك المجال لحدوث أدنى كارثة.. تأكّدتُ الآن أنّ ما أحسست به من الغرابة متأتٍّ من وضعي "المربعيّ" الذي ذكرته سابقا.. ولا مجال لوجود 'X' مجهول بداخلي (هذا غير ممكن) أنا متخوّف أن يوجد فيكم أنتم -أعزائي القرّاء المجهولون- شيء على شاكلة 'X' ..

لكنّني واثق أنّكم لن تدينوني بقسوة وستدركون مدى صعوبة ما أكتبه.. شعور يتجاوز ما أَحَسَّه أيّ كاتب في تاريخ الإنسانية جمعاء.. فمنهم من كتب لمعاصريه ومنهم من كتب للأجيال القادمة ولكن لا نجد من كتب من قبل للهمجيّين.. ولكلّ الكائنات المجهولة التي قد تشبهكم.

السِجلّ السّادس

الحادث

كلمة "واضح" اللّعينة

24 ساعة

أعيدُ وأكرّر.. لقد عاهدتُ نفسي على أن أنقلَ لكم كلّ صغيرة، وعدم إخفاء شيء البتّة. ممّا يجعلني للأسف مضطرّا أن أكشف لكم عن بعض النقائض، فنحن لم ننجح في صقل الحياة وجعلها صلبة، وعجزنا عن إدراك الكمال والمثالية.

كم أتمنى لو ننجح في تحقيق المثالية (الوضوح التام).. إنّها المرتبة العليا حيث لا مجال للصّدف ولا مجال للسماح بأدنى خلل في النظام... ولكن تأملوا معي حالتنا المزرية: لقد قرأتُ اليوم خبراً نُشر في صحيفة الدولة الموحَّدة الرسميّة مفاده أنّ مهرجان العدالة سيُقام في غضون يومين في ساحة المكعّب. مهرجانٌ كهذا لا يقام إلاّ إذا حاد أحد الأرقام عن المسار التقدميّ لآلة الدولة الموحَّدة. إنّه لشيء مخيبٌ للآمال.. فمرّة أخرى يحدث أمر غير متوقع، مرّة أخرى يهزمنا اللاّمُتوقّع ويسبقنا بخطوة.

وممّا زاد الطين بلّة أن هذا اللاّمتوقع حدث لي أنا أيضا.. نعم، حدث لي شيء غير منتظر خلال الساعتين الشخصيتين.. حسنا، صحيح أنّ هاتين الساعتين مخصّصتين لكلّ ما هو خارج السيطرة ولكن ما حدث لي أمر غير مقبول.

كنت في البيت حوالي الساعة 16 (15:50 أكون أكثر دقة) حين رنّ الهاتف.

- 'D-503'.

- نعم.

- هل أنت مشغول؟

- لا أبدا.

- هذه أنا 'I-330'، سآتي إليك خلال لحظات وسنذهب معا إلى المتحف القديم، اتفقنا؟

هذه الـ 'I-330' اللعينة تغيظني وتزعجني، بل تكاد تخيفني، أجهل تماما لمَ أجبتها بالقبول "حسنا"!

بعد خمس دقائق كنّا في الطائرة التي حملتنا ببطء عبر سماء شهر مايو. سماء تتّشح بزرقة عميقة كصحن فخاريّ. وكانت الشمس المشرقة المشعّة تطير خلفنا على متن طائرتها الذهبيّة وتعدّل سرعتها لنبقى على المسافة نفسها.. فلا يسبق أحدنا الآخر. ولكن ما عكّر مزاجي هو تلك السحابة البيضاء التي تلوح في الأفق، سحابة سخيفة ومنتفخة كخدّي 'كيوبيدون' العتيق. فتحتُ النافذة الأمامية فتدفقت ريح قوية جفّفتْ شفتاي.. فرُحتُ ألعقهما ممّا عمّقَ تفكيري بالشفاه..

تراءت لي من بعيد، من وراء السور الأخضر، بقعٌ خضراء داكنة، أشعرتني بانقباض ونغزات في قلبي، شعور لا إرادي يزداد حدّة كلّما دنونا من الأسفل، كنّا ننحدر بسرعة ككرة ثلج إلى القاع... إلى القعر، حيث يوجد المتحف القديم الذي بدا لي مجرّد بناء قديم متهالك، آيل للسقوط.. ولولا تلك القشرة الزجاجية التي تغطّيه لانهار منذ زمن. تقف عند بابه امرأة عجوز طاعنة في السنّ تكسو التجاعيد جسدها، شفتاها مملوءتان بالشقوق والطيّات، فيُخيّل إليك أنّ فمها مطبق وأنّها فقدت ملكة الكلام بتاتا.. ولكنّها مع ذلك نطقت قائلة:

- "أهلا أيها العزيزان هل أتيتما لرؤية منزلي؟.." ما إن قالت هذه الجملة حتّى اختفت كلّ تجاعيدها. (أو بالأحرى شُدّت بمفعول تحريك عضلات الفم ممّا خيّل إليّ أنّها تلاشت).

- "نعم يا جدتي، أحسستُ بالحاجة لرؤيته مرّة أخرى" أجابت 'I-330' مما أسعد العجوز فردّت:

- "إنّه يوم مشمس.. كم هذا صعب.. وكم هي لعوب هذه الشمس... كم هي لعوب ولكنّني أفهمها جيّدا.. ولذا أفضّل أن تدخُلا وأبقى أنا هنا تحت الشمس."

آها.. فهمتُ الآن.. من الجليّ أنّ رفيقتي تتردّد على هذا المكان كثيرا... شعرتُ بضيق شديد يعتصرني وانتابتني رغبة في نفض شيء عنّي.. أتوقع أنّه منظر تلك السحابة السخيفة التي تتوسط ذاك الصحن الخزفي الأزرق.

كنّا نصعد الدرج الواسع المظلم عندما قالت 'I-330':

- "أحبّ هذه العجوز".
- "لماذا؟".
- "لا أدري.. قد يكون فمها هو السبب.. أو ربما أحبها هكذا ببساطة ودون سبب يُذكر."

هززتُ كتفي بلا مبالاة ولكنها واصلت بابتسامة طفيفة أو ربما لم تكن تبتسم بالمرة، "ينتابني إحساس بالذنب فأنا أدرك أننا لا نحبّ هكذا ببساطة وبدون سبب. فنحن مبرمجون أن نحبّ فقط لسبب ما.. جميعُ غرائزنا يجب أن تكون مبرمجة مسبقا.

- "هذا واضح".

قلتها ثم سكتُّ قليلا، فقد تفطنتُ أنّني أستعمل كلمة "واضح" مجدّدا والتفتُّ إلى 'I-330' لأرى إن كانت قد لاحظت ذلك.. ولكنها كانت تحدّق بشيء ما وجفناها منخفضان كالستائر.. وفجأة استحضرت صورة الشارع عند حوالي الساعة 22.. كنتُ مارّا بين حجرات شفافة مغمورة بنور ساطع وأخرى معتمة مسدلة الستائر... ما الذي كان يجول ببالها خلف تلك الستائر ولمَ اتصلت بي اليوم؟ ما المغزى من كلّ هذا؟

فتحت بابا صلبا وغير شفاف فأحدث صوت صرير غريب ووجدنا أنفسنا في مكان قاتم وغير مرتب (كانوا يُطلقون عليه في السابق اسم "شقة")... كان المكان يحتوي على آلة البيانو الموسيقية وعلى مزيج غير متجانس من الألوان والأشكال.. مزيج هجين تماما كموسيقاهم البدائية وغير المتناسقة بالمرة. كان السقف مطليّا بالأبيض والجدران زرقاء داكنة.. وكان هناك كتب قديمة غلّفت بالأحمر والأخضر والبرتقالي وشمعدانات برونزية.. لمحتُ أيضا تمثالا لبوذا وقطعا ملتوية من الأثاث كأنها أصيبت بالصرع. كان من الصعب إدماج هذا المشهد في معادلة منطقية.

لم أستطع احتمال هذه الفوضى العارمة ولكن رفيقتي بدت أكثر رباطة جأش.

- "هذا أفضل.." ثم فجأة استطردت كأنها فطنت لشيء مهم وبرزت أسنانها الحادّة ناصعة البياض خلف ابتسامتها اللاذعة "بل أقصد أسخف ما يلقّبونه "شققهم".
- "بل بالأحرى دولهم" قلتُ مصحّحا.. "ملايين الدول المجهرية المثيرة للشفقة التي تعيش حالة تأهّب دائمة".
- "نعم. بالتأكيد.. هذا واضح" أضافت بكلّ جدية.

ثم اجتزنا غرفة تحتوي على أسرّة للأطفال (حتّى الأطفال آنذاك كانوا عبارة عن ملكيّة شخصيّة).. وطالعتنا غرفٌ أخرى عديدة: وميض مرايا، خزائن مظلمة، وآرائك مغطّاة بأقمشة متضاربة الألوان، ومدافئ ضخمة وسرير كبير جدّا مصنوع من الخشب الأحمر.

أما الزجاج -زجاجنا الشفاف الأبديّ العظيم- فقد كان في حالة مزرية على شاكلة نوافذ صغيرة مستطيلة متهالكة.

- "تخيل معي الأمر.. هنا يحبّون هكذا دون سبب، يحترقون بآلام الحب ويعذّبون أنفسهم..".

قالت هذا مسدلة ستائر عينيها مجددا: "يا له من غباء وهدر للطاقة البشرية.. أليس ذلك؟".

كانت تتكلّم بلساني وتترجم أفكاري إلى حروف ولكن ابتسامتها كانت تحمل تلك الـ 'X' المجهولة المثيرة للحنق.. لم أكن أملك أدنى فكرة عمّا تخفيه خلف ستائرها.. وكنت أفقد صبري رويدا رويدا.. أردتُ أن أناقشها وحتّى أن أصرخ في وجهها (هكذا تماما) ولكن بدلا من ذلك كنتُ أؤيدها تماما، فلا أقوى على غير ذلك.

توقفنا أمام المرآة فلم أرَ غير انعكاس صورتي في عينيها. فجأة خطرت ببالي فكرة.. إنّ شكل الإنسان سخيف تماما كهذه الشقق: فرؤوسنا غير شفافة ولا مجال لنرى ما بداخلها إلا عبر هذه النوافذ الصغيرة التي يسمّونها العيون. أظنّها خمّنت ما كنتُ أفكر به فقد قالت "ماذا ترى من خلال عينيّ؟" قالت كلّ هذا دون أن تنبس ببنت شفة...

تأملت النافذتين المظلمتين اللّتين تخفيان حياة مختلفة ومجهولة. رأيت لهبًا يتطاير من عينيها كأنّها تخفي داخلهما موقدا.. لمحتُ هناك أيضا بضع أرقام تشبهنا.

كان أمرًا طبيعيا أن أرى انعكاس صورتي في المرآة.. ولكن هذه الصورة لم تكن تشبهني بالمرّة (يبدو أنّ هذا المحيط الجديد أحبطني).

أحسست بالخوف كأنما قد أُلقيَ القبض عليّ والزجّ بي في قفص بدائيّ.. شعرت أنّني غرقتُ في تيّار همجيّة الحياة القديمة..

قَدِمَ صوتها من الداخل، من وراء نافذتيها المظلمتين، من الموقد الذي يشتعل داخلها وقالت:

- "ما رأيك أن نذهب إلى الغرفة المجاورة لبرهة".

ذهبتُ إلى الغرفة المجاورة وجلست. كان هناك تمثال غير متناظر وُضع على رفّ في الحائط..

أظنّه تمثال شاعر قديم يدعى 'بوشكين'. كان وجهه بالكاد يبتسم. لم أرضَ بالجلوس هكذا وتحمّل هذه الابتسامة اللعينة؟ ما المغزى من كلّ هذا وما الذي أفعله هنا؟ لا أشعر بالراحة بوجود هذه المرأة المثيرة المزعجة التي تعابثني.

سمعتُ في الغرفة المجاورة إغلاق باب خزانة وحفيف حرير. واجهتُ صعوبة في السيطرة على نفسي وتجنّب الذهاب إلى هناك. كنت أودّ أن أغرقها بوابل من الشتائم..

ولكنّها خرجت مرتدية ثوبا أصفر اللون من الطراز القديم وقبعة سوداء اللون وجوارب سوداء.

كان الثوب مصنوعا من الحرير الشفاف ممّا سمح لي برؤية الجوارب الطويلة التي تعلو ركبتيها بوضوح.. كان فستانّها مكشوف الصدر يتراءى من خلاله الظلّ البارز بين نهديها.

قلت: "اسمعيني جيّدا.. من الواضح أنك تريدين البروز والتميز عن الآخرين ولكن هل عليك حقّا أن..؟".

قاطعتني قائلة: "من الواضح أن التميّز عن الآخرين يكمن في إبراز مدى اختلافك عنهم.. التميّز هو تدمير مفهوم المساواة والتشابه.. إنّ ما كان يلقّبه القدامى بـ "شيء عاديّ" هو ما نسمّيه اليوم "القيام بالواجب" وذلك لأنّ...".

لم أستطع تمالك نفسي وقلت "نعم.. نعم.. نعم.. ما قلته صحيح.. ولذا لك الحق في...".

اقتربت من تمثال الشاعر الأفطس وقالت شيئا في منتهى العقلانية (لتهدّئ من روعي ربما) بعد أن أسدلت الستائر على النار المتأجّجة خلف نافذتي عينيها.. "إنّه لأمر عجيب أنّ الناس كانوا في فترة ما مستعدين للتعايش مع شيء كهذا؟ ولم يتوقفوا عند التعايش معه بل كانوا يجلّونه.. يا للعبودية.. أليس كذلك؟"

– "هذا واضح.. (هذه الـ 'واضح' اللعينة التي لا أتوقف عن قولها) أقصد أن..".

– طبعا.. أنا أفهمك جيدا ولكن إن وُجد أسياد –كهذا التمثال– أقوى من الملوك الهمجيين.. فلماذا لم يعزلوهم أو يبيدوهم؟.. ففي عالمنا."

"نعم. في عالمنا.." ما إن نطقتُ حتّى انفجرتْ ضاحكة.. كانت ضحكتها صامتة لم أسمع رنينها بل لمحتها في عينيها..

رأيت انحناء تلك الضحكة الرنّانة.. الحادّة واللاذعة كسوط.. كلّ ما أذكره هو أن ارتجافة سرت في كياني كلّه، تُصاحبها رغبة ملحّة في الانقضاض عليها... أذكر الرغبة الجامحة التي اعترتني لفعل شيء ما.. فقمت بحركة ميكانيكية وفتحت شارتي الذهبيّة وتفقدت الساعة فإذا بها الساعة الـ 16:50.

قلتُ بأقصى ما أوتيت من تهذيب: "ألا تظنين أنّ وقت المغادرة قد حان؟".

-"لنفترض أنّني طلبتُ منك البقاء معي".

-"هل تعين ما تقولين؟ عليّ أن أكون في قاعة المحاضرات في غضون عشر دقائق".

أضافت مقلّدة صوتي "والأرقام كلّها ملزمة بحضور المحاضرات المقرّرة في الفنّ والعلوم".

قالت ذلك وسحبت الستائر ثم رفعت عينيها فرأيت عبرها النار المضطرمة داخلها "هناك طبيب مسجّل باسمي في مكتب الطبّ ويمكنني أن أطلب منه تقديم شهادة طبيّة مفادها أنّك مريض. ما رأيك؟".

فهمت أخيرا المغزى من هذه اللعبة..

-"هكذا إذن.. ألا تعرفين أنّه عليّ أن أقوم بتقديم بلاغ ضدّك على الفور في مكتب الحرّاس.. تماما كأيّ رقم نزيه".

-"لا أتوقع ذلك (ابتسمت ابتسامة حادّة) يعتريني فضول شديد لمعرفة ما إذا كنتَ ستقدّم وشاية لمكتب الحراسّ.

سألتها متوجّها نحو مقبض الباب "هل ستبقين؟".. مقبض الباب مصنوع من النحاس الأصفر. وبدا لي أن صوتي حينها مصنوع من المادة نفسها..

توجّهتْ نحو الهاتف وأجرت مكالمة هاتفية مع رقم ما.. لم أستطع معرفة من يكون.. أحسستُ بشيء من التّعاسة حين سمعتها تقول بصوت عال "سأنتظرك في المتحف القديم.. نعم نعم سأكون بمفردي".

أدرت المقبض النحاسي البارد قائلا "هل تسمحين باستخدام الطائرة".

-"طبعا.. تستطيع".

عند الباب الأمامي وجدت العجوز المسنّة تغطّ في نوم عميق كنبتة تحت أشعة الشمس.. مرّة أخرى تعجبت من أن ينطق فكّها المغلق بإحكام..

-"ماذا عن.. رفيقتك.. هل ستبقى بمفردها؟".

-"نعم ستظلّ لوحدها".

انطبق فمها بإحكام مرّة أخرى وأومأت برأسها. من المتوقع أنّ عقلها الضعيف غير قادر على إدراك مدى تهوّرها وخطورة تصرفاتها.

وصلتُ إلى المحاضرة على الساعة 17:00 بالتحديد.

حينها فقط تفاجأتُ أنّني كذبتُ على المرأة العجوز فـ 'I-330' ليست بمفردها هناك.. لقد خدعتُ تلك العجوز بدون قصد.. ربما لذلك يعذبني ضميري ويمنعني من التركيز وسماع المحاضرة.. هذا هو المشكل الأساسي: ليست بمفردها.

حظيت بوقت فراغ بعد الساعة 21:00. ما زال أمامي الوقت الكافي اليوم لأكتب تقريرا لمكتب الحرّاس ولكنّني متعب جدّا جرّاء تلك الحادثة السخيفة ثمّ إنّ القانون يمنحني مهلة مدّتها يومين لكتابة التقرير.. سيكون لديّ متّسع من الوقت غدا.. 24 ساعة كاملة.

السِجلّ السابع

رمش

مخدّر تايلور

زنبق الوادي

خيّم اللّيل.. حلمتُ بلون أخضر.. برتقالي.. أصفر.. آلة بيانو حمراء، فستان برتقالي وأصفر. ثمّ بتمثال بوذا البرونزي. فجأة رفع بوذا جفونه البرونزية وسال عصير من التمثال ومن الفستان الأصفر أيضا. عصير رشح عبر المرآة وانبثق من السرير الكبير ومن أسرّة الأطفال.. وحتّى منّي أنا.. نعم عصير مرعب حلو وقاتل ينبعث مني.

صحوتُ من النوم لأجد نفسي محاطا بالضوء المعتدل الأزرق، بالجدران البلورية. بالأرائك الزجاجية وبالطاولة المشعّة... هدّأ هذا من روعي وكفّ قلبي عن الخفقان بقوة. أظن أنّني مريض. ما هذا الهراء؟ عصير وبوذا؟

ليس من عاداتي أن أحلم. يقال إنّ رؤية الأحلام كان أمرا مألوفا لأسلافنا. طبعا، فحياتهم عبارة عن أرجوحة مرعبة: أخضر.. برتقالي.. بوذا وعصير..

لكننا ندرك اليوم أنّ الأحلام هي من الأعراض الخطيرة لداء قاتل يصيب العقل.. وأنا على يقين أنّ عقلي كان إلى حدّ الآن جهازا ميكانيكيّا مضبوطا لا تشوبه شائبة.

ما الذي يحدث الآن؟ أشعر أنّ جسما مريبا قد اقتحم عقلي تماما كما يقتحم العينَ رمشٌ دقيق.. تشعر أنّك إجمالا بخير، ولكن لا تنسى ولو للحظة ذلك الرمش داخل عينيك.

رنّ الجرس الزجاجي الصغير المعلّق عند طرف السرير معلنا أنّ وقت النهوض قد حان.. الساعة السابعة.

لمحتُ نفسي عبر الجدران الزجاجية الموجودة على يميني وشمالي.. رأيتُ غرفتي.. ملابسي وحركاتي المكرّرة الرتيبة.. إنّه لأمر مطمئنٌ أن تشعر أنّك جزء من جسم متّحد جبّار ضخم.. يا لهُ من جمال دقيق.. لا مجال لحركةٍ زائدة.. لا انثناء ولا انحناء.

لا شكّ في أنّ 'تايلور' يُعتبر من أهمّ عباقرة العصور القديمة.

صحيح أنّه لم يخطر بباله أن يدمج الحياة بأكملها، أن يُدخل كلّ حركة وكلّ خطوة في هذه المعادلة الدقيقة.. فشل في برمجة العالم كلّه كالساعة من 1 إلى 24. و مع ذلك.. كيف تجرّؤوا على تأثيث مكتباتهم بمؤلفات 'كانط' بينما ظل 'تايلور' النبيّ الذي استشرف المستقبل نكرة؟

انتهى فطور الصباح ثم أنشدنا النشيد الوطني للدولة الموحَّدة بانسجام.. وبالانسجام والنظام نفسهما، اتّجهنا أربعة تلو أربعة نحو المصعد وبالكاد سمعنا صوت المحركات ونحن ننزل للأسفل.. يراودنا انقباض طفيف.

وفجأة عاد إليّ الحلم الغبيّ من جديد.. أو ربما جزء خفيّ منه.. آه نعم. بالأمس في الطائرة راودني الانقباض نفسه.. ولكن كلّ شيء انتهى.. من الجيّد أنّني كنتُ حازما وعنيفا معها البارحة.

حملني قطار الأنفاق بالسرعة القصوى حيث يوجد جسم الـ "أنتغرال" الأنيق المشعّ.. ذلك الجسم الجامد الذي لم تُبَثّ فيه نار الحياة بعد. أغمضتُ عيني واستسلمت لحلم جميل حول المعادلات.. مرة أخرى.. قمتُ بحساب ذهنيّ للسرعة الأوليّة المطلوبة لينطلق "الأنتغرال" من الأرض نحو الفضاء الواسع.

ثمّ كلّما تقلّص الوقود المتفجر.. ثانية تلو أخرى.. يشهد "الأنتغرال" جملة من التغيّرات.. إنّها لمعادلةٌ في غاية التعقيد ذات قيمة تصاعدية.

بينما كنتُ غارقا في عالم الأعداد الصعب كأنّني في حلم عذب.. جلس شخصٌ ما بجانبي ودفعني قائلا "أنا آسف"..

نظرت إليه بعينين نصف مفتوحتين ليقع بصري على شيء متدافع في الفضاء (كما هو حال الـ "أنتغرال").. إنّه رأس طائر بأذنين قد اتخذتا شكل جناحين ورديين... يليه انحناء في الرقبة.. بل انحناءان...إنّه الحرف 'S'.

ومرّة أخرى تسلّل ذلك الرمش إلى داخلي عبر الحائط الزجاجي لمعادلتي الجبرية. يا له من أمر مزعج... أظنّ أنّه عليّ اليوم أن...

قلتُ مبتسما ومرحّبا بالحرف 'S' الذي يجلس بجواري: "لا داعي للأسف.. تفضل".

لمع رقمه المرسوم على شارته الذهبيّة: 'S-4711' (اتضح لي الآن لمَ ارتبط شكلُه دائما لديّ بالحرف 'S'. إنّه انطباع بصريّ غير مسجّل في الوعي).

لمعت عيناه الثاقبتان الحادّتان اللّتان تنخران أعماقي.. تسلّلتا تدريجيا إلى أن وصلتا إلى أعمق الأعماق ورأتا ما لم أتمكن أنا نفسي من رؤيته..

فجأة أدركتُ ماهية ذلك الرمش.. إنّ 'S' هو أحد الحرّاس.. من الأفضل لي الآن من دون تأخير أن..

"البارحة.. أقصد.. كنت في المتحف القديم" بدا صوتي غريبا ومسطّحا مما دفعني إلى التنحنح..

-"وماذا في ذلك.. إنّه لشيء مفيد أن نستخرج استنتاجات جديدة"

-"نعم.. ولكنّني لم أكن بمفردي.. كنتُ بصحبة ‘I-330’"

-"يا لك من محظوظ .‘I-330’ امرأة رائعة وموهوبة ولها العديد من المعجبين"

ولكن هو أيضا -فخلال النزهة بدا لي أنّه مسجّل باسمها- من الأفضل ألاّ أخبره بشيء.. هذا واضح..

-"نعم صحيح.. لديها العديد" ارتسمت على محياي ابتسامة عريضة سخيفة.. ممّا جعلني أبدو كأحمق، أو كأنّني أقف عاريا أمامه.

واصلت نظرته الثاقبة التسلّل إلى أعماقي.. ثمّ ابتسم لي 'S' ابتسامة مزدوجة وتوجّه بعدها إلى باب الخروج.

شعرت أنّ الجميع ينظر إليّ فدفنتُ رأسي تحت الجريدة كالنعامة لكن سرعان ما وقعت عيناي على نبأ محزن أنساني الرمش والنظرات الثاقبة.. محا كلّ شيء.. كان خطّا قصيرا مكتوبا بدقة: أبلغتنا مصادر موثوقة أنّه قد عُثر على تنظيم ما يزال طليقا حتّى الآن. يهدف إلى التحرّر من حِمى دولتنا النيرّة.

"التحرر" حقّا؟ إنّه لمن المدهش أن تظلّ هذه الغرائز الإجرامية موجودة في الصنف البشري. أقولها بثقة تامة: إنّهم مجرمون.. فالحرية والإجرام مرتبطتان ارتباطا وثيقا.. تماما كارتباط الطائرة بسرعتها.. فإن افترضنا أنّ سرعة الطائرة صفر، فستُشلّ حركتها كلّيّا.. وبالمنطق نفسه، إذا كانت حرية المرء معدومة فهذا يعني أنّه لا مجال لارتكاب الجرائم. من الجليّ أنّ الوسيلة الوحيدة للقضاء على الإجرام هي الانعدام المطلق

للحريّة.. والآن، بعد أن كدنا نتمكّن (كدنا هي اختزال لقرون من العمل) من القضاء عليها.. يقوم بعض السذّج المثيرون للشفقة بـ...

لا أستطيع أن أتفهّم لمَ لمْ أتوجه البارحة مباشرة إلى مكتب الحراس؟! سأذهب اليوم حتما بعد الساعة 16:00.

خرجتُ على الساعة 16:10.. كان أوّل شيء تقع عليه عيناي هو 'O' الواقفة عند الزاوية.. غمرني الفرح الورديّ عند رؤيتها.. قلتُ في نفسي: "إنّها تملك ما أحتاجه بالضبط.. عقل دائري بسيط.. حتما ستتفهمني وتدعمني".. ولكن لحظة.. لمَ قد أحتاج إلى الدعم.. لقد سبق أن اتخذت قراري.

كانت أبواق مصنع الموسيقى تصدح بانسجام في المسيرة اليومية القديمة.. لا أجد كلمات تصف مدى سحر هذا التكرار.. مدى جاذبية هذه الرتابة ومدى روعة هذه المرآة الزجاجية.

أمسكت 'O' بيدي قائلة "هلاّ ذهبنا في جولة؟" كانت عيناها الزرقاوتان مفتوحتين لي على مصراعيهما كنافذتين مطلتين على جوهر وجودها.. أنفُذ عبرهما إلى داخلها من دون أن يعترض شيء غريب أو غير مفيد طريقي.

- "لا.. لن نتجول اليوم.. عليّ الذهاب إلى مكتب الحرّاس".

ووقفتُ مدهوشا أتأمل تحوّل دائرة فمها الوردية إلى هلال كما لو أنّها تذوقت شيئا حامضا..

فانفجرت قائلا: "أنتنّ أيّتها الأرقام النسائية.. أفكاركنّ معبّأة بالخرافات لدرجة ميؤوس منها.. لستُنَّ قادرات أبدا على التفكير بشكل مجرّد.. أنا آسف ولكن هذا غباء".

"افف.. أنت ذاهب للجواسيس في حين أنّني جلبتُ لك زنبقة من المتحف النباتي".

"آه... مجددا تتكلّمين بعبارات نسائية خالصة.. "لماذا أنا" و"لماذا"...

أعترف أنّني انتزعتُ الزنبقة منها بغيظ "خذي زنبقتك وتنشقيها جيّدا... رائحتها زكية أليس كذلك؟ حسنا حاولي الآن أن تفكّري بحدّ أدنى من المنطق. فلنتّفق أن رائحة الزنبق زكيّة.. ولكن هل أنت قادرة على تعريف ماهية هذه الرائحة؟.. لا تستطيعين تحديد الفرق بين مفهوم الرائحة الجيدة والرديئة.. كرّري ما قلت.. لا يمكنك ذلك.. لا تستطيعين فعله.. لنأخذ مثلا رائحة زنبق الوادي ورائحة نبتة البنج الكريهة. كلاّهما تصنّفان كروائح..

والجواسيس أيضا كانوا موجودين في الدولة القديمة وهم موجودون الآن.. نعم، هذا صحيح ولكن كلمة جواسيس لا تخيفني البتة.. ولكن من الواضح أنّ جواسيسهم كانوا كنبتة البنج أما جواسيسنا فهم أشبه بزنبق الوادي... نعم زنبق الوادي.

ارتعش الهلال الوردي فاستشطتُ غضبا وصرخت عاليا.. فقد أيقنت الآن أنّني كنت مخطئا حين خُيّل لي أنّها على وشك الانفجار ضحكا..

- "نعم زنبق الوادي.. لا شيء يدعو للضحك.. لا شيء".

استدارت الرؤوس المكوّرة التي تطفو حولنا و حملقت فينا..

أمسكت 'O' ذراعي بحنان قائلة:

- "ما الذي يحدث لك اليوم؟ هل أنت مريض؟".

الحلم.. اللّون الأصفر.. بوذا.. لقد تحققتُ الآن أنّه عليّ الذهاب لمكتب الطبّ.

"نعم أنت محقّة أنا فعلا مريض" قلتها بكلّ ارتياح (رغم أنّه لم يكن هناك سبب لارتياحي.. وهذا في حدّ ذاته تناقض لا مبرّر له)

"عليك إذن أن تذهب إلى الطبيب فورا.. أنت تعرف جيّدا أنّه من واجبك الحفاظ على صحّتك.. من السخيف أن أذكّرك بهذا'..

"طبعا عزيزتي 'O' أنت محقّة فعلا".

لم أستطع الذهاب إلى مكتب الحرّاس مرّة أخرى. ليس بيدي حيلة فقد كان عليّ الذهاب إلى مكتب الطبّ ومكثتُ هناك إلى حدود الساعة 17.

وفي المساء زارتني 'O' (على كلّ حال مكتب الحراس مغلق مساءً).. لم نُسدل الستائر كالعادة بل راجعنا كتب المشاكلّ القديم بحثا عن حلول تهدّئ من روعي وتنظّف دماغي من الأفكار السخيفة. كانت 'O-90' منكبّة على دفتر ملاحظاتها وكان رأسها مائلا على كتفها الأيسر. كانت تبذل مجهودا كبيرا وتضغط بطرف لسانها على خدّها من الداخل.

بدت لي ساحرة كطفل صغير.. مما بعث في نفسي طمأنينة غامرة.. انتابني إحساس بالبساطة والوضوح.

ثم غادرت وبقيتُ لوحدي.. أخذتُ نفسين عميقين (فالتنفس مفيد جدّا خاصة قبل النوم) وفجأة استنشقت نفحة رائحة غير متوقعة.. ذكّرتني بشيء غير مريح على الإطلاق.. سرعان ما وجدتُ مصدر الرائحة.. إنّه غصن زنبقة الوادي مخبّأ تحت

السرير.. فجأة عاد كلّ شيء يحوم على السطح.. إنّه لتصرّفٌ غير لائق من قبلها أن تدسّ لي هذه الزنبقة في سريري..

حسنا.. صحيح أنّني لم أذهب ولكن ما ذنبي إن كنتُ مريضا؟

السِجلّ الثامن
وحدةٌ تخيّليّة
'R–13'
مثلّث

منذ متى حصل هذا؟ منذ سنوات دراستي حين أصبتُ بالـ $\sqrt{-1}$. أتذكّر الحادثة بوضوح.. كنتُ يومها جالسًا ضمن مئات الرؤوس الدائرية الملساء في القاعة الكروية المشرقة... كنّا في حصّة الرياضيات صحبة أستاذنا الملقّب بـ Pliapa.

كان مهترئا وقديما إذ تمّ استخدامه مرارًا وتكرارًا، وكلّما حاول الشخص المناوب توصيله بالكهرباء، إلّا وصدر صوتٌ مزعج عبر مكبّرات الصوت "بليا..بليا..بليا..بلاششششش" ثم ينطلق الدرس. أتذكّر جيّدا حين شرح لنا Pliapa مفهوم الأعداد الوحدات التخيّليّة[1]..

صرختُ ضاربا بيدي على الطاولة:

– "لا أريد هذا الـ $\sqrt{-1}$.. أخرجوه منّي على الفور".

كان هذا الجذر غير النسبيّ ينمو في داخلي كجسم غريب مرعب.. كان يلتهمني ويتشعّب في داخلي ولم أكن قادرا على السيطرة عليه أو فهمه أو حتّى تحويله لعدد صحيح لأنّه كان بعيدا جدًّا عن النسبة الصحيحة.

والآن هأنذا أمام هذا الجذر i مجدّدا.. راجعتُ كلّ سجلّاتي واتّضح لي أنّني كنتُ أخدع نفسي وأكذب.. لأنّني لم أكن قادرا على رؤية $\sqrt{-1}$ مجدّدا.. أمّا ادّعائي أنّي مريض

---

[1] مفهوم الوحدات الخياليّة: كلّنا نعلم أنّ مربّع أيّ قيمة عدديّة يكون قطعا موجبا، وبالتالي يستحيل رياضيًّا وجود جذور للأعداد السالبة. وها هو الأستاذ يشرح لنا كيف تمّ اختراع وحدة خيالية تدعى i يساوي مربعها ناقص واحد. وبالتالي يصير هذا الـ i مساويا لـ $\sqrt{-1}$. يا للهول!

45

فهو مجرّد هراء.. كان باستطاعتي الذهاب إلى مكتب الحرّاس ولكنّني لم أفعل.. لو حدث لي هذا قبل أسبوع لكنتُ ذهبت دون تردّد.. ولكن الآن ما الذي يحدث لي؟

في اليوم نفسه وعلى الساعة 16 بالتحديد، كنت واقفا أمام الجدار الزجاجيّ الساطع وكانت الحروف الذهبيّة المكتوبة على اللوحة المعلقة على باب المكتب تشعّ أمامي.. رأيتُ عبر الزجاج صفّا طويلا من البدلات الزرقاء الموحّدة مصطفّة الواحدة تلو الأخرى.. وجوه تشع كقناديل مقدّسة في كنيسة قديمة.. قَدِم هؤلاء الناس لأداء واجب وطني بطولي.. جاؤوا لإلقاء أحبابهم وأصدقائهم وحتّى أنفسهم في مذبح الدولة الموحَّدة. أمّا أنا فقد كنت أتوق لأكون بينهم ولكنّني عجزت عن ذلك والتصقت قدماي بالرصيف الزجاجيّ.. تسمّرتُ في مكاني دون حراك.. كنتُ أبدو غبيّا وسخيفا جدّا.

"أنت.. يا عالم الرياضيات.. ما الذي دهاك.. هل تحلم؟".

ارتجف جسدي بأكمله.. وجه ينظر إليّ... عينان داكنتان لامعتان ومبتسمتان.. وشفاه إفريقية غليظة. إنّه الصّديق القديم الشاعر 'R-13' بصحبته عزيزتي الوردية 'O'.

التفتُّ إليه مستاءً وقلتُ بحدّة (لو لم يقاطعاني لكنتُ انتزعت تلك الـ 1-√ من جسدي ودخلت للمكتب).

"لا لم أكن أحلم.. بل كنتُ أتأمل هذا المنظر بإعجاب".

"طبعا.. طبعا.. اسمع يا صديقي من الأحرى أن تصبح شاعرا لا عالم رياضيات. حقّا هلاّ انضممت إلينا نحن معشر الشعراء؟ سأرتّب لك الأمر برمّته إن أردت".

كاد 'R-13' يختنق من فرط الإثارة التي صحبت كلماته.. كانت الحروف تخرج من فمه كسيول حماسية متدفّقة.. مع كلّ حرف "ش" تتدفّق نافورة... نعم فكلّ الشعراء يحملون نافورات من الإحساس المفرط..

قطبت حاجبيّ قائلا:

- "لقد خدمتُ العلم دوما وسأظل أفعل ذلك لآخر نفس".. لا أستسيغ المزاح ولا أفهمه.. المزاح عادة سيئة من عادات 'R-13'.

"العلم؟ هل لهذه الكلمة معنى؟ علمك ليس إلا جُبنا.. هذا كلّ ما في الأمر.. أنت فقط تطوّق اللا لانهاية بجدار صغير لأنّك خائف من أن ترى الجانب الآخر من السّور.. هذه هي الحقيقة.. تخاف أن يبهرك نور الجانب الآخر و يفسد عينيك..".

"الجدران هي أساس كلّ شيء متعلق بالإنسان".. ثم سكتّ..

انبثقت الكلمات من 'R-13' كنافورة جميلة. ضحكت 'O' ضحكة وردية مدوية. فلتضحكا. هذا أمر لا يعنيني... ليس لديّ وقت أضيّعه هنا... عليّ أن أنزع منّي هذه الـ $\sqrt{-1}$ اللعينة.

"ما رأيكم أن نذهب إلى منزلي ونحلّ بعض المسائل؟" (تذكّرت تلك الساعة الهادئة التي قضيتها مع 'O' البارحة وخيّل إليّ أنّه بإمكاننا تكرارها اليوم)

نظرت 'O' إلى 'R' ثمّ نظرت إليّ نظرة دائرية واصطبغت وجنتاها بلون تذاكر أيامنا الجنسية..

"لكن اليوم لديّ تذكرة باسمه" قالتها وأومأت برأسها لـ 'R' وواصلت الحديث "ولكنّه اليوم سيكون مشغولا مساءً ولذا.."

صدر صوت في غاية الطيبة من خلف شفتيه الرطبتين اللامعتين:

"ليس لديّ مشكلة.. فكلّ ما نحتاجه هو نصف ساعة أليس كذلك يا 'O'؟ ولكن لا رغبة لديّ في مناقشة مسائلك.. ما رأيكم لو ذهبنا إلى منزلي وتسامرنا قليلا؟".

وافقتُ على اقتراحه، فقد كنتُ خائفا جدّا من بقائي وحيدا صحبة هذا المجهول 'D—503' الذي يحمل اسمي بمحض الصدفة.. صحيح أن 'R' غير دقيق وغير إيقاعي.. ويعتمد منطقا مثيرا للسخرية ومع ذلك كنّا وما زلنا أصدقاء... ولم يكن اختيارنا لـ 'O' الوردية اللطيفة منذ ثلاث سنوات إلاّ شاهدًا على عمق صداقتنا.. لقد متّن هذا الاختيار علاقتنا أكثر من أيام الدّراسة التي قضيناها معا.

دخلنا منزل 'R'.. يخيّل إليك للوهلة الأولى أنّه شبيه بمنزلي: اللوح نفسه على الحائط.. نفس الكراسي والأريكة وحتّى السرير.. كلّها مصنوعة من الزجاج.. ولكن ما إن دخل 'R' حتّى بدأ بتحريك الكراسي من مكانها وتغيير كلّ شيء.. خرج كلّ شيء عن السيطرة.. عن القياس المعهود.. وأصبح غير تقليديّ.. آه من 'R' لن يتغير أبدا.. لطالما كان في المراتب الأخيرة في صفّ الرياضيات وصفّ 'تايلور'.

استعدنا ذكرياتنا عن Pliapa القديم وكيف كنّا نحن الأولاد نعلّق عبارات شكر على ساقيه البلوريتين (كنّا نحب Pliapa حبّا جمّا). تذكّرنا أستاذ القانون ذا الصوت الجهوريّ العالي الشبيه بصوت صفير رياح صادرة عبر مكبّرات الصوت.

وكنا نحن الأطفال نزعق النصوص بأعلى أصواتنا. تذكّرنا كيف قام 'R-13' المجنون بمضغ بعض الأوراق وحشا بها مكبّر الصوت ومع كلّ نصّ تصدر كتلة من

الورق الممضوغ المبلّل باللعاب. ضحك مثلّثنا بأكمله جرّاء فعلته (حتّى أنا ضحكت ملء شدقيّ وأعترف بهذا) ولكن 'R-13' عوقب طبعا على فعلته الشنعاء.

"ماذا لو كان أستاذ القانون بشريًّا كالقدامى؟" أخرج حرف الـ "ش" نافورته المعتادة عبر الشفتين الغليظتين.

أشعة الشمس تغمرنا وتتدفّق عبر السقف والجدران ثمّ تنعكس على الأرضية الزجاجية. كانت 'O' تجلس في حضن 'R-13' وعيناها تشعّان كشموس صغيرة. شعرتُ بدفءٍ يجتاحني وتحسّنت حالتي وخفت صوت الـ $\sqrt{-1}$ في داخلي..

"حسنا أخبرني كيف حال الـ "أنتغرال" خاصّتك؟ هل من تقدّم يُذكر؟ هل سنطير قريبا لإنارة عقول سكّان الكواكب الأخرى؟ عليك الإسراع بإنجازه قبل أن نقوم نحن الشعراء بكتابة ما لا يقوى "الأنتغرال" خاصّتك على حمله. فنحن منكبّون على نظم الشعر يوميا من 8:00 حتّى 11:00"

هزّ 'R-13' رأسه وحكّ مؤخرة جمجمته. بدا لي رأسه كأنّه يجرّ حقيبة صغيرة مربعة (ذكّرني هذا المشهد بلوحة قديمة تدعى 'في العربة').

أيقظتني كلماته من سباتي وأشعلت فتيل حماستي فقلت

"حقًّا.. أنت أيضا تكتب عن "الأنتغرال".. ما الذي تكتبه عنه؟ ماذا كتبتَ اليوم مثلًا؟".

أجاب بنافورة متدفقة كعادته "لم أكتب شيئا اليوم. شغلتني أمور أخرى".

"ما الذي يمكن أن يُلهيك عن هذا؟".

قطب 'R' حاجبيه قائلا "ما الذي يلهيني؟ حسنا إن كنتَ مصرًّا سأخبرك.. أنا أقوم الآن بتحويل حكم قانوني صادر في حق شاعر أبله إلى بيت شعر.. لقد قضى عامين كاملين بيننا وجلس في مجالسنا وفجأة باغتنا قائلا "أنا عبقري.. أنا فوق القانون" وراح يهذي بكتابات.. من الأفضل ألّا أذكرها على مسامعكم".

فجأة تدلّت شفتاه الغليظتان وخفت بريق عينيه ثم هبّ مسرعا واستدار محملقا في الحائط، نظرتُ بتمعن إلى الحقيبة المقفلة بإحكام داخل رأسه وقلت في نفسي "أيّ أفكار تتدافع الآن يا ترى داخل الحقيبة الصغيرة".

خيّم صمت غريب غير متناظر على المكان ولم أفهم جيّدا فحواه ولكن من الواضح أنّه صمتٌ يحمل شيئا ما..

تعمّدت رفع صوتي قائلا "لحسن حظنا أن أزمنة شكسبير ودوستوفسكي القديمة قد ولّت".

استدار 'R' إليّ وقد خفت وميض عينيه ثم نفث نافورته المعتادة

"نعم يا عزيزي عالم الرياضيات، إنّنا لمحظوظون للغاية. نحن نمثّل أسعد معادلة حسابية على وجه البسيطة. وعلى حدّ تعبيركم أنتم علماء الرياضيات. نحن متكاملون من الصفر إلى ما لا نهاية. من 'الأبله' إلى شكسبير.. أليس كذلك؟".

لا أدري ما الذي ذكّرني دون أي مناسبة، بتلك المرأة وبنبرة صوتها، امتدّ خيط دقيق رابط بينها وبين 'R'، أيّ خيط هذا يا ترى؟ شرع $\sqrt{-1}$ باعتصاري ثانية. فتحتُ الشّارة.. إنّها الساعة 16:25.بقيت خمس وأربعون دقيقة وتنتهي فاعلية تذكرتهما الوردية.

"حان وقت الذهاب" قبّلت 'O' ثم صافحت 'R' وتوجهت إلى المصعد.. التفتُّ عند عبوري الشارع. فتّشت عن غرفة 'R-13' في الطابق السابع في وسط الكتلة المشرقة من المبنى الزجاجي والأقفاص الدائرية 'التايلورية' المتناسقة بستائرها المسدلة، لقد أسدل 'R-13' ستائره أيضا.

عزيزتي 'O' وعزيزي 'R'.. هو أيضا فيه شيء غريب وغامض (لا أدري لمَ استعملتُ لفظ 'هو أيضا' ولكنّني أتبع فقط ما يمليه عليّ قلمي) ورغم هذا فنحن أي أنا وهو و 'O' نكون مثلّثا قد لا يكون بالضرورة متساوي الأضلاع ولكنّه مثلّث في نهاية الأمر. نحن إن استعملنا لغة أجدادنا (لعلّ هذه اللغة أقرب إليكم يا سكّان الكواكب الأخرى) نُلقّب بالعائلة.. أحيانا من الجيّد أن نسترخي ولو لوقت قصير، وننعزل في مثلّث قويّ بسيط بعيدا عن كلّ هذا.

السِجلّ التاسع

القصائد

والشعائر الدينية الملحميّة

واليد الحديديّة

إنّه يوم مشرق مهيب. يوم يُنسيك كلّ هِناتك وشكوكك وأمراضك، يُصبح كلّ شيء كريستاليًا، ثابتا وخالدا كزجاجنا الجديد. في ساحة المكعّب توجد 66 حلقة جبّارة ذات مركز ثقل واحد ألا وهي المدرّجات.. وهناك أيضا 66 صفّا مؤلفة من وجوه ناعمة كقطيع خرفان تعكس أعينها جنّة الخلد، بل لعلّها تعكس إشعاع الدولة الموحَّدة.

كانت شفاه النساء تلمع كورود حمراء قانية وكانت أطواق الوجوه الطفولية مصطفّة على مقرُبة من مكان الحدث الجلل. خيّم على المكان صمتٌ قوطيٌّ عميق..

ما نشعر به الآن شبيه بإحساس أجدادنا القدامى أثناء أدائهم للطّقوس الدينية، ولكن الفرق أنّهم كانوا يخدمون إلههم المجهول اللاّمنطقي بينما نخدم نحن شيئا منطقيّا واضحا للعيان. لم يُقدّم لهم إلههم إلاّ بحثًا دائما مضنيا.. ولم يُفلح بتقديم فكرةٍ أذكى من التضحية بنفسك دون سبب منطقيّ، أمّا نحن فنضحّي بأنفسنا فداء إلهنا الواحد، دولتنا الموحَّدة. نحن نقوم بتضحية منطقيّة ومدروسة.

نعم.. كان هذا يوم إقامة الشعائر الدينيّة المهابة في الدولة الموحَّدة.. يومٌ نتذكّر فيه سنوات حرب المائتي عام الطاحنة.. يومٌ نقوم به بتجليل وإكبار الانتصار المدوي للكلّ على الفرد... للجمع على الجزئيات.

هناك رقم يقف على مدرّجات المكعّب تسطع فوقه الشمس. كان وجهه أبيض.. لا ليس أبيض إنّما بلا لون بتاتا. كان وجهه زجاجيّا وشفتاه زجاجيتان أيضا.. أمّا عيناه فكانتا عبارة عن فراغين مظلمين يمتصان ويلتهمان كلّ ما حولهما. تحويان ذلك العالم المخيف الذي لا تفصلنا عنه سوى دقائق. لقد تمّ تجريده من الشارة الذهبيّة التي تحمل رقمه، وكانت يداه مقيّدتين برباط بنفسجيّ (إنّه تقليد قديم مأخوذ عن القدامى.. قبل أن نسخّره لفائدة الدولة الموحَّدة، ففي القديم كان المتّهم يظنّ أنّ من حقّه الدفاع عن نفسه، ولذا كانت يداه غالبا مقيّدتين)..

كان حامي الحِمى جالسًا بجانب الآلة.. كانت هيئته جامدة كأنّه قُدَّ من معدن، ومن الصعب رؤية وجهه بوضوح من الأسفل. كلّ ما تمكّنتُ من رؤيته هو الأطُر المحدّدة للخطوط المربّعة الصارمة المرتسمة على محيّاه.. أما يداه فكانتا ممدودتين للأمام كما يحدث عادة في الصور الفوتوغرافية..

كانتا كبيرتين جدّا تحجبان كلّ ما خلفهما. هاتان اليدان الجاثمتان فوق الركبتين حاليا بدتا كأنّهما مصنوعتان من الحجارة وبدا أنّ الركبتين عجزتا عن حمل ثقلهما.

وفجأة رُفعت إحدى يديه بحركة بطيئة حديدية استجاب لها أحد الأرقام.. اقترب من المكعّب.. إنّه أحد شعراء الدولة الموحَّدة الذي أسعفه الحظّ وحظي بفرصة ذهبية يُلقي من خلالها أشعاره في هذه الاحتفالات المقدسة..

ودوت أبياته النحاسيّة الإلهيّة على مسامع كلّ المدرّجات.. كانت الأبيات تتعلّق بذاك الأبله ذي الأعين الزجاجية الجاثم هناك على المدرج منتظرا النتيجة المنطقيّة لأفعاله الشنعاء.

نشب فينا حريق مستعر إثر هذه الأبيات.. تمايلت المنازل وانبثق منها سائل ذهبي ثمّ انفجرت.. أمّا الأشجار فغطّاها السيل الحارق المنهمر وسال نسغها ولم يتبقّ منها سوى هياكل سوداء كصلبان ثم ظهر بروميثيوس (بروميثيوس هو نحن طبعا).

وفي الآلات والفولاذ تنفث النار

فتتحوّل الفوضى إلى أطواق من القانون

وُلد كلّ شيء من جديد.. وأصبح صلبا كالفولاذ: شمس فولاذية وأشجار فولاذية وأناس فولاذيون. فجأة ظهر رجل مجنون (حرّر النار من قيودها) فيكاد كلّ شيء أن يهلك مجدّدا.

ذاكرتي غير مبرمجة للأسف لحفظ الشعر ولكنّني رغم ذلك قادر على تذكّر شيء واحد مهم: من المستحيل اختيار صور شعرية أكثر غنى وجمالا وتعبيرا.

صدرت الحركة البطيئة المتثاقلة مجدّدا فصعد شاعر ثان إلى الحلبة. أوشكتُ على النهوض من مقعدي. أمِنَ المعقول أن يكون هو؟ بلى إنّه هو.. الزنجيّ ذو الشفاه الغليظة.. لمَ أخفى عنّي هذا؟

ارتعشت شفتاه وأصبحتا رماديتين.. من المتوقع أن يحسّ المرء باضطراب شديد في حضرة حامي الحِمى وجمع الحرّاس ولكن ليس إلى هذه الدرجة.

صدرت الأبيات من جديد، أبيات سريعة لاذعة وحادّة كفأس تروي جريمة نكراء لم يسمع بمثلها من قبل، قصيدة تدنّست فيها المقدسات ونُعت فيها حامي الحِمى بالـ... لا، لا أستطيع تكرار ذلك. يعجز لساني عن ذلك.

نزل 'R-13' عن المنصة شاحبا مشيحا بنظره عن الجميع (لم أتوقع منه هذا القدر من الحياء) وعاد إلى مكانه.. خُيّل إليّ أنّني لمحتُ بجانبه لجزء من الثانية وجهًا مألوفا حادا. مثلثا أسود سرعان ما تلاشى كلّيا.

رفعت عيني رفقة آلاف الأعين الأخرى المصوّبة إلى الأعلى نحو الآلة. قامت اليد اللاإنسانية بحركة حديدية أخرى.. تقدّم المجرم بخطى متثاقلة كأنّه مدفوع برياح غير مرئية ثم خطا آخر خطوة في حياته...

رقد في مثواه الأخير وأرخى رأسه إلى الوراء باستسلام تام. دار حامي الحِمى حول الآلة بتؤدة كأنّه القدر. ثمّ أمسكت يده الضخمة الرّافعة.. حبَس الجميع أنفاسهم.. لا ضجيج يُذكر.. الجميع شاخصون إلى تلك اليد.. إنّه لشعور رائع أن تكون سلاحا إعصاريا ناريا. أن تملك قوة الآلاف المؤلّفة من الفولتات.. يا له من مصير مذهل!

وفي ثانية.. انخفضت اليد الهائلة وشغّلت التيّار الكهربائي... فلمعت شفرة شعاع حاد يغشي الأبصار.. ارتجفت أنابيب الآلة مخلّفة صوت طقطقة بالكاد سمعناها.. غمر الجسم الممدّد بقليل من الضوء وأخذ الدخان يتصاعد منه ثم ذاب وتحلّل أمام أنظارنا بسرعة هائلة إلى أن اختفى تماما.. لم يتبق منه سوى مجرد بركة من المياه المقطرة التي كانت تتدفق بعنف منذ قليل في عروقه..

بدا كلّ هذا بسيطا واعتياديا: إنّه انفصال المادة وفكّ ارتباط ذرّات جسم الإنسان.. ورغم ذلك، كلّما حدثت هذه الواقعة، نشعر أنّها أشبه بمعجزة وأنّها دليل على القوة الخارقة لحامي الحِمى.

وفي الأعلى اصطفّت أمام حامي الحِمى العشرات من الأرقام المؤنثة بوجوه مذهولة وشفاه نصف مفتوحة من هول الدهشة كأنّهن باقة من الورود في مهبّ الريح.

وفقا للطقوس القديمة تقوم عشر إناث بتزيين عرش حامي الحِمى بأكاليل من الزهور النديّة. ثم ها هو حامي الحِمى ينزل على مهل ككاهن عظيم ويمرّ بين المدرّجات وعلى إثره ترتفع عاليا أيادي الإناث البيضاء الناعمة وتعلو الهتافات في انسجام ثمّ تعلو الهتافات أيضا من قبل جموع الحرّاس المندسّين بيننا في الزحام. من يدري؟ قد يكون الحرّاس هم الذين رآهم الرجل القديم في خياله ونعتهم بالـ "ملائكة" ربما هم أنفسهم ملكا الخير والشر اللّذان يُخلقان مع كلّ فرد.

تحوي هذه الاحتفالات شيئا من التطهير الروحاني كما كان الحال في الأديان القديمة.. شيئا نقيّا غامرا كعاصفة ممطرة... أما أنتم يا من تقرؤون هذا، هل سبق أن عشتم لحظات كهذه؟ إن لم تفعلوا فأنتم حقّا مدعاة للشفقة.

السِجلّ العاشر

رسالة

غشاء طبلة الأذن

أنا أشعث

كان يوم أمس بالنسبة إليّ كالورقة التي يستخدمها الكيميائي لتصفية محلول ما، كلّ الجزئيات العالقة غير المرغوب فيها ترسّبت فوق الورقة ونفضتُها عنّي صباحا.. عندما نهضت من فراشي، كنتُ مقطّرا وشفّافا ولا تشوبني شائبة.

في أسفل الدهليز تجلس المراقبة في مكتبها تتفقّد ساعتها وتسجّل الأرقام المتوافدة. اسمها 'U' ولكن من الأفضل ألاّ أدوّن رقمها خشية أن أكتب عنها شيئا سيئا، هي سيدة عجوز محترمة، إلاّ أنّ الشيء الذي ينفّرني منها هو خدّاها المتهدّلان كخياشيم سمكة (وماذا في ذلك؟).

رسمتْ علامةً بقلمها ورأيتُ اسمي على الصفحة 'D-503' بجانب لطخة حبر، كنتُ على وشك الإشارة لذلك عندما رفعتْ رأسها فجأة وقَطُرت منها ابتسامة حبرية صغيرة وهي تقول "آه حقّا، هناك رسالة لك عزيزي. لا تقلق، ستتسلمها".

كنتُ أدرك إنّها قرأت الرسالة مسبقا وستمرّرها إلى مكتب الحرّاس (أظنّ أنّه لا حاجة لتفسير هذا الإجراء الروتينيّ الطبيعيّ) ثم سأستلمها في حدود الساعة 12، ولكن ابتسامتها حيّرتني كقطرة حبر لطّخت محلولي الطاهر الشفّاف، ومما زاد الأمور سوءًا أنّني عجزتُ بعد ذلك عن التركيز في مركز بناء "الأنتغرال" إلى درجة أنّني قمتُ بخطأ حسابيّ لأوّل مرّة في حياتي.

على الساعة 12، أُجبرتُ على مواجهة الخياشيم البنيّة المائلة إلى اللون الوردي والابتسامة مرّة أخرى قبل ان أتسلّم رسالتي أخيرا، لا أدري لمَ لمْ أقرأها على الفور! بل دسستها في جيبي وأطبقتُ عليها، وهرعتُ إلى غرفتي.

فتحتها وقرأتها بلهفة ثم جلست. إنّه إشعار رسميّ مفاده أنّني مسجّل باسم "i-330" وعليّ الذهاب إلى منزلها اليوم على الساعة 21... وكان عنوانها مدوّنا في الأسفل.

لا... بعد كلّ ما جرى بيننا، بعد أن أفصحتُ لها بوضوح عن موقفي منها؟ ما الذي عليّ فعله أكثر؟ إنّها لا تعرف حتّى إن كنتُ قد ذهبتُ إلى مكتب الحرّاس أم لا؟ لا تعرف أنّني كنتُ مريضا ولم أذهب.. ورغم كلّ شيء..؟

دار المولّد بسرعة في رأسي: بوذا واللّون الأصفر وزنبق الوادي والهلال الورديّ..

وماذا عن 'O'؟ من المفترض أن تزورني اليوم. هل عليّ أن أريها هذا الإشعار؟ لستُ واثقا من هذا.. لن تصدّقني..

(كيف يمكن لأيّ كان تصديق هذا على أي حال؟) لن تصدّق أنّه لا دخل لي بهذا القرار، بل إنّني غير موافق بتاتا... لكنّني أعرف مسبقا أنّ إخبارها سيخلق حوارا بيزنطيّا غبيّا وخاليا من المنطق، هذا آخر ما أريد فعله الآن.. حسنا لنحلّ الأمر بطريقة ميكانيكيّة، سأرسل لها ببساطة نسخة من الإشعار...

كنتُ أدسّ الإشعار في جيبي على عجل حين لمحتُ يدي الفظيعة الشبيهة بيد قرد، وتذكّرتُ كيف أمسَكَتْها "i-330' خلال النزهة وتأملتها. حتما لم تكن...

ثمّ حلّت الساعة 20:45.. كانت ليلة بيضاء، كلّ شيء زجاجيّ مائل إلى الخضرة.. ولكنّه نوع آخر من الزجاج المختلف.. كان زجاجا هشّا وغير متين وعتيق كزجاجنا.. إنّه مجرّد قشرة زجاجية رفيعة، وتحت تلك القشرة، دوران والتواء ودندنات.. لن تستغرب إن طار سقف تلك القاعة مخلّفا دوائر من الدخان.. ابتسم لي القمر الأزرق ابتسامة حبرية شبيهة بابتسامة العجوز الصباحية. فجأة أُسدلت ستائر جميع البنايات وخلف تلك الستائر... انتابني إحساس غريب.. تحوّلت أضلعي لقضبان حديديّة تُعيقني وتعتصر قلبي، وضاق المكان من حولي..

كنت واقفا أمام الباب الزجاجيّ الذي يحمل الأرقام الذهبيّة لـ 'i-330'. كانت 'I' توليني ظهرها وقد انكبّت على مكتبها تخطّ شيئا ما.

دخلتُ قائلا "ها أنت؟ جاءني إشعار اليوم فقَدِمْتُ لتلبية نداء الواجب" ومددتُ لها تذكرتي الوردية.

"يا للدقّة في المواعيد.. هلاّ سمحتَ لي بدقيقة؟ تفضّل بالجلوس ريثما أنتهي من هذا".

عادت لتنكبّ على ما تكتبه وبقيتُ أتساءل حولَ ما يجول بخاطرها خلف الستائر المسدلة.. ماذا عساها تقول وماذا عساي أفعل بعد هذه الدقيقة؟ كيف لي أن أعرف ذلك وأحسبه بدقّة إن كان كلّ جزء منها قادما من هناك.. من أرض الأحلام البدائيّة.. تأملتها دون أن أنبس بحرف..

واصلت أضلعي الضغط على قلبي كقضبان حديدية وبدأ المكان يضيق حولي.. حين تتكلّم يصبح وجهها أشبه بعجلة دوّارة سريعة لا يمكن التمييز بين شعاع وآخر، وأعجز عن فهم ما تقول... تأملتُ تركيبتها الغريبة: حاجباها الداكنان المرتفعان عند صدغيها ليكوّنا مثلّثا ساخرا حادّا. الخطّان المنحدِران من أنفها نحو زوايا فمها يشكّلان مثلّثا آخر ذا قمّة مختلفة.. هذان المثلثان غير المتجانسين يرسمان على محيّاها علامة 'X' المزعجة كأنّها صليب، كان وجهها مشطوبا.

دارت العجلة مجدّدا وانطلق الكلام "لم تذهب إلى مكتب الحراس أليس كذلك؟".

"كنتُ.. لم أستطع كنتُ مريضا".

"نعم تماما كما توقعت.. شيء ما منعك (ابتسمت ابتسامة حادّة وبرزت أسنانها) ولكنّك الآن بين يديّ.. هل تذكر؟ 'أيّ رقم يعجز عن تقديم بلاغ لمكتب الحرّاس في غضون 48 ساعة يُعتبر...''

تسارعت دقّات قلبي حتّى اعوجّت القضبان وانقبض صدري.. لقد غرّرت بي وأوقعتني في شراكها كطفل غبيّ، أغلقتُ فمي الأخرق وشعرتُ أنّني مكبّل بالكامل.

نهضت وتمطّت بكسل ثمّ ضغطت على زر فأسدلت الستائر من كلّ جهة محدثة صوتا خفيفا متسارعا. لقد عزلتني عن العالم وها أنا أمامها وجها لوجه.

كانت '*i-330*' واقفة خلفي قرب خزانة الملابس، أحدث لباسها الموحَّد ضجيجا خافتا عند سقوطه. أصغيتُ له بكامل جسدي وتذكّرت، لا بل مرّ في خاطري شيء بسرعة جزء مئوي في الثانية.. كان عليّ مُؤخرا العمل على صنع تقوّس لنوع جديد من أغشية طبلة الأذن المعدّة للشارع (هذه الأغشية المزخرفة بأناقة موجودة في كلّ الشوارع لتسجيل جميع الأشخاص لفائدة مكتب الحرّاس) وكان من بينها غشاء ورديّ مهترئ.. مخلوق غريب مؤلّف من عضو واحد، من الأذن. كنتُ في تلك اللّحظة شبيها بذاك الغشاء..

سمعتُ صوت زرّ يفكّ عند الرقبة ثم على الصدر ثم تحته، سمعت صوت الحرير الزجاجيّ يلامس الكتفين ثم يدور حول الركبتين ليجثم أخيرا على الأرض..

وسمعتُ بوضوح (أوضح من الرؤية بالعين المجرّدة)..

سمعت الساق الأولى تنسلُّ من الكومة الحريرية الرمادية المائلة للزرقة تليها الساق الثانية.

اهتزّ غشاء طبلة أذني المشدود وعمّ الصمت، لا.. بل ضربات حادّة كمطرقة تضرب على القضبان بلا هوادة..

ها أنا أسمع، لا.. بل أرى... أرى بوضوح أنّها توقّفت خلفي تفكّر لبرهة. سمعتُ صوت أبواب خزانة الملابس مرّة أخرى تليه طقطقة باب ما ثم صوت حرير يليه آخر وآخر.. "هيّا تفضّل"..

التفتُّ لأراها ترتدي فستانا شفّافا قديم الطراز أصفر ليمونيّ.. كان هذا المنظر أسوأ ألف مرّة من رؤيتها عارية.. لمحتُ من خلال القماش الشفّاف نقطتين حادّتين تشعّان بلون ورديّ كجمرتين ملتهبتين وسط كومة رماد.. ورأيتُ ركبتين ناعمتين مستديرتين.

جلستْ على أريكة صغيرة وأمامها على الطاولة المربّعة زجاجة تحتوي على شيء أخضر كالسمّ وكأسين صغيرين. كان الدخان يتصاعد من زاوية فمها، ينفثه أنبوب ورقيّ رقيق يستخدمه القدامى للتدخين (لا أتذكّر اسمه) ما زال الغشاء يرتعش والمطرقة في داخلي تضرب على القضبان التي صارت حمراء متوهّجة. كنت أسمع كلّ ضربة بوضوح ولكن ماذا لو أنّها تسمع ذلك؟

لكنّها واصلت التدخين بتؤدة. كانت تحملق فيّ بهدوء وتنفض الرّماد بلا مبالاة عن التذكرَة الورديّة.

سألتها بكلّ ما أوتيتُ من برودِ أعصاب: "حسنا إن كان هذا هو الحال فلِمَ سجّلتِني باسمك؟ ولمَ طلبتِ منّي القدوم؟".

تظاهرتْ بعدم سماعي وسكبتْ كأسًا ثم احتستها على مهل..

"إنّه لَخمرٌ ساحر، أتريد القليل منه؟".

أدركتُ حينها فقط إنّها تشرب الكحول.. مرّ في ذهني ما حدث بالأمس "يد حامي الحِمى الحجريّة، شفرة الخنجر الضوئيّة التي لا تحتمل، الجسم الممدّد والرأس الملقى للوراء على المكعّب.. ارتجفتُ خوفًا وقلت:

"أنتِ تُدركين جيّدا أنّ 'كلّ من يسمّم نفسه بالنيكوتين وخاصّة بالكحول لا ترحمه الدولة الموحَّدة'..".

"إنّ إبادة البعض منّا بسرعة أمر أكثر منطقيّة من السماح للعديد بتدمير أنفسهم الخ الخ الخ... إنّ هذا أمر صحيح حدّ الابتذال".

"نعم ابتذال".

"ماذا لو عرَّيْنا كلّ هذه الحقائق ورميناها في الشارع.. تخيّل معي هذا فقط.. خذ أحدا من أشدّ المعجبين بي (تعرف عمّن أتحدّث) واجعله يتجرّد من هذه الكذبة المسمّاة بالملابس ودعه يُظهر حقيقته للعلن.. يا إلهي كم هذا رائع".

كانت تضحك.. ولكنّي كنت أرى بوضوح الحزن يتجلّى في مثلّثها السفليّ خاصّة على مستوى الخطّين العميقين الممتدّين من أنفها حتّى زاويتي فمها... وجعلتني تلك الخطوط أفهم شيئا وهو أنّ ذلك الـ 'S' كان بالمناسبة.. ذاك الأحدب ذو المنحنين الشبيهين بالجناحين كان قد احتضنها.. كما هي الآن أمامي...

ولكنّني الآن أنقل المشاعر غير الاعتيادية التي خالجتني حينها، عند كتابتي لهذا أعي جيّدا أنّ هذا ما يجب أن تكون عليه الأمور.. وأنّ لـ 'S' الحقّ في السعادة ككلّ رقم شريف وسيكون من الظلم أن.. ولكن هذا واضح.

تواصلت الضحكة الغريبة لـ '*i-330*' لوقت طويل. ثم نظرت إليّ بحدّة قائلة:

"ولكن المهمّ هو أنّني لا أقلق بشأنك فأنت لطيف جدّا. أنا على يقين أنّك لن تفكّر حتّى في الذهاب إلى مكتب الحرّاس لتبلغهم عن تعاطيَّ للكحول والسجائر. ستتعلّل بالمرض أو بانشغالك أو بأيّ سبب ما... بل أكثر من ذلك، ستشربُ الآن معي السمّ الساحر".

كانت نبرة صوتها في غاية الوقاحة ومليئة بالسخرية وشعرتُ مجدّدا بكره شديد تجاهها ولكن لمَ 'مجدّدا'؟ لطالما كرهتها.

أفرغتْ الكأس الصغير المليء بالسمّ الأخضر في فمها ثم نهضت متوهّجة باللون الورديّ عبر الثوب الزعفرانيّ وخطت بضع خطوات نحوي، خلف الكرسيّ.

وفجأة طوّقت يداها عنقي وأطبقت شفتيها على شفتيَّ بعمق.. أخذت الأمور منعطفا مخيفا.. أقسم أنّني تفاجأت حقّا. ولهذا... لهذا فقط، لا يمكن أن أكون قد رغبت فيما حدث بعد ذلك.

شفتاها حلوتان بشكل لا يطاق (لعلّه طعم الخمر)، تذوقتُ جرعة أولى من السمّ الحارق تليها جرعة ثانية فثالثة، أحسست أنّني تحرّرت من الأرض وصرت كوكبا حرّا.

أدور بسرعة حسب مسار لم يقع احتسابه بعد. أمّا ما تبقّى فيتعذّر عليّ وصفه إلاّ عن طريق خلق صور مشابهة تقريبيّة.

لم يخطر هذا ببالي قطّ، ولكن سأنقل لكم الواقع كما هو: نحن على الأرض، نسير طوال الوقت فوق بحر قرمزيّ ناريّ مخبّأ في أحشاء الأرض ولكنّنا لا نفكّر في هذا قطّ. ثمّ فجأة تتحوّل القشرة الرقيقة تحتَ أقدامنا إلى زجاج وفجأة نرى....

تحوّلتُ إلى زجاج، الآن رأيت ما بداخلي.

هناك اثنان: في بعض الأحيان أنا القديم 'D-503'، الرقم 'D-503' والأنا الآخر... ذلك الذي كان لا يُخرج غير قائمتيه الشعثتين (المكسوّتين شعرا) خارج قوقعته، ولكنّه الآن خرج بالكامل دفعة واحدة، وانفجرت القوقعة وتطايرت أشلاؤها في جميع الاتّجاهات، وماذا بعد ذلك؟

تشبّثتُ بالأريكة بكلّ قوّتي.. تماما كتشبّث غريق بقشّة.. وسمعت الأنا القديم يسأل "من أين حصلت على هذا؟؟ السّمّ؟".

"أوه هذا؟ يزوّدني به طبيب.. مجرّد أحد من...".

"أحد من ماذا؟ من يكون؟".

هنا برز الأنا الآخر، خرج بسرعة وزعق بقوة "لن أسمح بهذا، لا أحد غيري ســ، سأقتل كلّ من يحاول أن... لأنّني أحـــ... لأنّني..."

ثمّ رأيته ينقضّ عليها بقائمتيه الشعثتين ويمزّق الحرير الرقيق النّاعم ثم يغرز أسنانه فيها.. أتذكّر أسنانه بوضوح.

لا أذكر كيف حدث ذلك ولكنّها نجحت في التملّص منه ثمّ أسدلت الستائر اللعينة على عينيها ووقفت مستندة إلى الخزانة تنصتُ إليّ..

أذكر أنّني كنتُ على الأرض أطوّق قدميها وأقبّل ركبتيها متوسّلا "الآن أرجوك الآن".

برزت الأسنان الحادّة ومثلّث الحاجبين السّاخر ثم انحنت وفكّت شارتي الذهبيّة دون أن تقول أيّ كلمة.

"نعم عزيزتي نعم" شرعتُ في خلع بدلتي الموحَّدة بسرعة. لكن -من دون أن تقول حرفا- وضعتْ ساعة شارتي أمام عينيّ وأدركتُ أنّه ما زالت خمس دقائق وتحلّ الساعة 22:30، كانت الساعة تشير إلى 22:25.

سرى البرد في كياني كلّه إذ كنتُ أدرك معنى خروج أحدنا للشارع بعد الساعة 22:30. تبخّر كلّ جنوني فجأة وعدت أنا مجدّدا... ولكنّني على يقين من شيء واحد: أنا أكرهها.. بل أمقتها.

هرعتُ مغادرا الغرفة دون أن أتفوّه بكلمة ودون أن أودّعها، قمتُ بتثبيت شارتي مجدّدا وأنا أنزل السلالم (السلالم الاحتياطيّة مخافة أن يراني أحدهم في المصعد) وقفزتُ راكضا نحو الشارع المقفر.

كان كلّ شيء في مكانه المعتاد، رأيتُ المشهد العاديّ الدوريّ المتناسق نفسه: المباني الزجاجية المشرقة.. السماء الزجاجية الشاحبة والليلة الهادئة المائلة للون الأخضر، ولكن تحت هذا الزجاج البارد الهادئ كان هناك شيء همجيّ قرمزيّ اللّون كثيف الشعر هائج في صمت، كنتُ أمشي مهرولا مُحاولا التقاط أنفاسي المتقطعة حتّى لا أصل متأخّرا..

شعرتُ فجأة بانفكاك أزرار الشارة المعقودة على عجل، فسقطت على الرصيف الزجاجيّ محدثة رنينا، انحنيتُ مسرعا لالتقاطها وفي غضون ذلك السكون المؤقّت سمعتُ صوتَ خطى خلفي فالتفتُّ لألمحَ شيئا صغيرا منحنيا يعبر الزاوية أو على الأقل هكذا بدا لي.

انطلقتُ أجري بكلّ ما أوتيت من سرعة ولم أكن أسمع إلاّ صفير الرياح في أذني، توقفتُ عند المدخل.. إنّها الساعة 22:30 إلاّ دقيقة واحدة، أنصتُّ بدقة: لا أحد يتبعني لا بدّ أن هذا كان من تأثير السّمّ..

قضيتُ ليلة نابغيّة، السرير يعلو ويهبط من تحتي ثمّ يسبح في منحنيات متتالية، ظللتُ أكرّر على مسامعي 'من واجب الرقم ليلا أن ينام، إنّه التزام مشابه للقيام بالعمل نهارا، علينا أن ننام لنستطيع أن نعمل نهارا، إنّ عدم النوم فعل غير قانوني' ومع هذا لم أستطع أن أخلد للنوم.. لم أستطع.

إنّني هالك لا محالة، لم أعد بحالة تخوّل لي أداء واجباتي تجاه الدولة الموحَّدة... إنّني..

السِجلّ الحادي عشر

لا أستطيع

تجاوز هذا السجلّ

يغمرنا ضباب محليّ خفيف هذا المساء، السماء مغطّاة بمادّة بيضاء كالحليب، تحجب عنّا رؤية ما يوجد هناك في الأعلى، في عمق السماء. كان القدامى يعرفون ما يوجد هناك، يعرفون أنّ ربّهم المشكاك الضجر يقبع هناك في أعلى الأعالي، أما نحن فندرك أنّه لا وجود لشيء كهذا.. هناك في الأعلى لا يوجد سوى عراء أزرق كريستاليّ.. الآن أنا لا أعرف ما يوجد هناك رغم أنّني تعلّمت الكثير من العلوم، نعم معارفي صحيحة ومعصومة من الخطأ، معارفي ترتقي إلى ضرب من الإيمان.. كنتُ مؤمنا دومًا بنفسي وبمعارفي، ظننتُ أنّني أعرف من أكون أما الآن فلم أعد واثقا من شيء. وقفتُ أمام المرآة وأقسم أنّني قمتُ بهذا لأوّل مرّة في حياتي.. ألقيتُ نظرة واضحة واعية على نفسي واندهشتُ حين رأيت انعكاس صورتي، فما رأيته هناك كان مجرّد "هو" غريب.

هأنذا أو بالأحرى ها هو ذا: حاجبان أسودان كثيفان مرسومان بدقّة كأنّهما محدّدان بمسطرة، بينهما تجاعيد عمودية كندوب قديمة.. (لا أذكر أنّني رأيت هذه التجعيدات في السابق)، وعينان معدنيتان محاطتان بهالة سوداء تدلّ على الليلة التي قضيتها بلا نوم، ومن هناك (هناك تعبّر عن هنا، ولكنها بدت بعيدة جدّا.. غارقة في المالانهاية). تأملتُ نفسي أو بالأحرى تأملته هو.. ذو الحاجبين المستقيمين، شخصٌ غريب عنّي، شخص لا أعرفه، شخص أقابله للمرّة الأولى وهو ليس أنا.. أنا الأصل وهو مجرّد نسخة مقلّدة مشوّهة. لا.. لنقف عند هذا الحدّ، كلّ هذه الأحاسيس هي مجرّد ترهات وهذيان، إنّها مجرد تهيّئات جرّاء تسمّمي البارحة.. ما الذي سمّمني يا ترى؟ هي، أم ذاك السّمّ الأخضر؟ لا معنى لهذا الآن.

السبب الوحيد الذي يدفعني للكتابة هو لأبرز لكم كيف يمكن للعقل البشري مهما كانت دقّته أن يَحيد عن طريقه ويقوم بأمور جنونية.. هذا العقل الذي جعل حتّى الما لانهاية -التي وقف القدامى عندها عاجزين- مفهومة وذلك باستخدام... لمعت شاشة الاتصال الداخليّ ورُسم عليها 'R13'. هذا جيّد جدًا. بل أحسّ بالسعادة، فبقائي بمفردي الآن قد يؤدّي إلى...

بعد عشرين دقيقة.

في عالم ثنائيّ الأبعاد، وعلى سطح هذه الورقة، تظهر هذه الأسطر متجاورة.. أمّا في عالم آخر... بدأتُ أفقد إحساسي بالأرقام.. وعشرون دقيقة قد تكون 200 أو 200,000. وإنّه لمن الغريب أن أجلس رغم ذلك بهدوء تامّ وبعقلانية أنتقي الكلمات التي سأخطّها لوصف ما حدث بيني وبين 'R'.. أنّني شبيه بك حين تجلس على كرسيّ قرب سريرك وتضع ساقا على ساق ثم تحملق في نفسك بفضول وهي تتلوّى فوق سريرك. عندما قَدِم 'R13'، كنتُ هادئًا وعاديًا للغاية. كنتُ صادقا حين بدأتُ بوصف ذاك العمل الجليل الذي قام به البارحة عندما حوّل الحكم إلى أبيات شعرية، وكيف ساهمت أبياته أكثر من غيرها في تدمير ذاك المجنون ومحوه عن وجه الأرض، أنهيت قائلا "أظن أنّه لو عُرض عليّ رسم الآلة الهندسية المهيبة لحامي الحِمى لكنتُ نجحتُ في تحويل تلك الأبيات إلى لوحة زيتيّة. وفجأة خفت بريق عينيه وأصبحت شفتاه رماديتين.

"ما الذي دهاك؟؟".

"ما الذي تقصده بسؤالك؟ أنا فقط، أشعر بالملل، كلّ ما حولي مرتبط بالحكم بشكل أو بآخر، الحكم.. لم أعد أطيق سماع هذا اللّفظ.. هذا كلّ ما في الأمر".

قطب حاجبيه وقام بهرش مؤخرة رأسه، تلك الحقيبة الصغيرة التي تحمل أشياء أعجز عن فكّ شفرتها.. خيّم الصمت لبرهة ثم أخرج شيئا مّا من حقيبته وفتحه ثم طفق يقول بمرح وبعينين لامعتين "خمّن ماذا؟ أنا أكتب شيئا لـ "أنتغرالك" العظيم.. أليس هذا رائعا؟".

ها هي ذاته القديمة تبرز مجدّدا: ثارت الكلمات في داخله وتضاربت شفتاه وطفق الرذاذ يتناثر من حوله وقال "إنّ الأسطورة القديمة للجنّة تتحدث عنّا نحن.. عن وقتنا الرّاهن، حقّا تأمّل هذا معي للحظة، تانك الاثنان اللّذان كانا في الفردوس الأعلى، كان لديهما خياران لا ثالث لهما، إمّا الحرية المطلقة من دون سعادة أو السعادة المطلقة بلا حرية، اختار 'الغبيّان' الحريّة، يا لسذاجتهما! ثمّ ماذا حدث بعد ذلك؟ قضّيا عشرة قرون يحنّان إلى تلك السلاسل التي كانت تقيّدهما.. أترى الآن لمَ كان عالما بائسا لذاك الحدّ؟ لقد ظلّ العالم بأكمله يحنّ إلى الأغلال والقيود على مرّ القرون، وكنّا نحن أوّل من أعاد

للإنسان سعادته المسلوبة، انتظر دعني أقل لك هذا.. نحن نِدّ للإله القديم، فلقد ساعدناه على هزم الشيطان شرّ هزيمة، أجل.. فالشيطان هو من وسوس للإنسان بتدمير نفسه عبر فكّ أغلاله وتذوّق طعم الحريّة، إنّه لثعبان لئيم ولكنّنا انهلنا على رأسه بأحذيتنا الحديديّة فأرديناه قتيلا وأعدنا للإنسان سعادته. ها نحن سعداء وبسطاء مجددا. كآدم وحواء، كلّ شيء صار بسيطا وطفوليا، لا مجال للخير والشرّ بعد الآن.. إنّه النعيم.

حامي الحِمى، الآلة، المكعّب، جرس الغاز والحرّاس.. كلّها أشياء إيجابية تمثّل كلّ ما هو نقيّ وسامّ ونبيل، كلّ هذا يحمي "لا حريتنا" سعادتنا الأبديّة. أضاع القدامى وقتهم في مناقشة هذه المسائل وتساءلوا عن مدى أخلاقيتها وأتعبوا عقولهم.

حسنا، لا علينا.. ما قصدته هو أنّنا قصيدة فردوسية عظيمة، شديدة اللهجة، وعميقة المعنى.. أنت تفهمني أليس كذلك؟".

وكيف عساني ألاّ أفهم؟ قلتُ في سرّي "رغم أنّه يبدو غبيّا وغير متناظر إلاّ أنّ عقله يفكّر بشكل مستقيم "ولذا أجد وجها من الشبه بيننا، (طبعا ما زلتُ أعدّ الأنا القديم هو الأنا الحقيقي، أمّا هذا الأنا الجديد فهو مجرّد مرض وأوهام).

قام 'R' حتما بقراءة أفكاري من خلال تعابير وجهي فطوّقني بذراعيه ضاحكا.

"آه أنت... آدم، حقّا، سأخبرك عن حوائك...".

بحث في جيبه عن دفتر مذكّراته وبدأ يقلّب الصفحات.

"بعد غد بل بالأحرى في غضون يومين، ستحمل 'O' تذكرة ورديّة للحضور إلى منزلك؟ هل لديك مانع؟ هل تريدها أن...؟".

"نعم بالطبع. هذا واضح...".

"حسنا سأخبرها فهي خجولة كما تعرف. بصراحة أنا بالنسبة إليها مجرّد تذكرة ورديّة فحسب أمّا أنت فتحظى بمكانة كبرى لديها.. لا تقل لي إنّ هناك شخصا رابعا تسلّل إلى مثلّثنا.. هيّا اعترف أيّها الشقي من هو، من يكون؟".

ارتفع ستار عن داخلي وبانتْ للعلن هسهسة الحرير الناعم والقارورة الخضراء والشفاه وأفلتت مني الكلمات (كان عليّ التماسك أكثر).

"هل سبق أن سنحت لك الفرصة لتذوّق النيكوتين أو الكحول؟".

ضمّ 'R' شفتيه في عبوس وسمعت أفكاره تتضارب عاليا.

"صحيح أنت صديقي ولكن.." ولكن ما صرح به كان كالآتي "حسنا لم أقم بهذا بنفسي ولكن أعرف امرأة جرّبت ذلك".

صرختُ عاليًا " *'i-330'* أليس كذلك؟".

انفجر ضاحكا حدّ الاختناق "ماذا؟ أنت أيضا معها؟".

مرآة غرفتي معلّقة بطريقة لا تسمح لي إلاّ برؤية نفسي عبر الطاولة، كنتُ جالسا على الأريكة، وكلّ ما رأيته كان جبهة وحاجبين.

ولكن ما شاهده الأنا الحقيقيّ هو مجرّد خطّ الحواجب المتوازي وما سمعه كان صرخة متوحّشة بدائية ومثيرة للاشمئزاز.

"ما الذي تقصده بـ "أنت أيضا؟" انتظر لحظة.. أنا أطالبك بجواب فوريّ".

امتدّت الشفتان الزنجيتان وتورّمت عيناه، قام الأنا الحقيقي بإحكام قبضته على الأنا الأشعث وقلتُ طالبًا الصفح.

"اغفر لي أرجوك بحق حامي الحِمى، إنّني مريض ولم أنم ليلة أمس، لا أدري ماذا دهاني؟"

ابتسمت الشفاه الغليظة ابتسامة شاحبة "نعم أتفهّم ذلك من الناحية النظريّة، حسنا.. سأغادر. الوداع".

ارتدّ عند الباب ككرة سوداء وتوجّه لوضع كتاب على الطاولة "إنّه آخر إصدار لي.. جلبته قصدًا لأتركه هنا وها أنا أكاد أنساه الآن، الوداع" ثم تدحرج بعيدا.

بقيتُ بمفردي أو بالأحرى رفقة أناي الآخر، جلستُ فوق الكرسي واضعا ساقا على ساق، وتأمّلتُ مليّا بفضُول تلك الأنا تتلوّى فوق السرير..

لماذا؟ لماذا تنتهي صداقة سنوات كاملة ربطتني بـ 'O' و'R' بمجرد كلمة حول *'i-330'* ؟ كلّ هذا الهراء عن الحبّ والغيرة لا يوجد إلاّ بين صفحات الكتب القديمة البالية، والأهم أنّ هذا يحدثُ معي أنا، أنا الذي أفنيتُ حياتي بين المعادلات والصيغ والأرقام، أعجزُ عن استيعاب ما حدث.. غدا سأقابل 'R' وأخبره أنّ *'i-330'* ..

أنا أكذب، لن أراه غدا ولا بعد غد.. لن أراه أبدا، لم أعد أريد رؤيته أبدا لقد انتهى مثلّث صداقتنا للأبد.

ها أنا وحدي مجدّدا في هذا المساء الضبابيّ. غشاء أبيض كالحليب يغلّف السماء، ما الذي تخفيه هذه السماء؟ آه لو أمكننا معرفة ذلك.. لو يمكن لأحدهم معرفة من أنا وما أنا؟

السِجلّ الثاني عشر

اللّانهاية المحدودة

انعكاس الملائكة

على الشّعر

ما زلت أظنّ أنّني أتعافى، أو بالأحرى أنّني أستطيع أن أتعافى، لقد غصتُ البارحة
في نوم عميق كجثّة هامدة أو كصخرة، لم يقضّ مضجعي أيّ حلم مزعج أو أيّة أعراض
مرضية، ستزورني عزيزتي 'O' غدا وسيعود كلّ شيء إلى سابق عهده.. ستأخذ الأمور
مجراها الدائريّ البسيط والمحدود، كلمة "محدود" لا تخيفني، إنّ أعظم ما في الإنسان
هو عقله وأوّل مهمّة للعقل هي مواصلة الحدّ من اللّانهاية، وتقسيمها إلى جزيئات
صغيرة مريحة وسهلة الهضم، هذا ما يسمّى بنظريّة التمييز التفاضليّ. هنا بالضبط
يكمن إعجاز الرياضيات وجمالها الإلهيّ الذي تعجز عن فهمه أيّ امرأة ولكن هذا أمر
غير مهمّ. لا أدري ما الذي ذكّرني بها.

تزامنت هذه الأفكار مع الإيقاع الموزون لضربات عجلات مترو الأنفاق الممتد تحت
الأرض، كنت أحاول الحفاظ على التناغم بين صوت العجلات وشعر 'R' (كنتُ أقرأ
الكتاب الذي جلبه البارحة) وفجأة أحسستُ بشخص ينحني من الخلف عند كتفي
ويسترق النّظر للصفحة المفتوحة..

لمحتُ الأجنحة الورديّة والأذنين البارزتين بطرف عين دون أن ألتفت. إنّه الـ 'S'
المنحني، لم أشعر أنّه يزعجني ولذا لم أعر ظهوره المباغت انتباها، لا أظن أنّه كان في
العربة حين صعودي.

كان لهذا الحدث التافه وقعٌ جيّد عليّ، أظنّه شحذ طاقتي وعزيمتي فأحسستُ أنّني
أقوى من ذي قبل، إنّه لمن الرائع أن تشعر أنّك مراقب طوال الوقت، أن تتبَعَك عينٌ حادّة
أينما كنت، وتحميك من اقتراف أدنى خطأ، حسنا قد يبدو هذا شاعريّا ولكنّني أشبّهه

بالملاك الحارس الذي لطالما حلم به أسلافنا القدامى، وها نحن نجسّد الكثير ممّا حلموا به على أرض الواقع..

ظهر الملاك الحارس خلفي منذ قليل عندما أستمتع بقراءة 'سوناتا' اسمها "السعادة". إنّني محقّ بتلقيب هذا بلحظة عميقة المعاني في غاية الجمال. إليكم الأربعة أبيات الأولى:

اثنان في اثنين، للأبد معشوقينْ

ليصبحا أربعة في رغد ملتصقينْ

ما أجملهما عاشقينْ

على الدوام ملتحمينْ

وتتواصل الأبيات متتابعة بسلاسة متغنّية بالحكمة والسّعادة الأبديّة لجدول الضّرب.

على كلّ شاعرٍ حقيقيّ أن يكون مثل 'كولومبوس'، فأمريكا وُجدت منذ الأزل ولكن لم يتمكّن من اكتشافها أحد ما عدا 'كولومبس'، جدول الضّرب أيضا كان موجودا قبل خلق 'R13' ولكن وحده 'R13' من اكتشف 'الإل دورادو' الجديدة في وسط أحراش الأعداء المنسيّة.

حقّا، هل يوجد مكان في العالم أكثر حكمة وأكثر صفاء من عالمنا الرائع؟ حيث لا يصدأ الفولاذ. خلق الإله القديم الإنسان الأوّل المعرّض للخطأ ولكنّه في النهاية أخطأ في حقّ نفسه، جدول الضرب هو أكثر دقّة وكمالا من الإله القديم، إذ إنّه لا يخطئ أبدا.. أكرّر، لا مجال للخطأ. لا يوجد شيء على الأرض أسعد من الأرقام التي تعيش في بهجة وفق القوانين الأبديّة الأنيقة لجدول الضرب.. لا مجال لأدنى شك أو تردّد. هناك حقيقة واحدة فقط والطريق إليها واحد، الحقيقة هي اثنان ضارب اثنين والطريق إليها هو أربعة، ألن يكون من السّخف أن يحاول هؤلاء الاثنان المضروبان في بعضهما البعض بمثالية، التمتّع بضربٍ من الحرية التي تعتبر نوعا من الخطأ؟ إنّه لأمر بديهيّ بالنسبة إليّ أنّ 'R13' استطاع إدراك أمر أساسيّ.. الأهمّ..

شعرتُ في هذه اللّحظة بأنفاس ملاكي الحارس الدافئة والمعطاءة عند كتفي ثم عند أذني اليسرى... من المؤكّد أنّه قد لاحظ الكتاب المغلق عند ركبتي وأنّني قد سرحتُ بخيالي بعيدا. وماذا في ذلك؟ أنا على أتمّ الاستعداد أن أفرش صفحات ذهني للتفتيش. إنّه لشعور بالغبطة والسّلام الداخليّ، أذكر حتّى أنّني التفتُّ إليه ونظرت له بإلحاح

كأنّني أترجّاه أن يفتّش ذهني، ولكنّه لم يفهم، أو ربما تظاهر بعدم الفهم، ولم يقم بشيء، وأنتم أعزّائي القرّاء، سأخبركم بكلّ شيء (فلقد أصبحتُم مثله تماما، قريبين منّي جدّا وعزيزين على قلبي ولا مفرّ منكم)..

ها هو الطريق الذي سأسلكه من الجزء إلى الكلّ. الجزء هنا هو 'R13' والكلّ العظيم هو منظّمة شعراء دولتنا المُوحَّدة. كيف عجز أجدادنا القدامى عن رؤية مدى سذاجة أدبهم وبلاهة شعرهم، لقد كانت القوة الهائلة للعبارات الفنيّة تُهدر عبثا، مجرّد فوضى عارمة.. كلّ فرد يكتب ما يجول في خاطره دون أيّة معايير تُذكر، إنّه لغباء مثير للسّخرية تماما كسماح القدامى لأمواج البحار أن تضرب شواطئهم على مدار الساعة بغطرسة، ولهدر ملايين الكيلوغرامات من الطاقة التي تحتويها الأمواج لا لشيء سوى لتهدئة مشاعر العشّاق. لقد حوّلنا تلك الأمواج العبثية إلى مصدر للطّاقة وحوّلنا الرّغوة المجنونة المتهشّمة على الشواطئ إلى حيوان أليف، تماما كما روّضنا ما كان يسمّى بالطبيعة الوحشيّة للشّعر، حيث لم يعد مجرّد تغريد عندليب أحمق، بل أضحى الشِّعر أداة لخدمة الحكومة، أصبح مفيدا..

لنأخذ على سبيل المثال "قصائدنا الرياضية"، هل كان بوسعنا إن كانوا لم يلقنوها لنا في المدرسة أن نحبّ بصدق وعطاء القواعد الجبرية الأربع! إن كانوا لم يلقّنوها لنا في المدرسة؟ و"الأشواك" إنّ مفهومها كلاسيكي.. فحرّاسنا هم الأشواك على غصن الزهرة.. التي تحمي وردة الدولة المُوحَّدة من أيّ أنامل عدوانية، أيّ قلب متحجّر يمكنه مقاومة مشهد الأطفال الأبرياء وهم يتمتمون هذه الأبيات في خشوع:

حاول الفتى الشقيّ قطف وردة

فعلقت شوكة في أنفه

وخزة يستحقها هذا العفريت الشقيّ

فأسرع إلى منزله متألما..

وماذا عن "قصائد مدح حامي الحِمى"؟ من يسعُه أن يقرأها دون أن يَخِرّ ممجّدا لرقم من الأرقام المتفاني في خدمتنا؟ ماذا عن الجمال القاني الفظيع لـ "ورود الحكم القضائي" أو المأساة الخالدة لـ "التأخر عن العمل" أو كتاب النوم و"النظافة الجنسية لـ Stanzas".

إنّ حياتنا كلّها بتعقيدها الجميل قد حُفرت بكلمات وحروف من ذهب.

لم يعد الشعراء يهيمون في عوالم سماويّة عالية، بل حطّوا على أرض الواقع، يمشون جنبا إلى جنب معا في حركة ميكانيكيّة على إيقاع أنغام مصنع الموسيقى، والنغم الذي يرافق قصائدهم ليس سوى الأزيز الصباحيّ لفراشي الأسنان الآليّة.. من صوت آلة حامي الحِمى المرعبة وهي تطلق الشرارات المشؤومة والصدى الرّهيب لنشيد الدولة المُوحَّدة والصوت الحميميّ للمرحاض الكريستاليّ اللامع ليلا، والطقطقة المثيرة لخفض الستائر، والأصوات المرحة القادمة من كتاب الطبخ، وهمس أغشية الشارع الذي لا يُكاد يسمع..

آلهتنا معنا هنا. في المكتب وفي المطبخ وفي المتجر وحتّى في بيت الراحة، آلهتنا صارت مثلنا بل نحن بدورنا صرنا كالآلهة وها نحن ذا أعزّائي القرّاء القاطنون في كواكب مجهولة، ها نحنُ قادمون إليكم لتحويل حياتكم إلى حياة ألوهية عقلانية ودقيقة مثل حياتنا.

السِجلّ الثالث عشر

ضباب مألوف

"أنت"

حادثة تافهة

استيقظتُ فجأة عند الفجر وفتحت عينيّ فرأيت سماءً قويّة ورديّة، وبدا كلّ شيء ورديّا ودائريّا. 'O' قادمة هذا المساء، كلّ شيء على ما يرام، إنّني أشعر بتحسّن ملحوظ.. دفعني هذا للابتسام وعدتُ لأغطّ في نوم عميق.

رنّت الأجراس الصباحية فاستيقظت، وبدا كلّ شيء مختلفا تماما: كان الضباب يغلّف سقف البيت والحيطان الزجاجية، كلّ شيء غارق في الضباب، الغيوم تتكاثف وتقترب منّا أكثر فأكثر، كلّ شيء يطير ويتبخّر ليصبح أشلاء، ولم يعد هناك فرق بين الأرض والسماء، اختفت كلّ البنايات وذابت الجدران الزجاجية في الضباب ككريات ملح كريستالية في الماء، إن نظرت من الرصيف سترى ظلال الأرقام داخل البنايات، كجسيمات معلّقة في محلول أبيض، كانت الطوابق تتدلّى في ارتفاع ثمّ انخفاض فارتفاع فعلوّ أكثر يكاد يبلغ الطابق العاشر، الضباب يلفّنا كأنّه حريق هائل يستعر في صمت.

على الساعة 11:45 بالضبط، حملقتُ في السّاعة بطواعية علّني أستولي على أعدادها، علّ مؤشراتها تنقذني.

عرّجت على غرفتي عند الساعة 11:45 قبل الذّهاب للتمرين البدني المنظّم وفقا لجدول السّاعات، وفجأة رنّ جرس الهاتف، رفعتُ السمّاعة لينخز قلبي صوت ناعم كإبرة طويلة تندسّ في جسمي رويدا رويدا..

"من الجيّد أنّك هنا، أنا سعيدة بذلك، انتظرني عند الزاوية، سنذهب إلى.. سترى أين سنذهب".

"تعرفين جيّدا أنّني ذاهب للعمل الآن".

"وتعرف جيّدا أنّك ستنفّذ ما أطلبه منك. إلى اللّقاء. أراك بعد دقيقتين".

كنتُ واقفا في الزاوية بعد دقيقتين بالضبط، كان عليّ الحضور، إنّها لا تتحكّم بي.. بل هذا دور الدولة المُوحَّدة. "ستُنفّذ ما أطلبه" قالتها بصوت ينمّ عن ثقة كبيرة. سيكون عليّ أن أحدّثها عن هذا جديّا الآن.

تمرّ بجانبي جحافل الألبسة الرّمادية المُوحَّدة المنسوجة من الضباب الرّطب ببطء وتذوب بسرعة فيعود الضباب، لم أرفع عينيّ عن الساعة وصرت أنا عقرب الدقائق الحادّ المرتعش... مرّت ثماني دقائق، عشر دقائق.. الثانية عشر إلاّ ثلاث دقائق، إلاّ دقيقتين...

أعرف جيّدا أنّني تأخرتُ عن العمل. آه كم أكرهها ولكن كان عليَّ الحضور لكي أريَها...

هناك عند زاوية العلم الأبيض، برزت شفتاها الحمراوان كدم سال للتوّ من جرح أحدثته سكّين حادّة.

"من الظاهر أنّك انتظرتني كثيرا. ليس مهمّا، فلقد تأخّرت في كلّ الأحوال".

تأمّلتُ شفتيها بصمت.. النساء كلّهنّ شفاه.. لا شيء غير الشفاه، بعضها وردية، بعضها ليّنة وبعضها الآخر مدوّر كخاتم. كدرع لطيف يحميك من العالم بأسره. وهاتان الشفتان اللّتان لم تكونا موجودتين منذ قليل وهما الآن هنا كأنّهما شفرتا سكّين حادّ، والدم الحلو يقطر منهما.

اقتربت منّي واستندت على كتفي وها نحن ملتحمان كأنّنا شخص واحد، وأدركت حينها أنّ هذا ما يجب أن تكون عليه الأمور. تيقّنتُ من هذا بكلّ كياني وبكلّ عصب من أعصابي وبكلّ شعرة من جسدي وبكلّ ألم لذيذ مع كلّ دقّة قلب. لا يمكنني وصف الفرحة التي تعتريني، استسلمتُ لهذا الشّعور بطواعية كسعادة قطعة حديديّة خضعت لقانون الجاذبية الدقيق الذي لا مفرّ منه، والتصقت بالمغناطيس، أو كحجر أُلقي به في الفضاء فتردّد لحظة قبل أن يهوي مسرعا إلى الأرض. أو كإنسان طال احتضاره فسلّم الشهقة الأخيرة بارتياح ثمّ استسلم للموت.

أتذكّر أنّني ابتسمتُ دون سبب ابتسامة فارغة وقلت "إنّ الضباب كثيف".

"هل تحبّ الضباب؟".

خاطبتني هذه المرّة بصيغة "أنت"، بصيغة المفرد المألوفة المنسيّة منذ... الـ "أنت" التي يستخدمها السيّد لمخاطبة عبده.. سرت الـ "أنت" إلى داخلي بحدّة وقلت في سرّي "نعم أنا عبد، وهكذا يجب أن تكون الأمور.. هذا جيّد".

"نعم جيّد" قلت لنفسي ثم وجهتُ كلامي لها "أنا أمقت الضباب وأخافه".

"هذا يعني أنّك تحبّه. أنت تهابه لأنّه أقوى منك.. وتكرهه لأنّك تخاف منه، وتحبّه لأنّك لا تستطيع السيطرة عليه. فنحن نحبّ كلّ ما يرفض الانصياع والخضوع".

"نعم هذا صحيح.. هذا بالضبط سبب..".

كنّا نمشي كأننا شخص واحد، وفي مكان ما عبر الضباب، تمكنّا من سماع صوت غناء الشمس، وكلّ ما حولنا بدا ليّنا ولؤلئيّا وذهبيّا وورديّا وأحمر. وبدا العالم كلّه كامرأة عملاقة ونحن في رحمها ولم نولد بعد، بل كنّا ننضج بسعادة.

وكان من الواضح جدّا أنّ كلّ هذا من أجلي أنا: الشمس والضباب واللّون الورديّ والذهبيّ.. كلّها لي أنا.

لم أسألها إلى أين نحن ذاهبان، فلم يكن لذلك معنى، كنّا نسير وحسب.. نزداد نضجا ونزدهر، ونصبح أكثر نضارة.

وقفت *'i-330'* ها نحن ذا.. "الشخص المناوب هنا هو نفسه الذي حدثته عنك حين كنّا في المتحف القديم".

حاولتُ الحفاظ على ذاك الشيء الذي ينضج، قرأت اللافتة التي كتب عليها "مكتب الطبّ" وفهمت كلّ شيء.

كانت الغرفة الزجاجية مليئة بضباب ذهبيّ، صفوف من الزجاج الملّون والجرار الزجاجية، أسلاك وأنابيب تحتوي على شرارات زرقاء، ورجل قصير القامة وهزيل للغاية. كأنّه اقتُطع من ورق، ولم يكن يظهر منه مهما استدار إلاّ جانب بارز.. كان أنفه يبدو كشفرة حادّة وعيناه كمقصّ. لم أستطع سماع ما قالته له *'i-330'*، تأمّلتُ طريقتها في الحديث ولم أستطع منع نفسي من الابتسام بسعادة واستسلام تام. لمعَ حدّ مقصّ الشفتين وقال الطبيب "نعم، نعم إنّه مرض خطير جدّا.. إنّه أخطر الأمراض على الإطلاق" وابتسم لي ثم دوّن شيئا على الأوراق وسلّم واحدة لي وواحدة لـ *'i-330'*..

كان هذا تقريرا بأنّنا مريضان وغير قادرين على الذهاب للعمل اليوم. كنتُ أسرق يوم عمل من الدولة المُوحَّدة.. إنّني لصّ وسأعاقَب حتما عبر آلة حامي الحِمى. ولكنّني كنتُ في قمّة اللاّمبالاة، وبدا كلّ هذا مجرّد خرافات من كتاب قديم. استلمتُ الورقة من

دون تردّد. كنتُ على يقين تامّ أنّ هذا ما كان يجب أن يحدث.. عيناي وشفتاي ويداي، لا، بل كياني كلّه أدرك هذا.

امتطينا طائرة من المرآب شبه الخالي عند الزاوية. جلست *'i-330'* عند المقود كالمرة السّابقة، وشغّلت جهاز الانطلاق إلى الأمام فارتفعنا عن الأرض وسبحنا في الفضاء يتبعنا كلّ شيء تركناه خلفنا: الضّباب الورديّ الذهبيّ والشمس، ووجه الطبيب الحادّ الهزيل كشفرة حادّة، وقد أصبح فجأة قريبا منّي وعزيزا على قلبي.

من المعتاد أن يدور كلّ شيء حول الشمس، أمّا الآن فكلّ شيء يدور ببطء وسعادة وعينين مقفلتين حولي أنا.

كانت المرأة العجوز واقفة عند بوّابة المتحف القديم.. كانت تحمل الفم اللطيف، المطبق بعناية، ذا التجاعيد المشعّة نفسه. أظنّه كان مغلقا طيلة الأيام الماضية واليوم فقط ابتسم قائلا "أيّها الشقيّان لستما على رأس عملكما كالبقيّة ولكن لا بأس، إن طرأ شيء سأخبركما بسرعة".

أُغلق الباب الثقيل محدثا صريرا، وفي اللّحظة نفسها انفتح قلبي على مصراعيه بكلّ آلامه، واتّسع على طول الطريق المفتوحة. التحمت شفتاي بشفتيها، فرُحت أنهلُ منهما ما استطعت حتّى انسلختُ من ذاتي وتوقفتُ لأغوص بصمت في بحر عينيها المشرعتين ومرّة أخرى...

الغرفة نصف المظلمة: الأزرق والأصفر الزعفرانيّ والأخضر الداكن وابتسامة بوذا الذهبيّة، المرايا اللامعة وحلمي الغامض بات مفهوما جدّا الآن، بدا كلّ شيء مشبَعا بالعصير الورديّ الذهبيّ الذي قد يفيض ويتدفق في أيّ لحظة. إنّه ناضج. انصهرتُ فيها باستسلام تماما كالحديد والمغناطيس، وانصياعهما العذب لقانون الجاذبية الحتميّ، لم يكن هناك تذكرة ورديّة ولا حسابات ولا دولة مُوحَّدة ولا أنا، لا شيء سوى الأسنان الحادّة العزيزة والعيون الذهبيّة المشرعة لي، وعبرها غصتُ للداخل ببطء، اخترقتُ العمق رويدا رويدا ثم ساد الصّمت.

هناك على بعد أميال كانت القطرات تتساقط في الحوض وكنت أنا الكون حينها، وبين كلّ قطرة وأخرى تمرّ عصور وقرون. رميتُ لباسي الموحَّد بعيدا وانحنيت فوق *'i-330'* وارتشفتها بعينيّ للمرّة الأخيرة.

قالت بعذوبة "كنت أعرف أنّ.. أعرف أنّك.." ثمّ نهضت مسرعة وارتدت لباسها الموحَّد وابتسمت ابتسامتها الحادّة اللاّذعة قائلة "حسنا ها أنت هالك الآن لا محالة أيها

الملاك المغضوب عليه". (عادت تستعمل الـ 'أنت' برسميّة) "ألم تعد خائفا؟ حسنا وداعا الآن، ستعود بمفردك".

فتحت باب الخزانة الذي يحمل المرآة، ونظرت إليّ منتظرة مغادرتي فانصعتُ لأمرها وغادرت المكان. ولكن ما كدت أخطو خطوة، حتّى شعرتُ برغبة ملحّة في أن تستند بذراعيها على كتفي ولو للحظة، فقط ذراعيها..

هرعتُ راجعا إلى الغرفة أين تركتها تقفل إزار لباسها الموحَّد أمام المرآة. ولكنّني توقّفت فجأة. فكلّ ما رأيته هو حلقة المفتاح القديمة تهتزّ في باب الخزانة... أمّا هي فلا أثر لها. أمر غريب، فلا يوجد مكان تلجأ إليه، ثمّ إنّ الغرفة لا تحتوي على مخرج آخر ومع هذا، تمكّنت من المغادرة، فتّشت عنها في كلّ مكان، فتحتُ باب الخزانة وقلّبت بيدي الأثواب القديمة الملوّنة ولكن لم أجد لها أثرا.

أعزّائي القرّاء القادمون من كواكب مختلفة، أشعر بشيء من الحرج حين أسرد على مسامعكم حادثة غير محتملة كهذه، ولكن ما أنا فاعل إن كان هذا بالفعل ما حدث! ألم يكن يومي كلّه منذ الصباح مليئا بالأحداث غير المنطقية، تماما كذلك المرض الذي يدعوه القدامى حلما؟ وإن كان الأمر كذلك فما الفرق إن زادت سخافة الأحداث أو نَقُصت؟ ثمّ إنّني على يقين بأنّني سأكون عاجلا أم آجلا قادرا على تحويل أيّ سخافة إلى تفكير منطقيّ.. إنّه لشيء يريحني وآملُ أن يريحكم أنتم أيضا.

كم أنا ممتلئ بالمعارف، آه لو تدرون كم أنا ممتلئ.

السِجلّ الرّابع عشر

"لي"

ممنوع

أرضيّة باردة

ما زلتُ أكتبُ عمّا حدث البارحة. لم أستطع أن أكتب ملاحظة هنا في الساعتين الشخصيتين قبل النوم، فقد كنتُ مشغولا. لكن ما حدث ظلّ منحوتا بداخلي وخاصّة (وقد يظلّ منحوتا للأبد) تلك الأرضيّة الباردة بشكل لا يُحتمل.

اليوم مخصّص لـ 'O'، من المفترض أن تزورني هذا المساء. نزلتُ إلى الطّابق السّفليّ حيث مكتب الضبط لأخذ إذن بإسدال الستائر.

سألني الموظّف المناوب "ما الذي دهاك؟ تبدو اليوم كأنّك.. لا أدري..".

"أنا.. أنا مريض".

كانت تلك هي الحقيقة في الواقع.. بالطبع أنا مريض.. كلّ هذا ليس إلاّ مرضًا، وفجأة، تذكّرتُ أنّني أحمل تقريرا طبيّا، تحسّسته في جيبي وإذا بصوت خشخشته يفاجئني، لحظة، إذن كلّ ما حدث البارحة كان حقيقة، حدث بالفعل، لم يكن مجرّد حلم.

سلّمتُ التّقرير إلى الموظّف ووجنتاي تتّقدان، ومن دون أن أنظر إليه أحسستُ أنّه يرمقني باستغراب شديد.

السّاعة 21:30، أسدلت ستائر الغرفة على يساري وعلى يميني، رأيتُ جاري في الغرفة منكبّا على كتاب، كانت صلعته غير مستوية ومليئة بالخدوش، أمّا جبينه فكان أصفر عريضا كمظلّة، أمّا أنا فرحت أذرع الغرفة جيئة وذهابا، إنّني أتعذّب جدّا، كيف

يمكنني مواجهة 'O' بعد كلّ ما اقترفته؟ لمحتُ نظرات تتفحّصني من اليمين، رأيتُ بوضوح ذاك الجبين المليء بالتجاعيد وسلسة الخطوط الصفراء، وخيّل إليّ أنّها بطريقة مّا موجّهة نحوي.

على الساعة 22:45 هبّت زوبعة فرح وردية على غرفتي، التفّت حول رقبتي حلقة من ذراعين ورديتين.. ثمّ بدأت الحلقة تنفكّ رويدا رويدا إلى أن كُسرت نهائيا وانخفض الذراعان.

"لم تعد كما كنتَ في السّابق، لم تعد لي".

يا للمعجم البدائيّ! "لي"، لم أكن يوما.. ثمّ فجأة تلعثمت وأمسكت لساني: راودتني فكرة، صحيح أنّني لم أكن أنا من قبل أما الآن فـــ.. لأنّني لم أكن أعيش في عالمنا العقلاني. بل في العالم القديم عالم الحيوان، العالم الذي يحظى فيه 'سالب واحد' (1-) بجذر تربيعيّ.

أُسدلت السّتائر ببطء، وهناك على يميني خلف الحائط، ألقى جاري كتابه من الطاولة ليستقرّ على الأرض.. رأيته يمدّ يده ليلتقط كتابه في اللّحظة نفسها لانخفاض السّتائر كلّيّا.. شعرتُ برغبة قويّة بداخلي في التشبّث بتلك اليد..

"أردت أن أراك اليوم خلال النزهة.. هناك الكثير.. الكثير من الأمور التي أريد قولها لك".

يا لـ 'O' الغالية المسكينة.. تحوّل فمها الورديّ إلى هلال وُجّه قرناه للأسفل، لكنّني لا أستطيع إخبارها عمّا حدث وإلا فستصبح شريكتي في الجريمة، وأنا أدرك أنّها ليست قويّة كفاية لتقدّم بلاغا في مكتب الحرّاس وهذا معناه...

كانت 'O' مستلقية على الفراش وكنتُ أقبّلها ببطء. قبّلت تلك الطيّة الصغيرة الساذجة في معصميها بينما أغمضت عينيها الزرقاوين، وأخذ الهلال الورديّ يتفتّح ببطء كزهرة نديّة فأمطرتُها قُبَلاً.

فجأة غمرني إحساس بالفراغ، كأنّما تخلّى عنّي كلّ شيء، إنّه لشيء مستحيل، ولم أستطع أن أواصل، كان عليَّ ذلك، ولكن لم أستطع، أصبحت شفتاي باردتين كالثلج بسرعة عجيبة.

ارتعش الهلال الورديّ وبدأ يتلاشى ثمّ انكمش.. سحبت 'O' الغطاء ولفّت به نفسها ثمّ أشاحت بوجهها نحو الوسادة.

جلستُ على الأرضيّة الباردة اليائسة بجانب السرير ولم أنبس ببنت شفة. كان البرد القارس يعذّبني ويرتفع من الأسفل رويدا رويدا ليَلُفّني، لربما وُجد البرد الأبكم نفسه هناك في الفضاء الأزرق الصامت بين الكواكب.

قلتُ متلعثما "أرجوك افهميني.. لم أقصد أن... لقد حاولتُ بكلّ ما أوتيتُ من..".

كان هذا صحيحا فالـ "أنا" الحقيقيّ لم يُرِد أن... ولكن ما عساي أخبرها؟ كيف يمكنني أن أفسّر لها أنّ هذه القطعة الحديديّة لم تكن تريد... ولكن القانون دقيق للغاية...

رفعت 'O' رأسها عن الوسادة وقالت دون أن تفتح عينيها "اغرب عن وجهي"، وما إن قالتها حتّى أجهشتْ بالبكاء.

هذه اللّحظة السّخيفة محفورة في ذاكرتي أيضا.. تسلّل البرد إليّ رويدا رويدا وأحسست أنّني مُخَدَّر، فتوجّهتُ إلى الرّدهة.

هناك وراء الجدار، رأيتُ خيطا رفيعا من الضباب، ربما يعود للظّهور ليلا ويغطّي كلّ شيء.. ما الذي سيجلبه ذاك الليل يا ترى؟

مرّت 'O' بجانبي وتوجّهت نحو المصعد من دون أن تنطق بأدنى كلمة، وصفقت الباب بعنف.

صحتُ عاليا "انتظري لحظة".

أحسستُ برعبٍ شديد، ولكنّ المصعد كان في طريقه للأسفل.

لقد أخذت منّي 'O'.

لقد أخذت منّي 'R'.

ورغم ذلك... رغم ذلك...

السجلّ الخامس عشر

جرس البحر

شبيه بالمرآة

مصيري أن أحترق للأبد

توجّه نحوي الصانع الثاني للـ "أنتغرال" بمجرّد دخولي الحظيرة حيث تتمّ عمليّة البناء. بدا وجهه كالعادة دائريّا وأبيض كصحن من الخزف، وقال كأنّه يقدّم لي طبقا لذيذا لا يقاوم على صحنه "بالأمس في غياب القائد وبينما كنتَ مريضا جرت حادثة".

"حادثة؟"

"نعم، لقد دقّ الجرس معلنا إنهاء الدوام، وكان الجميع يغادرون العنبر حين أمسك المسؤول شخصا لا يحمل رقما. تخيّل.. لا أستطيع فهم كيف أمكنه الدخول، هذا ما لم أستطع فهمه! أخذوه إلى قاعة العمليّات... سيعتصرونه إلى أن يعرفوا من هو وكيف تمكّن من الدخول (ابتسم ابتسامة تشفّ).

أفضلُ علمائنا وأكثرهم خبرة يعملون في غرفة العمليّات تحت إشراف حامي الحِمى شخصيّا، يملكون أكثر الأجهزة تطوّرا، وأهمّها جرس الغاز الشهير، هو في الحقيقة عبارة عن تجربة قديمة: نضع الفأر تحت قبّة زجاجيّة ويُضخّ الغاز فيها تدريجيا... ولكن جرس الغاز آلة متطوّرة أكثر من هذه طبعا، إذ تحتوي على أنواع متعدّدة من الغاز، ثمّ إنّ الهدف من هذه التجربة ليس السّخرية من ذاك الحيوان الضّعيف المسكين، بل هو هدف أسمى من هذا بكثير.. فالمراد هو الحفاظ على سلامة الدولة الموحّدة والحفاظ على سعادة الملايين من المواطنين.

منذ خمسة عقود، انطلقت التّجارب في غرفة العمليّات. شَبَّهَ بعضُ الأغبياء هذه العمليّات بمحاكم التّفتيش القديمة. ولكنّه تشبيه في قمّة السّخافة، إنّه يعادل تشبيه جرّاح يقوم بعملية شقّ القصبة الهوائية، بمنحرف يُشْهِر سلاحه على المارّة في الطريق،

صحيح أنّ كلّيهما يحملان سكّينا ويقومان بالشيء نفسه، أي قطع رقاب الناس، ولكنّ أحدهما فاضل، والآخر مجرم، أحدهما يحمل علامة الموجب (+) والآخر يحمل علامة السّالب (-).

هذا أمر واضح وجليّ للعيان.. إنّها مجرّد أمور تدخل بدقّة في عجلة التّفكير المنطقيّ. فجأة توقّفت الآلة الحادّة عند علامة السالب وصعد شيء مختلف تماما على السطح: إنّها حلقة باب الخزانة التي ما زالت تتدلّى هناك حيث تركتها. الباب مغلق بإحكام ولكن '*i-330*' ليست موجودة هناك، اختفت بالكامل، والآلة لم تُبرمج لفهم هذا، أيُعقل أنّه مجرّد حلم؟ ولكنّني ما زلتُ أعاني من ذاك الألم الحلو المبهم في كتفي الأيمن، فقد كانت '*i-330*' تضغط على كتفي الأيمن قائلة "هل تحبّ الضّباب؟".

نعم، أحبّ الضّباب أيضا. أحب كلّ شيء، أحبّ كلّ ما هو جديد ومفاجئ وليّن... كلّ ما هو على ما يرام.

ردّدتُ بصول عالٍ "كلّ شيء جيّد".

تطلّعتْ إليّ عينان مدوّرتان "ما الجيّد في هذا؟ إن تمكّن شخص من دون رقم من اقتحام المكان فهذا يعني أنّهم.. أنّهم هنا في كلّ مكان حولنا.. أنّهم هنا، يحومون حول "الأنتغرال"... أنّهم..".

"من يكونون؟".

"كيف لي أن أعرف من هم؟ لكنّني أستطيع أن أستشعر وجودهم طوال الوقت".

"هل سمعتَ عن العمليّة الجديدة التي لاتزال في طور الإنجاز؟ استئصال المخيّلة (في الحقيقة لقد سمعتُ عنها مؤخرا)".

"نعم، ولكن ما الذي جعلك تذكر هذا الآن؟".

"لأنّني لو كنتُ أملك مخيّلتك، لذهبتُ وأجريت هذه العمليّة على الفور".

ارتسم على صحن وجهه شيء حامض كاللّيمون... يا للمسكين، شعر بالإهانة لمجرّد أنّني لمّحت أنّه قد يملك خيالا واسعا، ولكن ما هذا الذي أقوله؟ فمنذ أسبوع فقط كنتُ سأشعر بالإهانة نفسها لو كنتُ مكانه، ولكنّني الآن أعجز عن هذا، خاصّة بعد أن تيقّنت أنّني أملك مخيّلة، وأنّني مريض حقّا، ولا يبدو أنّني أتحسّن.

صعدنا درجات السّلّم الزجاجيّة، من هنا يمكنك رؤية كلّ شيء بوضوح.. أنتم.. يا من تقرؤون هذه المذكّرات أينما كنتم.. الشّمس فوق رؤوسكم تماما، وإن كنتم مرضى

مثلي فمن المؤكد أنّكم تعرفون منظر الشّمس صباحا، أو على الأقلّ كيف تبدو، تعرفون تلك الشّمس الورديّة الذهبيّة الشّفافة والدافئة، تعرفون الهواء الذي يميل للّون الورديّ، وترون كيف يبدو كلّ شيء مُشبعا بدم الشّمس النّاعم، كلّ شيء مفعم بالحياة، الحجارة دافئة، والمعدن. النّاس مفعمون بالحياة ومبتسمون، ربمّا في غضون ساعة واحدة سيتلاشى كلّ شيء، وستجفّ آخر قطرة من ذاك الدّم الورديّ، ولكن في الوقت الرّاهن، كلّ شيء حيّ، رأيتُ شيئا ينبض ويرتفع للأعلى في وسط السوائل الزجاجية لـ "أنتغرال"... تأمّلت "الأنتغرال" وهو غارق في تفكيره حول مستقبله العظيم المرهب، حول المسؤولية الثقيلة الملقاة على عاتقه، حمل السعادة الحتميّة إلى الكون، إليكم أنتم أعزّائي القرّاء المجهولين، أنتم من بحثتم عن السّعادة طويلا بلا جدوى.. ستجدونها أخيرا، وستنعمون بها، إنّه لمن واجبكم أن تكونوا سعداء، ولن يطول انتظاركم.

يكاد هيكل "الأنتغرال" أن يكون جاهزا، إنّه عبارة عن مُجسّم مستطيل أنيق، مصنوع من الزّجاج، من الذّهب الخالد، قويّ كالفولاذ، رأيت العمّال يُحكمون ربط وثاق أضلعه الأفقيّة والعموديّة ويشدّونها للجسد الزجاجيّ، ثمّ كانوا يضعون في مؤخرة المجسّم قاعدته الصّاروخية العملاقة، تلك التي ستُصدر انفجارا كلّ ثلاث دقائق.. سيُطلق ذيل "الأنتغرال" كلّ 3 دقائق حِمَمًا ناريّة وغازيّة في الفضاء الكونيّ، ثمّ سيقود هذا القائد النّاريّ حملة السّعادة نحو الفضاء.

شاهدتُ النّاس في الأسفل.. تأمّلتُ كيف ينحنون، يقفون ويدورون في تناغم على الطريقة التايلورية.. يتحرّكون بسرعة وسلاسة كعقارب السّاعة أو كمقابض آلة واحدة ضخمة. الأنابيب تتلألأ في أيديهم: يقطعون الأجزاء الزجاجية والأضلع والزّوايا الدّاخليّة بالنّار، ويلحمونها بالنّار أيضا، تأمّلت الرّافعات الضّخمة وهي تستقر ببطء على القضبان الزّجاجيّة وتستدير كالعمّال في خضوع تامّ، وتنحني لتلقي البضائع التي تحملها في أحشاء "الأنتغرال"، كان منظرها إنسانيّا ومثاليّا، هذا هو الجمال في معناه الأسمى والأرقى، إنّه التّناغم الموسيقيّ، أردتُ أن أنضمّ إليهم بسرعة وأكون آلة مثلهم وأشاركهم مهمّتهم السّامية.

سأكون معهم هناك، سأقف بنهم جنبا إلى جنب معهم، وسألتحم بهم ثمّ سأنخرط في الإيقاع الفولاذيّ والحركات المدروسة، سأنضمّ إلى الخدود المستديرة الورديّة والجباه المصقولة التي تنبذ الأفكار الجنونيّة.

كنتُ أسبح في بحر مصقول كمرآة، وكان هذا يريحني كثيرا.

ثمّ توجّه لي أحدهم قائلا "كيف حالك اليوم، هل تشعر بتحسّن؟".

"تحسّن؟ ماذا تقصد بـــ...".

"أقصد أنّك لم تكن على ما يرام البارحة، بل كنتَ مريضا للغاية.. لقد ظننّا أنّك تعاني من مرض خطير" لمعت ابتسامته الحادّة البريئة وبان حاجباه بوضوح.

تدفّق الدّم إلى وجهي، فلم أكن قادرا على الكذب في حضرة تلك العينين، إنّهما تكبّلانني وتجبرانني على قول الحقيقة، لم أقل حرفا، بل غرقت في صمت عميق.

عند الفتحة في الأعلى، لمع الوجه الخزفي الأبيض المستدير وصاح "مهلا 'D-503' هلاّ نزلتَ هنا للحظة؟ لدينا إطار ضيّق في لوحة المفاتيح، ونقاط التّوصيل تُحدث ضغطا على.."

هرعتُ إليه مسرعا قبل أن ينهي كلامه.. كنتُ أسرع للهرب بشكل مهين من تلك الأعين، لم أقوَ حتّى على رفع عينيّ.

لمعان الدّرجات الزجاجيّة للسّلّم تُعمي عينيّ، ومع كلّ خطوة أخطوها يعتريني اليأس أكثر فأكثر: لا مكان لي هنا، أنا مجرّد رجل مجرم مسموم.

لم أعد أملك حقّ الامتزاج في هذا الإيقاع الميكانيكيّ الدّقيق، ولن أبحر أبدا في هذا البحر الهادئ الشبيه بالمرايا، مصيري هو الاحتراق للأبد والبحث عن زاوية أخبّئ فيها عيناي لأبد الآبدين حتّى أجد مجدّدا القوّة للمضيّ قدُما.

اخترقت شرارة جليديّة جسدي، لم أعد أقوى على التّحمّل، وإن كان هذا هو مصيري فليكن، ولكن يجب أن يرتبط مصيري بها هي أيضا، هي... اندسستُ عند الفتحة وتقدّمت لمقدّمة "الأنتغرال"، ثمّ توقّفتُ فجأة، نسيت إلى أين أنوي الذهاب، ولمَ أتيتُ إلى هنا، ثمّ نظرتُ للأعلى لأرى أشعّة الشّمس ترتفع خافتة بعد أن أضنتها الظّهيرة، وفي الأسفل كان "الأنتغرال" يبدو مجرّد كومة من الزّجاج الرّماديّ، مجرّد جثّة هامدة أُفرغت من دمها الورديّ... أعرف جيّدا أنّني أتخيّل كلّ هذا، وأنّ كلّ شيء يبدو تماما كالسّابق، ولكن مع ذلك، كان من الواضح...

"ما الذي دهاك يا 'D-503'؟ هل أنت أصمّ؟ ناديتك عدّة مرات.. ماذا بك؟".

صرخ الصّانع الثاني بصوت عالٍ، والظّاهر أنّه كان يناديني منذ زمن ولكنّني لم أسمعه.

ما الذي دهاني؟ لقد فَلَتَ منّي مقود المركبة، ظلّ المُحرّك يدوي بأقصى سرعة ممكنة والطائرة ترتفع وتهتزّ، ولكن لا وجود للمقود، ولا أعرف إلى أين سيأخذني هذا.. إلى الأسفل لأرتطم بالأرض وأتهشّم، أو إلى الأعلى حيث الشّمس والنّار.

السِجلّ السّادس عشر

الأصفر

الظّلّ ثنائي الأبعاد

الرّوح التي لن تُشفَى

لم أقدر على كتابة حرف واحد منذ عدة أيّام، لا أستطيع ضبط المدّة بدقّة، فكلّ الأيّام تبدو متشابهة كيوم واحد طويل. كلّ الأيّام صفراء كالرّمال المحمومة اللاّمتناهية، لا وجود لبقعة ظلّ أو قطرة ماء، لم أعد قادرا على مواصلة العيش بدونها، منذ اختفائها الغامض في المتحف القديم... منذ ذلك اليوم لم أرها إلاّ مرّة واحدة خلال النّزهة. حدث ذلك ربما منذ يومين أو ثلاثة أو أربعة، لا أدري، فكلّ الأيّام متشابهة.

برزت يومها فجأة للحظة وملأت العالم الأصفر الفارغ. كانت يداها متشابكتين مع ذلك الـ 'S' المنحني الذي لا يصل إلاّ إلى كتفيها، وإلى جانبها ذلك الطبيب النحيل كالورقة، ورقم رابع، رقم لم يرسخ في ذاكرتي سوى منظر أصابعه التي كانت تطلّ من أكمام زيّه الموحَّد كحزمة من أشعّة الشّمس الرّقيقة الطويلة والبيضاء.

لوّحت لي *'i-330'* من بعيد بينما انحنى الـ 'S' المقوّس وهمس شيئا في أذن ذاك الرّقم ذي الأصابع المشعّة.. وتناهت إلى مسامعي كلمة "الأنتغرال"، ثمّ استدار أربعتهم مُحدّقين إليّ وغاصوا في السّماء الرّمادية المائلة للأزرق، وخلّفوني وراءهم وحيدا في الطّريق الأصفر الجافّ.

إنّها تملك تذكرة للحضور إلى منزلي مساء اليوم. تسمّرتُ أمام شاشة آلة الاتّصال الدّاخليّ كي أهرع مُسرعا وأضغط على زرّ الإجابة الأبيض حين يلمع اسم *'i-330'*. اعترتني مشاعر مختلطة، مزيج من الحنان والبغض. فُتح باب المصعد عدّة مرّات وتدفقت عبره أرقام مختلفة: شاحبة، طويلة، وردية أو داكنة، ولكنّها لم تكن بينهم، لم تأتِ.

قد تكون السّاعة قد قاربت العاشرة عند كتابتي هذه الأسطر. قد تكون عيناها مغمضتين وهي تستند على كتف شخص آخر قائلة "هل أعجبك هذا؟" من هو؟ من يكون يا ترى؟ هل هو ذاك الرّقم ذو الأصابع المشعّة؟ أو ذاك الـ 'R' ذو الشّفاه الغليظة؟ أو لعلّه 'S'؟

يا لذاك الـ 'S'! لماذا لا يمرّ يوم من دون أن أسمع خطوات أقدامه المسطّحة خلفي تسحق كلّ شيء كأنّها تمشي عبر بِرك مائيّة؟ لماذا يتبعني يوميًّا كظلّي؟ ظلٌّ مترامٍ أمامي، خلفي، وإلى جانبي.. ظلّ ثلاثيّ الأبعاد، جميع النّاس يعبرونه، ويخطون فوقه، ولكنّه لا يتزحزح قيد أنملة من مكانه بجانبي، كأنّما رُبِط إليَّ بحبلٍ سرّيّ خفيّ، قد تكون '*i-330*' هي ذاك الحبل.. من يدري؟ أو لعلّهم الحرّاس الذين أدركوا أنّني...

تأمّل معي هذا، لنفترض أنّك قد أُخبرت أنّ ظلّك يرافقك ويراك طوال الوقت، وفجأة ينتابك شعور غريب بأنّ يديك غريبتان عنك، بل لعلّهما تعيقان طريقك، وفجأة تنتبه أنّك تقوم بأرجحة يديك كالأحمق في حركة لا تتماشى مع خطوات قدمك. وفجأة، تعتريك رغبة جامحة في الالتفات للخلف، ولكنّك تعجز عن ذلك، فرقبتك مسمّرة عاجزة عن الدّوران... فتركض.. أركضُ مسرعا وأشعر أنّ ظلّي يركض هو الآخر مسرعا خلفي، وليس لي من مفرّ منه، لا مكان ألجأ إليه.

ها أنا أخيرا وحيد في غرفتي، بل يقاسمني الهاتف وحدتي. رفعتُ السمّاعة مرّة أخرى قائلا "هلاّ مرّرت لي من فضلك الـ '*i-330*' " سمعتُ ضوضاء خفيفة تتعالى من خارج السمّاعة، إنّه وقع خطى أحدهم في الرّدهة خلف باب غرفتها، تلاه صمت مهيب، رميتُ السمّاعة بعيدا، وقرّرت أن أذهب إليها فورا، لا مجال للمزيد من التّردّد.

حدث هذا البارحة، هرعتُ إلى منزلها بأقصى سرعة وقضّيتُ ساعة كاملة (من السّاعة 16 إلى السّاعة 17) باحثا عن مقرّ سُكناها، كانت الأرقام تمرّ في صفوف منظّمة، آلاف الأقدام تنهال على الأرض في خطوات متناسقة وتَعبرُ بجانبي كالتّنّين البحريّ ذي الرّؤوس المتعدّدة، ولكنّني كنتُ وحيدا كأنّما ألقتني عاصفة مّا إلى جزيرة نائية، وظللتُ أقلّبُ بصري بين الموجات الرّماديّة الزّرقاء مفتّشا عنها، لعلّها ترمقني الآن من مكان مّا، لعلّ حاجبيها المشدودين ارتفعا من جديد وخلف نوافذ العيون المظلمة تستعر تلك النار مجددا، ولعلّ ظلّ شخص ما يتحرّك هناك.

وها أنا متّجه مباشرة إلى الدّاخل، إليها.. حيث سأناديها بـ "أنت" الحميميّة وسأقول لها "حتما أنت تدركين أنّني.. لا أستطيع الاستغناء عنك أو العيش بدونك.. فلِمَ إذن..؟".

ولكنّها ظلّت صامتة، وفجأة كلّ ما تمكّنتُ من سماعه هو الصّمت، ثمّ فجأة سمعتُ صوت مَصنَع الموسيقى، وأيقنتُ أنّ السّاعة تجاوزت الخامسة وأنّ الجميع غادروا منذ زمن وبقيتُ وحيدا، وليس هذا فقط، فلقد تأخّرتُ أيضا، هأنذا مُحاط بصحراء زجاجيّة تغمرها شمس صفراء، والجدران البرّاقة منقلبة رأسا على عقب على السّطح الزّجاجيّ الأملس كانعكاس صورة على سطح الماء، وكنت أنا أيضا معلّقا هناك رأسا على عقب كصورة سخيفة.

عليَّ الذهاب فورا إلى المكتب الطّبيّ وأخذ تقرير يُفيد أنّني مريض، وإلّا سيأخذونني و... ربّما سيكون من الأفضل لي أن أبقى هنا وأنتظر بهدوء أن يلاحظوا وجودي، فيقودونني على جناح السرعة إلى غرفة العمليّات، حيث سأدفع ثمن أفعالي دُفعة واحدة وينتهي الأمر.

سمعتُ ضوضاء خفيفة خلفي وها هو الظّلّ المنحني هنا مجدّدا، شعرتُ دون أن ألتفت بمثقبين فولاذيين رماديين يخترقانني.

استجمعتُ كلّ قوّتي محاولا الابتسام وقلت (إذ كان عليَّ قولُ شيء ما) "أنا.. عليَّ الذّهاب إلى مكتب الطّب".

"لمَ تقف هنا إذن؟".

لزمتُ الصّمت وطأطأت رأسي كالأبله.

أمرني 'S' بصرامة قائلا "اتبعني".

تبعتُه بطواعية، وطفقَت اليدان -الغريبتان عنّي- تتأرجحان، لم أقوَ على رفع عينيّ عن الأرض، كنتُ أعبر طوال ذاك الوقت عالمًا برّيًا مقلوبًا رأسا على عقب. بدت لي الآلات مقلوبة، هناك أناس -شبيهون بأولئك الموجودين في الطّرف الآخر من الأرض- ذوو أرجل ملتصقة بالسّقف، والسّماء أسفلهم ملتصقة بسطح زجاجيّ سميك. أذكر أنّ أكثر ما حزّ في نفسي حينها هو أنّ آخر صورة في حياتي ستكون لعالم مقلوب رأسا على عقب، ومع هذا لم أكن أقوى على رفع عينيّ.

توقّفنا عن السّير، ولمحتُ خطوات عديدة أمامي، ثمّ خطونا خطوة أخرى ورأيت أرقاما يرتدون معاطف بيضاء، إنّهم دون شكّ أطبّاء، وخلفهم الجرس الضّخم الصّامت...

وأخيرا تمكّنت من رفع عينيّ عن زجاج الأرضيّة بعد الجهد الجهيد الذي بَذلَهُ المفكّ، وفجأة غاص وجهي في كومة من الحروف الذهبيّة "مكتب الطّب" لماذا أحضروني هنا

بدل الذّهاب إلى غرفة العمليّات؟ لماذا يشفقون عليَّ ويحمونني؟ لم أفكّر قطّ أنّهم قد يفعلون بي هذا. عبرتُ الدّرجات بوثبة واحدة، وصُفق الباب خلفي، وأخذت نفسا عميقا شاعرا أنّني لم أتنفّس منذ الصّباح الباكر، وأنّ قلبي لم يكن ينبض، والآن فقط، ولأوّل مرّة تنفّست الصعداء، وفتحتُ أبواب الصمّامات في صدري.

كنتُ محاطا بطبيبين، أحدهما قصير ذو قدمين عريضتين كعلامات تحديد الأميال على الطريق، يستخدم عينيه كقرنيْ استشعار لتحسّس المرضى بنظرات سريعة، أمّا الآخر فكان هزيلا جدّا، شفتاه تَبْدوان كمقصّ وأنفه كشفرة حادّة، إنّه هو. ارتميتُ بين أحضان شفرتيْ مِقصِّه كأنّه أحد أقاربي.. وغمغمت شاكيا له من أرَقي وأحلامي، منَ الظلّ، ومن العالم الأصفر، لمعت شفاه المقصّ مبتسمة "إنّك في حالة حرجة، من الواضح أنّ روحًا تتشكّل في داخلك"

روح؟ تلك الكلمة الغريبة المنسيّة، حسنا نحن نستخدم أحيانا عبارات مثل "رفيق الرّوح" "الجسد والرّوح" أو "تدمير الرّوح" ولكن كلمة "روح" هكذا لوحدها...

غمغمت مجدّدا "هذا.. هذا خطير جدّا".

"ولا شفاء منه" قاطعني المقصّ.

"ولكن، كيف حدث هذا؟ لا أستطيع. لستُ قادرًا على استيعاب هذا".

"حسنا، كيف سأفسّر هذا؟ أنتَ عالم رياضيّات أليس كذلك؟"

"نعم".

"حسنا لنأخذ على سبيل المثال طائرة مسطّحة أو سطحا، أو ربمًّا مرآة كهذه، وكلانا موجودان هناك فوق ذاك الشيء المسطّح نحاول أن نتحاشى الشّمس البازغة أمام أعيننا، وفجأة نرى شرارة كهربائية زرقاء عبر الأنبوب، مجرّد ظلّ طائرة مرّت بالقرب منّا بسرعة وتلاشت في لحظة. تخيّل معي الآن أنّ هذا السّطح السّميك قد لان فجأة بفعل نارٍ مجهولة المصدر، ولم يعد يطفو فوقه شيء، بل اختَرق حتّى الأعماق حيث عالم المرايا الذي نتجّمع ونتحاور فيه بفضول طفوليّ، فلتعلم بالمناسبة أنّ الأطفال ليسوا أغبياء، تحوّل ذاك السّطح إلى كتلة، إلى جسم، إلى عالم داخل المرآة، داخلك أنت، ولذا فالشّمس ودوران مروحة الطائرة وشفاهك المرتعشة كلّها تشكّلت بداخلك، وربمًّا بداخل أشخاص آخرين أيضا، أنتَ تعي أنّ المرآة الباردة تعكس كلّ هذا وتنبذه وترميه بعيدا، في حين ما يحدث معك الآن هو أنّك تمتصّ كلّ شيء ممّا يخلّف أثرا لا يزول أبدا،

فقد تَرْسَخُ تجاعيد رأيتَها على وجه شخص ما في ذاكرتك للأبد، أو تسمع مجرّد همسة في الصّمت المطبق فيلتقطها سمعك على جناح السّرعة.

"نعم نعم هذا صحيح" قلتُ متشبّثا بكلتا يديه "لقد سمعتُ للتّوّ قطرة من الصّنبور الموجود عند حوض الغسيل تنزل ببطء لتُحدثَ وقعًا في الصّمت، وأدركتُ أنّها ستظلّ راسخة فيَّ للأبد، ولكن رغم كلّ هذا لمَ تجتاحني روح الآن بالذّات؟ لم أملك واحدة لوقت طويل، والآن فجأة... ولمَ سكَنتْني أنا بالذّات؟ لمَ لمْ تَسْكُن الآخرين؟

تشبّثتُ بيديه النّحيلتين بكلّ ما أوتيت من قوّة، فقد كنتُ خائفا جدّا من فقدان طوق النجاة.

"تتساءل لماذا؟ حسنا لمَ ليس لنا ريش أو جناحان؟ لمَ لا نملك شيئا سوى الكتفين الحادّين حيث كانت تنبت الأجنحة؟ هذا لأنّنا طبعا لم نعد نحتاج أجنحة فلدينا طائرات. الأجنحة تعيقنا، إذ أنّها مُعدَّة للطّيران، بينما لا مكان لنطير إليه، لقد سبق وطرنا إلى هنا ووجدنا المكان المنشود، أليس كذلك؟"

أومأتُ برأسي في ذهول تامّ، فنظر إليّ وضحك ضحكةً حادّة كالسهام وهبّ الآخر عن مكتبه بمجرّد سماع هذا وتحسّسني أنا والطّبيب النّحيل بقرون استشعاره.

"ما الذي يحدث هنا؟ هل قلتَ للتّوّ "روح"؟ هل صحيح ما سمعت؟ ما هذا بحق السماء؟ المرّة القادمة سنصاب بالكوليرا؟ هل تذكر ما قلته لك (تحسّس ذاك النحيل بقرونه) يجب أن نجري عمليّات على مخيّلاتهم جميعا، علينا استئصال جميع المخيّلات، الجراحة هي الحلّ، ولا شيء غير الجراحة".

ارتدى نظّارته اللّيزريّة الضّخمة، وطفق يحوم حولي لوقت طويل ويتفحّص جمجمتي ثمّ دماغي، ودوَّن بعض الأسطر في دفتر ملاحظاته.

"إنّه لشيء مثير للفضول. شيء مبهر، ما رأيك أن نقوم بتحنيطك عبر حفظك في الكحول؟ سيقدّم هذا خدمة رائعة للدّولة المُوحَّدة، سيكون شيئًا رائعا، وسيُساعدنا على دحر هذا الوباء، إلّا إذا كان لك أسباب خاصّة".

"ولكن الرقم 'D-503' هو صانع "الأنتغرال"، ومن المؤكّد أنَّ فعلَ شيء كهذا هو اعتداء على...".

"اه" غمغم بهذا وهو يتسلّل عائدا إلى غرفة الفحص، فظللنا وحيدين، ثمّ أمسكَتْ يد الطّبيب النّحيلة يديّ بحنان وهمس وهو يحدق فيَّ "سأقول لك سرّا وليبقَ بيننا، لستَ الوحيد المصاب بهذا المرض، ولهذا تحدَّثَ صديقي عن تفشّي الوباء، فكّر معي للحظة،

ألم تلاحظ أنّ هناك شخصا آخر؟ شخص قريبٌ منك يحمل العوارض نفسها؟ ثبَّتَ نظره عليَّ... إلامَ كان يرمي؟ عمَّن يتحدّث؟ من غير المعقول أنْ يَقصِدَ...

قفزتُ من مكاني قائلا "اسمع..." ولكنّه واصل حديثه عاليا عن أمر آخر "أمّا بالنسبة للأرق وتلك الأحلام فأنصحك بشيء واحد.. عليك بالمشي ولتبدأ من الغد في الصّباح الباكر.. فلتقم بنزهة مثلا حول المتحف القديم...".

وخزني مرّة أخرى بنظراته وابتسم لي ابتسامة نحيلة وخُيّل إليَّ أنّني رأيتُ بوضوح حرفا، كلمة، بل اسما مقيّدا بقماش خفيف ومرسوم على تلك الابتسامة... أيكون هذا أيضا من صنع خيالي؟

انتظرتُ بفارغ الصّبر أن يكتب لي شهادةً طبيّةً تُثبِتُ مَرضي وتُبرّر غيابي اليوم وغدا. ثمَّ صافحتهُ بقوّة وهرعتُ نحو باب الخروج. بدا قلبي خفيفا وسريعا كطائرة وأخذ يرفعني للأعلى رويدا رويدا... أدركتُ أنّني ضربتُ موعدا غدا مع نوع من السّعادة، ولكن أيّ نوع؟

السجلّ السّابع عشر

عبر الزجاج

لقد متُّ

الممرّات

أنا مشتّت كلّيّا وحائر، البارحة اقتحمت عناصر مجهولة معادلتي بعد أن خُيّل لي أنّني حلَلْتُ كلّ المعادلات ووجدتُ معنى الـ 'X'.

إحداثيات العناصر المجهولة والمحاور الـ X Y Z التي بُنِيَ عليها عالمي الجديد من مدّة، نابعة طبعا من المتحف القديم. عبرتُ محور الـ 'X' (الطريق عدد 59) إلى المكان الذي تقاطعت فيه كلّ الإحداثيات فطفا على السّطح مجدّدا كلّ ما حدث البارحة ليعصف بي كزوبعة هوجاء: النّاس والمنازل المقلوبة رأسا على عقب، الأيادي الغريبة التي تعذّبني، المقصّ اللاّمع والقطرات التي تقع بعناية في حوض الغسيل... كلّ هذا اجتاحني في هجمة واحدة. وطفق يمزّق جسدي ويتدحرج ليدرك السّطح الذي أذابته النّار المستعرة، حيث تسكن الرّوح.

طبّقتُ وصفة الطّبيب بحذافيرها واخترتُ بطواعية ألّا أسلك الطّريق عبر وتر المثلّث قائم الزاوية، بل سلكتُ ضلعيه المتساويين، وصلتُ الآن إلى نهاية الضّلع الثاني حيث الطّريق المنحني الذي يمتدّ على طول قاعدة السّور الأخضر. شاهدتُ عروقا همجيّة تبرز من المحيط الأخضر اللاّمتناهي الممتدّ خارج السّور، فاجأتني ورودٌ وأغصان وأوراق، وغمرت وجهي، وكادت تحوّلني من رجل أدقّ من الآلات إلى مجرّد... لحسن الحظّ، أنّ السّور الزّجاجيّ يَحولُ دوني وذاكَ المُحيط البرّيّ الأخضر. يا للحكمة الإلهيّة المقدّسة لهذا السّور العازل. إنّه -لَعَمْري- أهمّ اختراع على الإطلاق، فببناء أوّل سور في التاريخ عزل الإنسان عن الحياة الحيوانية التي كان يعيشها، والآن ارتقى الهمجيّ ببناء

السّور الأخضر إلى مرتبة الإنسان الكامل، فقد عُزل عالمنا الآليّ كلّيًّا بواسطة السّور الأخضر عن عالم الأشجار القبيح الفوضويّ، عالم الطّيور والحيوانات.

تفحّصني عبر الزّجاج الباهت والضبابيّ، لجامٌ غير حادّ لوحشٍ ما، وظلّت عيناه الصفراويتان تردّدان الفكرة نفسها التي لا أفقه منها شيئا مرارا وتكرارا، حدّقنا في أعين بعضنا البعض لبرهة عبر تلك القضبان التي تفصلني عن العالم السّفليّ حيث يوجد السّطح. وفجأة، زحفت فكرةٌ صغيرة رويدا رويدا نحو تفكيري "ماذا لو كان هذا الشيء ذو الأعين الصفراء القادم من وسط حزمة الأوراق الغبيّة، ومن وسط حياته الاعتباطيّة... يعيش حياة أكثر سعادةً منّي؟".

لوّحتُ بيدي فرمَشت الأعين الصّفراء وتراجعت للوراء ثمّ اختفت في وسط كومة من أوراق الشجر. يا لهذا الكائن المثير للشفقة. إنّه لمن العبث أن أتخيّل أنّه سعيد أكثر منّا. حسنا يمكن أن يكون سعيدا أكثر منّي أنا، ولكنّني شخصٌ شاذّ، والشّاذُّ يُحفظ ولا يُقاس عليه، أنا مريض.

ثمّ فجأة... لمحتُ حيطان المتحف القديم الحمراء المائلة للسواد، والفم المُطبق لتلك المرأة العجوز العزيزة على قلبي، ركضتُ نحوها بكلّ ما أوتيت من سرعة "هل هي هنا؟".

"من هي؟".

"من قد تكون؟ 'i-330' بالطبع، لقد جئنا معًا في المرّة الفارطة في الطائرة".

"آه نعم نعم".

كانت التّجاعيد المشعّة حول شفتيها وحول عينيها تنخران في أعماقي، ثمّ قالت أخيرا "حسنا، أظنّ أنّها هنا، لقد قدِمَت منذ قليل".

إنّها هنا. لاحظتُ وجود شجيرات فضيّة من نبتة الشّيح عند قدميْ المرأة العجوز (إنّ فناء المتحف القديم هو أيضا عبارة عن متحف. يحتفظون به في الشكل الما قبل التّاريخيّ). قطعت المرأة العجوز غُصَيْنًا من نبتة الشّيح وأخذت تتلاعب به بيديها بينما كانت أشعّة الشّمس الصّفراء تغمر ركبتيها، ولبرهة اندمجنا معا أنا والشّمس والمرأة العجوز والشّيح وحتّى الأعين الصفراء، صرنا فردا واحدا... ترابطنا معًا بعروق تدفّق فيها دمٌ موحَّد عاصِفٌ ورائع.

أشعر بخجل شديد لإخباركم بهذا الآن، ولكنّني أقسمتُ ألاّ أخفي شيئًا عنكم وأن أخطّ كلّ شيء في هذه السِّجلّات... سأخبركم إذن ما يلي: لقد انحنيتُ وقبّلت ذاك الفم اللّيّن المُطبق قُبْلةً مَسَحَتها العجوز ضاحكة.

هرعتُ راكضًا عبر الغرف المألوفة المؤدّية إلى هناك، ولسبب أجهله توجّهتُ نحو غرفة النّوم. كنتُ قد وصلتُ للباب وأمسكت المقبض، عندما اجتاحتني فكرة ما فجأة "ماذا لو لم تكن بمفردها هنا؟" توقّفت عند الباب وتنصّتُّ قليلا ولكن كلّ ما تمكّنتُ من سماعه كان نوعًا من الضّجيج النّاعم النّاجم عن ارتطام شيء ما. لم يأت الصّوت من مكان قريب حولي، بل كان صادرا من داخلي.. من قلبي. دخلتُ الغرفة.. بدا السّرير مرتّبًا لم يَقْرَبْهُ أحد، ثمّ إنّه توجد مرآة تليها أخرى في باب خزانة الملابس، وعُلّق المفتاح ذو الحلقة الدائرية القديمة في ثقب الباب، ثمّ لا شيء.. العدم فقط.

ناديتها بحنان 'I' هل أنت هنا؟" ثمّ أغمضت عينيّ وحبستُ أنفاسي كأنّني جاثٍ على رُكبتي في حضرتها، وناديتها ثانية بعذوبة "حبيبتي 'I'".

ساد الصّمت المكان ما عدا قطرات الماء التي تقطر من الحنفيّة نحو حوض الغسيل الأبيض، لا أدري لمَ أزعجني سماعه حينها، فأحكمتُ إغلاق الحنفيّة وغادرت المكان. من الواضح أنّها ليست هنا، ممّا يعني أنّها بالطّبع في شقّة ما الآن.

هرعتُ راكضا عبر السّلالم الواسعة المظلمة وحاولتُ فتح الباب الأوّل ثمّ الثاني فالثّالث، ولكن جميعها موصدة، كلّ الأبواب مغلقة ما عدا تلك الشقّة التي لقّبناها بـ "شقّتنا" والتي لا يوجد فيها أحد، رغم ذلك عدتُ أدراجي مجدّدا من دون سبب يذكر، كنتُ أمشي بتثاقل وبصعوبة كأنّني أرتدي حذاء فولاذيّا ثقيلا، أذكر بوضوح ما كان يُخالج تفكيري "من الخطأ أن نعتبر أنّ قوّة الجاذبية ثابتة، ممّا يعني أنّ كلّ المعادلات...".

وعند بلوغي هذه النّقطة بالذّات، دوى صوت انفجار. سمعتُ صوت باب يُطبق بقوّة، وخطوات تضرب على درجات السلالم، أحسستُ أنّني صرتُ خفيفا جدّا وهرعتُ نحو درابزين السّلّم وانفلتت منّي صرخة حملت كلّ ما يختلج في داخلي "هل هذا أنت؟"

فجأة تجمّدتُ بالكامل، فقد رأيت رأس 'S' منقوشا في الظّلّ المربّع المظلم الذي ألقاه إطار النافذة وأذناه تتأرجحان كجناحين. وفجأة، برق في ذهني استنتاج وحيد (رغم جهلي التّامّ بتفاصيل المكان) "لا يجب أن يراني مهما كلّفني الأمر".

التصقتُ بالجدار وتسلّلت على رؤوس أصابعي عبر السّلالم قاصدا الشقّة المفتوحة. توقّفتُ لبرهة عند الباب بينما كان يتسلّق الدّرج بتثاقل متّجها نحوي، نحو الباب. ووقفتُ عند الباب متوسّلا أن لا يُحدث صوتا، ولكنّه باب خشبيّ، فأصدر خشخشة وصريرا، تطاير كلّ شيء حولي في زوبعة خضراء وحمراء يتوسّطها بوذا الأصفر. ووقفتُ ممتقع الوجه بعينين شاخصتين وشفتين شاحبتين أمام مرآة خزانة الملابس، وسمعتُ من خلال دمي الذي يغلي، صوت صرير الباب مجدّدا. إنّه هو... هو...

أحكمتُ قبضتي بسرعة على مفتاح الخزانة فاهتزّت الحلقة الدائرية، ولمع في ذهني استنتاج ثان بدون مقدّمات، وقلتُ في سرّي "في المرّة الفارطة '330-i'..." فتحتُ باب الخزانة بسرعة وألقيتُ نفسي في الداخل. في الظّلام الدّامس، وأغلقتُ الباب بإحكام. ما إن خطوتُ الخطوة الأولى في الظّلام، حتّى اهتزّت الأرض تحت قدمي وسُحبت ببطء وسلاسة إلى الأسفل... اشتدّ الظلام من حولي. ومُتُّ.

عندما قمتُ لاحقًا بتدوين كلّ تلك الأحداث الغريبة، قمتُ بنبش ذاكرتي والتّفتيش في بضع كتب. وأدركتُ أنّ حالتي هي حالة وفاة قديمة، حسب علمي هي مألوفة عند القدامى، ولكنّها مجهولة تماما بالنسبة لنا. لا أملك أدنى فكرة عن المدّة التي قضيتها ميّتا... أظنّها لم تتجاوز الخمس أو العشر ثوان. لكنّني متأكّد أنّه قد مرّ بعض الوقت قبل أن أفتح عيني وأُبعث من جديد. كنتُ محاطًا بسوادٍ حالك، وظللتُ أهوي رويدا رويدا نحو الأسفل. حاولتُ مدّ يديّ والتّعلّق بشيء ما، فخدشني الحائط الخشن الذي مررت عبره، وخلّفت الخدوش دمًا على يدي. من الواضح أنّ هذا لم يكن من نسج خيالي المريض.. فما عساه يكون؟

سمعتُ صوت أنفاسي المتقطّعة كأنّها خطّ قُدّ من مجموعة نقاط (أشعر بالخجل الشديد لإخباركم بهذا ولكن كلّ ما حدث كان مُربكا ومفاجئا) مرّت دقيقة، فاثنتان، فثلاثة، وظللت أهوي نحو الأسفل، وأخيرا ارتطمتُ على الأرض بنعومة، وتحوّلت من كتلةٍ تتدحرج للأسفل، إلى شيءٍ ثابت. تحسّست الظّلام بيدي، ووجدتُ مقبضا ما، فدفعته لينفتح باب يشعّ خلفه ضوء خافت. التفتُّ ورائي فرأيت منصّة مربّعة صغيرة ترتفع للأعلى بسرعة، اندفعت تجاهها بأقصى سرعة ولكنّني وصلت متأخرا. بقيتُ هناك منعزلاً عن العالم. أين أنا الآن؟ لستُ أدري.

هناك ممرّ غارق في صمتٍ عميق، ومصابيح معلّقة في أقواس منحنية كأنّها خطّ منقّط متلألئ لا نهاية له، كانت شبيهة بالأنابيب الموجودة لدينا في مترو الأنفاق ولكنّها أصغر بكثير وليست مصنوعة من زجاج كزجاجنا بل من مادّة قديمة مختلفة.

راودتني صورة آنيّة للقدامى الذين ظلّوا مختبئين هنا طوال حرب المائتي عام، ولكن لا علينا. فقد كان عليَّ متابعة المشي... أعتقد أنّني قضيتُ حوالي 20 دقيقة مشيا ثمّ التفتُ إلى اليمين ليصبح الممرّ أكبر، ولتصبح الأضواء أكثر لمعانا. سمعتُ صوت غمغمة غامضة، لا أستطيع الجزم إن كان الصوت صادرًا عن الآلات أو عن البشر، كلّ ما أذكره أنّني كنتُ واقفا هناك قرب باب سميك ثقيل ينبعث من خلفه صوت مّا.

طرقتُ الباب بلطف ثمّ طرقته ثانية بقوّة. فساد الهدوء وراءه ثمّ سمعتُ صوت طقطقة خلف الباب تلاها انفتاحه بتثاقل وبطء. ها أنا أقف أمام صديقي الطبيب ذي الأنف الحادّ، لا أدري حينها من منّا كان أكثر ذهولا من الآخر.

تقاطعت حافتا المقصّ وقال "أنتَ؟ هنا؟" أما أنا فغرقت في الصّمت كأنّني عاجز عن الفهم وعن الكلام. تسمّرت أمامه وحملقت فيه بصمت من دون أن أفقه حرفا ممّا يقول، أظنّ أنّه كان عليَّ الخروج من هناك لتجاوز حالة الصدمة التي اعترتني، فقام بدفعي عبر بطنه الورقية إلى نهاية الممرّ حيث توجد إضاءة كثيفة، ثمّ لكمني على ظهري بقوّة فتسارعت الكلمات خارجة من فمي "عفوا.. كنتُ أريد... ظننتُ أنّ '330-i'، أنّها... ولكن خلفي كان...".

قاطعني بعنف "ابق هنا" واختفى.

أخيرا، أخيرا هي هنا بالقرب منّي. لا أهتمّ أين يمكن أن تكون... الحرير الأصفر الزعفرانيّ المألوف، الابتسامة الحادّة، العيون المتخفيّة خلف الستائر.. ذكراها جعلتني أرتجف بالكامل: شفتاي ترتجفان ويداي وحتّى ركبتاي. عبرت ذهني فكرة سخيفة "الصّوت هو نوع من الاهتزاز... إذن فالاهتزاز الذي أحسّه يُحدث صوتاً.. كيف لا يمكنني سماعه؟".

فتحت لي عينيها على مصراعيهما ودخلت. لم أرفع عيني عنها ولو للحظة، حين قلت "لم أعد قادرا على الاحتمال.. أين كنت؟ ماذا..؟".

كان ما قلته مجرّد هذيان سريع وغير متسلسل. ربمّا لم أكن أقول الكلام حرفيّا بل كنتُ أفكّر فيه "الظلّ ورائي.. لقد متّ... خارج الخزانة.. بسبب ذلك الطبيب خاصّتك الذي يتحدّث كمقصّ ويقول إنّه لديَّ "روح" وإنّه مرضٌ مزمن".

انفجرت '330-i' ضاحكة "روحٍ لا شفاء منها.. يا للمسكين" انتشر رذاذ ضحكتها في المكان كلّه فتلاشى هذياني كلّه.. ولمعت شذرات ضحكتها لتضيء المكان كلّه.. يا له من مشهد رائع!

ظهر الطّبيب الرائع النحيل من الزاوية مرّة أخرى. ووقف بجانبها قائلا "حسنا ما خطبك؟".

"لا عليك.. لا شيء مهمّ.. سأخبرك لاحقًا.. لقد كان فقط.. حسنا أخبرهم أنّني سآتي في غضون خمس عشرة دقيقة".

اختفى الطبيب عند الزاوية فانتظرت حتّى تناهى إلى مسامعنا صوت غلق الباب بإحكام ثمّ غرست 'i-330' إبرتها الحلوة الحادّة فيَّ رويدا رويدا وطوّقتني بكتفيها وذراعيها وجسدها كلّه بشدّة.. ثمّ ذهبنا معا.. أنا وهي.. كنّا (أنا وهي) نتحرّك كجسد واحد. لا أدرى متى دخلنا في ظلام دامس ومتى صعدنا الدّرجات اللاّمتناهية عبر ذاك الظلام في صمت مطبق.

لم أتمكّن من تمييز شيء، ولكنّني كنتُ على يقين أنّها تسير معي خطوة بخطوة بعينين مغمضتين معصوبتين ورأس ملقى للخلف.. تعضّ شفتيها وتستمع للموسيقى، موسيقى اهتزازي التي لا تكاد تكون مسموعة.

استيقظتُ في ركن من الأركان المتعدّدة للمتحف القديم، كنتُ محاطًا بسياج ترابيّ: أضلاع صخور عارية ونتوءات صفراء لبعض الجدران المشرفة على الانهيار، فتحت عينيها قائلة "بعد غد على السّاعة 16" ثمّ غادرت.

لا أدرى إن كان هذا قد حدث فعلا، سأكتشف الأمر بعد غد. الدّليل الوحيد على الواقعة هي الخدوش المرسومة على أصابع يدي اليمنى، ولكن الصانع الثاني للـ "أنتغرال" أكّد لي أنّه رآني البارحة ألمس عن طريق الخطأ العجلة الرمليّة بأصابع يدي اليمنى... وهذا كلّ ما في الأمر.. هذا احتمالٌ وارد جدّا.. لا أعرف... لا أعرف شيئا.

السجلّ الثامن عشر

المتاهة المنطقيّة

الجراح والمرهم

ليس بعد اليوم

استلقيتُ البارحة على فراشي وغرقت في نوم عميق كسفينة أُثقلت بحملها وانقلبت غارقة تشقّ طريقها لقاع البحر. كانت المياه الخضراء عميقة للغاية، وظللتُ أطفو ببطء على السّطح ثمّ فتحت عيني في منتصف الطريق. تأمّلت غرفتي وكان الصباح ما يزال أخضر ومتجمّدا.

أشعّة الشّمس المنعكسة على المرآة المعلّقة في باب الخزانة تبزغ مباشرة أمام عيني، منعني ذلك من استكمال ساعات النّوم المحدّدة مسبقا في الجدول. قرّرتُ أنّ أفضلَ ما قد أقوم به هو فتح باب الخزانة حيث رسمت المرآة لتفادي هذه الأشعّة الحارقة. ولكنّني شعرتُ أنّني مكبّل بشبكة عنكبوتيّة، وكانت خيوط الشبكة تخترق عيني ولم أقوَ على النهوض.

استجمعتُ قواي ونهضت رغم ذلك وفتحت باب الــ... وفجأة ها هي الــ '330-i' تظهر أمامي من خلف باب الخزانة.. كان الجمال الورديّ يصارع للخروج من بين تلك الملابس المكوّمة على الرّفّ. لم يعد حدوث مثل هذه الأشياء الغريبة مثيرا للدهشة، ولذا لم أكن مذهولا البتّة حسب ما أذكر. لم أقم حتّى بالبحث عن تفسير ما، بل أغلقتُ باب الخزانة بعنف ثمّ هرعت نحو '330-i' بشكل أعمى وبشراهة لا متناهية، والتحمتُ معها لنصبح واحدا. ثمّ لمحتُ عبر شقّ الباب شعاعا شمسيّا يعبر الظّلام ويضرب القاع كالبرق، ثمّ يقع على خزانة الملابس ويرتفع لأعلى. ثمّ استقرّت تلك الشّفرة الضوئية القاسية والحادّة على العنق العاري لـ'330-i'.. كان المنظر فظيعا للغاية، ولم أقوَ على تحمّله فصرخت عاليا. ثمّ فتحتُ عيني مرّة أخرى.

99

ها أنا في غرفتي من جديد محاطا بالصّباح الأخضر المتجمّد نفسه، وها هي أشعة الشّمس لا تزال منعكسةً على مرآة باب خزانة الملابس وأنا ما أزال في فراشي. كان ذاك حلمًا، لكنّ قلبي ما يزال ينبض بعنف ويتخبّط بشدّة. أمّا ركبتاي وأصابع أرجلي فتخدّرت بالكامل. ممّا لا شكّ فيه أنّ كلّ هذا كان حقيقة. كلّ هذا حدث بالفعل، لم أعد قادرا على تمييز الواقع عن الخيال، تغلّبَت المقادير اللاّعقلانيّة على كلّ ما هو ثابت ومألوف وثلاثيّ الأبعاد، وبدَلَ الأسطح الصلبة المصقولة بعناية ها أنا محاطٌ بأشياء خشنة وشعثاء.

ما زال أمامي متّسع من الوقت حتّى يرنّ الجرس. استلقيتُ في فراشي وغصتُ في تفكير عميق لتبدأ المعادلة المنطقيّة الغريبة في التّفكّك. كلّ معادلة أو صيغة في العالم المسطّح تقابلها نقطة منحنية أو صلبة، أمّا المعادلات اللاّمنطقيّة مثل جذري التربيعيّ $\sqrt{-1}$، فلا شيء صلب يعادلها، ولم يسبق لنا أن وجدنا ذلك. هنا تكمن مخاوفنا، فنحن من تلك الأشياء الصلبة اللاّمرئية التي نعرف جيّدا أنّها موجودة وندرك أنّ وجود مثل هذه الأشياء شرٌّ لا بدّ منه، إنّه أمر مَقضيّ لا مجال للفرار منه. فهذه الأمور تُلقي بظلالها الشّاذّة، غريبة الأطوار على عالم الرياضيات، وتمرّ أمامنا في موكب جليل كأنّما رُسمت على شاشة عملاقة، ونحن موقنون أنّ الرياضيات والموت معصومان من الخطأ، وإن كنّا غير قادرين على رؤية هذه الأشياء الصلبة في عالمنا المترامي فوق السطح، فأولئك الذين يعيشون في العالم السفليّ الواسع يَروْنهُم حتمًا.

قفزتُ من مكاني غير عابئٍ بعدم رنين الجرس، ورحت أذرعُ الغرفة جيئةً وذهابا. ظلَّت الرياضيّات حتّى الآن الجزيرة الوحيدة المستقرّة في كوكب حياتي المتنقّل والمنقلب بالكامل. ولكن ها هي تتوه هي الأخرى في دوّامة عاصفة، هل تكون تلك "الروح" شيئا حقيقيّا ملموسا تماما كَزِيّي الموحَّد، وكزوج حذائي الذي لا أراه الآن (فهو مخبّأ في الخزانة)؟ وإن كان زوج حذائي المخبّأ لا يُعَدّ مرضًا، فلِمَ تُعَدّ هذه الروح الخفيّة داءً؟ حاولتُ البحث عن مخرج من غابة التفكير المنطقيّ الوحشيّة هذه، ولكنّني علقتُ هناك. إنّها حصيلة التقاء وتشابك كلّ الأشياء المرعبة والمجهولة الموجودة خارج السّور الأخضر حيث توجد مخلوقات غريبة ومجهولة تفصح عن الكثير من دون أن تقول حرفا، خُيّل لي أنّني رأيتُ الجذر التربيعيّ لناقص واحد كعقرب يحمل في ثناياه لسعة مستترة مع علامة سالب عبر الزجاج السميك، بدا كبيرا جدّا وصغيرا جدّا في الآن نفسه، لكن ربّما لم يكن هذا إلّا تلك "الروح" التي تبدو كالعقرب الأسطورية التي حكى عنها القدامى، تلك التي تلسع عمدًا كلّ من...

رنّ الجرس معلنا طلوع الصباح. لم يُدفن أو يتلاشَى شيء من هذا كلّه بل غمَره نور الصباح، تماما كالأشياء المرئيّة التي لا تموت، ولكن يلفّها الليل بسواده الحالك، مُلأ رأسي بضباب خفيف متوهّج. تراءت لي عبره طاولات زجاجيّة طويلة، ورؤوس ملساء تمضغ

طعامها ببطء وصمت في اللحظة نفسها. ضابط الإيقاع يدقّ عبر الضباب.. كنت أمضغ طعامي بطريقة ميكانيكيّة وتداعبني موسيقى المضغ المألوفة، كنتُ أعُدُّ حتّى الخمسين كالجميع، إذ أنَّ ذاك هو عدد المضغات المسموح بها في كلّ قضمة. ثمّ واصلتُ متابعة النسق الميكانيكيّ، فنزلت رفقة الجميع للطّابق السّفلي، وسجّلت اسمي ضمن قائمة المغادرين للمكان. ولكنّني أشعر أنّني منعزل عن الجميع، وأنّني محاطٌ بهذه الجدران اللّينة العازلة للصوت. إنّ المكان الحقيقي الذي أنتمي إليه يقع خارج هذه الجدران.

إن كان هذا عالمي أنا فقط، فلِمَ أدوّنه في سجلّ الملاحظات؟ كيف تمكّنتُ من تدوين "الحلم" وخزانات الملابس والممرّات اللاّمتناهية هنا؟ لقد صُدمتُ حين أيقنت أنّ ما كتبتُه تحوّل من قصيدة نُظمت بالمعادلات الرياضيّة الدقيقة والأنيقة لتكريم الدولة المُوحَّدة، إلى شيء كهذا. تحوّل إلى رواية مغامرات خياليّة.. آه لو كان هذا حقّا مجرّد رواية خياليّة بدل أن يكون تجسيدا لحياتي الحالية المليئة بالــ 'X'، 'S'،'1-√'، والتدهور. ولكن قد يكون هذا أفضل على أيّة حال، فأنتم أعزّائي القرّاء تتساوون مع الأطفال بالنسبة إلينا (لقد ترعرعنا في الدولة المُوحَّدة وتمكنّنا من الوصول إلى أعلى قمّة يمكن للإنسان إدراكها) وستبتلعون كالأطفال كلّ الأشياء المرّة التي أقدِّمها لكم إذا ما كانت مغلّفةً بعناية بغشاء المغامرة اللذيذ.

المساء.

هل راودكم شعور كهذا من قبل؟ شعور يخالجكم عندما تركبون طائرة نفّاثة تشقّ الزرقة اللولبيّة، نوافذها مفتوحة والريح تصفّر داخلها ولا وجود للأرض، لقد نسيتُ الأرض كلّيا. تبدو بعيدة جدّا، تماما ككوكب زحل أو المشتري أو فينوس. هذا بالضبط ما أعيشه الآن. الريح تعصف بي، فأنسى الأرض كلّيّا، أنسى كلّ ما يتعلّق بعزيزتي 'O'، ولكنَّ الأرض لا تزال موجودة، وعاجلا أم آجلا عليَّ أن أتزحلق للأسفل وأحطّ عليها، وها أنا أشيح بعيني عن يوم الجنس المنحوت على الجدول حاملا اسم 'O-90'.

في المساء، أرسلت الأرض لي تذكارا لتشدّد على وجودها. قمتُ بالتجوال لمدة ساعتين كاملتين في الصحراء الزجاجيّة الممتدة على طول الشارع وذلك تنفيذا لأوامر الطبيب (فأنا أريد حقّا أن تتحسّن حالتي)، الجميع موجودون في القاعات متّبعين إملاءات الجدول ما عداي أنا.. هذا مشهد غير اعتيادي، تخيّل معي هذا: إصبع اقتطع من جسد إنسان ما، اقتطع من جسد موحَّد، إصبع بشريّ وحيد، يجري ويقفز وحده على الرصيف الزجاجيّ.. حسنا أنا مثل ذاك الإصبع. ومن الغريب واللاّمعقول أنّ هذا الإصبع لا يملك أدنى رغبة ليعود لليد، للآخرين، يريد أن يبقى هكذا بمفرده أو... حسنا لا مغزى من مواصلة إخفاء الأمر، أفضّل أن أكون وحيدا أو برفقتها.. برفقة تلك المرأة، وأفرغ نفسي فيها عبر كتفيها ويدينا المتشابكتين...

كانت الشّمس قد غابت منذ زمن حين وصلتُ إلى المنزل، وأرخى الرماد الورديّ سدوله على زجاج الحيطان، على قبّة البرج الذهبيّة لبرج التجمّع، وحتّى على أصوات الأرقام وابتساماتها. أليس من الغريب أن تتساقط أشعة الشّمس محتضرة عند الزاوية نفسها التي تولد منها في الصباح الموالي. كلّ شيء مختلف الآن، هناك طبقة خفيفة وهادئة من اللون الورديّ المتّشح ببعض المرارة تحيط بالمكان،.. هل سيعود في الصباح يا ترى محمرّا وصاخبا؟

لكن الآن ها هي 'U' المرأة المناوبة في الطابق السفليّ للدهليز قد مدّت يدها وسحبت رسالة من حزمة الرسائل المكوّمة بالداخل، المغطّاة بالرماد الورديّ، ثمّ ناولتني إيّاها. أعيد وأكرّر: إنّها امرأة محترمة، وأظنّها هي أيضا تبادلني مشاعر الاحترام نفسها. ومع ذلك، كلّ مرّة أرى فيها تلك الخدود المتدلّية كخياشيم السمكة إلاّ وأحسست بعدم الارتياح.

تنهدت 'U' تنهيدة عميقة وهي تسلّمني الرسالة بيدها المضطربة، ولكنَّ تنهّدَها لم يُحدث إلاّ ضجّة خفيفة في الستار الذي يفصلني عن العالم. كان كلّ تركيزي موجّها للظّرف الذي يضطرب في يدي، ولم يكن لديَّ أدنى شكّ أنّه يحتوي على رسالة من طرف '*I-330*'. ثمّ أضافت تنهيدة أعمق، تنهيدة بارزة حوّلت اهتمامي عن الظّرف الذي أحمله.

بدت لي ابتسامتها باهتة ومعطاء حنونا عبر فتحتي خياشيمها المحتشمين وقالت "يا للمسكين! أنتَ حقّا مسكين".

قالت هذا بتنهيدة أخرى وأومأت نحو الظّرف إيماءة لا تكاد تُلحظ. (إذ سبق وأن عرفت محتوى الظّرف، فقراءة الرسالة جزء من واجباتها).

"لا، حقّا، أنا.. أنا أقصد، لماذا؟".

"لا لا يا عزيزي.. أنا أعرفك أكثر من معرفتك بنفسك. كنتُ أراقبك منذ مدّة طويلة وأعرف جيّدا أنّك بحاجة لشخص تتشبّث به ليقودك في طريق الحياة. شخصٌ قضّى سنوات طويلة وخَبِر الحياةَ وأَلِفَها.

لستْ ابتسامتُها روحي وأحسستُ أنّها مرهم يغلّف الخدوش التي تغطّي يدي التي ما زالت تحمل الظّرف. ثمّ أضافت عبر الفتحتين الخجولتين بصوت خافت "سأفكّر في الأمر عزيزي، سأفكّر في الأمر حقّا.. اطمئن. إذا شعرتُ أنّني لا أملك القوّة الكافية لـ... سأفكّر في الأمر مع ذلك.. لا تقلق".

يا حامي الحِمى الرحيم، أرجوك لا تفعل بي هذا، لا تجعل هذا مصيري، هل كانت فعلا تلمّح إلى...

زاغت عيناي وأخذت المنحنيات في الاضطراب صعودا ونزولا، وقفزت الرسالة بين يدي. هرعتُ نحو الحائط حيث بقعة الضوء. كانت الشّمس تختفي رويدا رويدا مُخلّفة وراءها رمادا ورديّا وحزينا ينساب عليَّ بكثافة، على الأرضيّة، على يدي وعلى الرسالة.

كانت الرسالة مفتوحة، فتوجّهتُ بنظري مباشرة نحو الإمضاء ليزداد جرحي عمقا: إنّها ليست من طرف 'i-330'، بل المرسل هي 'O'، وزاد جرحي عمقًا حين لمحتُ لطخة حبر في الزاوية اليمنى للرسالة تدلّ على تساقط شيء ما.. لا أقوَى على تحمّل اللطخات المتأتّية من الحبر أو من أيّ شيء آخر مهما كان. أدرك جيّدا أنّه فيما مضى لم أكن لأشعر بالرّاحة تجاه هذه البقعة، ولم تكن عيناي لتقبلا شكلها، ولكن الآن هذه البقعة الصغيرة الرمادية الشبيهة بالغيمة الممطرة، تجعل كلّ ما يحيط بي رماديّا وشديد القتامة.. هل هذا أيضا من عمل الـ "روح"؟

الرسالة

أنت تعرف... أو لعلّك لا تعرف... حسنا، لا أدري كيف سأصيغ هذا ولكن لا علينا: أنت تعرف الآن أنّه لن يمرّ عليَّ يوم أو صباح أو ربيع من دونك.. لأنّ 'R' لا يمثّل شيئا بالنسبة لي ما عدا.. ولكنّك لا تهتمّ. مع ذلك، أنا مدينة له، فلستُ أدري ما كان ليحصل لي من دونه طيلة الأيّام الفارطة التي قضّيتها وحيدة. لقد مرت الأيّام والليالي الماضية عليَّ كأنّها عشر أو عشرون سنة. فقدت غرفتي زواياها المربّعة وأضحت دائرية. لم يكن هناك أبواب وكان كلّ شيء يدور في حلقات متشابهة لا متناهية.

لا أستطيع العيش بدونك لأنّني أحبّك.. ولكنّني أتفهّم أنّك لا تحتاج لأحد على وجه البسيطة ما عداها هي.. وأنت أيضا تتفهّم أنّني إن كنتُ أحبّك فمن واجبي أن... أحتاج فقط إلى يومين أو ثلاثة لأستجمع أشلائي وأشكّل شيئا قريبا من شكل 'O-90' القديمة. سأقوم على إثرها بتقديم طلب أسحب فيه تسجيلي على اسمك.. ستكون أفضل حالا من دوني.. ستكون بخير، لن أزعجك مجدّدا.

الوداع.

'O'.

ليس بعد اليوم. طبعا هكذا أفضل... هي محقّة ولكن لماذا؟ لماذا؟

السِجلّ التاسع عشر

لا متناهي الصّغر

من الدرجة الثالثة

مقطّب الوجه

فوق السّور

في نهاية ذاك الممرّ الغريب المضاء بذاك الخطّ المنقّط الذي يحمل تلك المصابيح الباهتة قالت "بعد غد".. لا، لم تقلها هناك بل قالتها عندما كنّا نعبر معا الفتحة المؤدية إلى فناء المتحف القديم. اليوم هو "بعد غد". وها أنا أرى الجميع مزدانين بأجنحة، واليوم بأكمله يطير. حتّى "الأنتغرال" صار له جناحان. لقد استُكمل تركيب محرّكه الصّاروخيّ وقمنا بتجربته تجربة أوّليّة عظيمة.. يا لها من انفجارات رائعة وهائلة.. كلّ انفجار منها يستحقّ أن نقف ونؤدي له تحيّة، تحيّة على شرف هذا اليوم المجيد.

في الحركة الأولى له (الطّلقة الناريّة الأولى) اشتعل المحرّك فأحرق حوالي عشرة أرقام من حظيرتنا. كانوا يغطّون في قيلولة تحت فوهته، ولم يتبقَّ منهم سوى بعض كومة من الرماد. أنا أشعر بالفخر لأنّ هذه الحادثة العرضيّة لم تلها عقبَة ثانية تُعيق عملنا، ولم يُصب أحد بسوء: واصلت أنا وفريق العمل عملنا في حركة مستقيمة ودائرية بالدقّة نفسها كأنّ شيئا لم يحدث. عشرة أرقام لا قيمة لهم، لا يمثّلون حتّى واحدًا من مائة مليون رقم يكوّنون كتلة الدولة المُوحَّدة.. عمليًّا هم مجرّد جزء من الدرجة الثالثة لامتناهيي الصّغر. الشفقة اللاّمتناهية مفهوم ألِفَه القُدامى، ولكنّه لا يمثّل بالنسبة إلينا إلاّ طرفةً مضحكة.

إنّه لمن المضحك أن أكون قادرا على هدر وقتي في التفكير في تلك اللّطخة الحبريّة الرماديّة المثيرة للشفقة، وها أنا أدوّن هذا الهراء هنا. إنّ هذا شبيه بـ "صقل السطح" الصلب كالألماس، كجدراننا. (كما يقول المثل القديم "كحبّات جلبّان تُرمى على

الحائط".. يُستعمل هذا المثل غالبا ليُعبرّ عن كلام لا يسمعه أحد إطلاقا، تماما كأن تتحدّث إلى حائط).

إنّها السّاعة الرابعة. لم أذهب للقيام بالجولة الإضافية. من يدري؟ فقد تقرّر المجيء فورا وكلّ شيء فيها يلمع تحت ضوء الشّمس.

أكاد أكون وحيدا في البناية بأكملها. تأمّلتُ عبر الجدران الزجاجيّة الغرف الفارغة المعلّقة المتشابهة كأنّها انعكاسات للصّورة نفسها على المرآة. استطعتُ رؤية كلّ شيء يمينا وشمالا وفي الأسفل. عبر الدرج الأزرق تصاعَدَ ظلٌّ رماديٌّ هزيل، ذاك الذي بالكاد تلمسه الشّمس، الآن أستطيع سماع وقع أقدام وأستطيع أن أرى من خلال الباب تلك الابتسامة تغلف جروحي كمرهم، ولكنّها تمرّ بجانبي ثمّ تتجاوزني وتتوجّه للأسفل عبر درج آخر.

لمعت شاشة الاتّصال الداخليّ، هرعتُ مسرعا نحو الشّاشة البيضاء المضيئة، وها أنا أرى رقما لم أسمع عنه من قبل (إنّه رقم مذكّر إذ يبدأ اسمه بالألف واللام)، سمعتُ ضجيج المصعد وتلاه صوت قرع الباب.. وقف أمامي رقم ذو جبين مائلة فوق عينيه بطريقة غير متناسبة. أثار منظره انطباعا غريبا لديَّ. فقد بدا لي كأنّه يتحدّث عبر جبينه لا عبر عينيه.

"أحمل لك رسالة منها" خرج كلامه من جبينه الشبيه بمظلّة "هي تريدك أن تُطبِّق ما كُتِبَ هنا بحذافيره".

ألقى نظرة شاملة حول المكان من خلف تلك المظلّة، ولكن لا وجود لأحد هنا... لا أحد هنا.. هيا أعطني الرسالة. ولكنّه ألقى نظرة أخرى متحفّظة ثمّ وضع الظّرف في يدي بحذر وذهب، فبقيت وحيدا.

لا لست وحيدا، فقد أطلّت تذكرة ورديّة من الظّرف وتنشّقت عطرها الخفيف. إنّها هي.. هي قادمة إليّ. أسرعتُ نحو الرسالة لأقرأها بأمّ عينيّ وأصدّق ما يحدث.

ماذا؟ هذا مستحيل؟ قرأتُ الرسالة مجدّدا مقلّبا الأسطر "تذكرة... وأرجو أن تسدل الستائر كما لو كنّا معا...أريد أن أقنعهم أنّني معك.. أنا آسفة.. آسفة جدّا. مزّقتُ الرسالة إربا إربا ونظرتُ لنفسي في المرآة لأرى حاجبيّ المكسورين المشوّهين.. وفي يدي التّذكرة التي سأمزّقها هي الأخرى كالرسالة..

"هي تريدك أن تُطبِّق ما كُتِبَ هنا بحذافيره".

وهنَت يداي وانفتحتا فانفلتت منهما التّذكرة لتسقط على الطاولة.. إنّها أقوى منّي بكثير. من الواضح أنّني سأنفّذ ما تقول. ولكنّني لستُ متأكّدا بعد.. سنرى. على كلّ حال، يوم غد ما زال بعيدا، والتذكرة ما تزال ملقاة على الطاولة.

أستطيع رؤية انعكاس حاجبيّ المشوّهين المكسورين في المرآة. آه لو كان تقرير الطبيب صالحا اليوم أيضا، لكنتُ خرجتُ في جولة وظللتُ أمشي حول السّور الأخضر وعدت لأتهالك على الفراش وأغوص في أعماق أعماقه، ولكن عليَّ الذهاب للقاعة 13. عليَّ أن أُحكم السّيطرة على نفسي وأجلس دونما حراك طوال ساعتين كاملتين، في حين أن كلّ ما أحتاجه الآن هو الصّراخ بصوت عالٍ والضّرب بقدميّ على الأرض.

بدأت المحاضرة. من الغريب أنّ صوتا ناعما صدر عن الجهاز اللاّمع بدل الصوت المعدنيّ المعتاد. إنّه صوت أنثى. خيّل لي أنّ صاحبة الصّوت امرأة قصيرة القامة شبيهة بتلك العجوز عند المتحف القديم.

المتحف القديم... اندفعَ لِذِكْرِه كلّ ما أخفيه بداخلي كالنّافورة، ممّا جعلني أحاول أن أتماسك قدر المستطاع كي لا أُغرق مدرّجات القاعة بصراخي. مرّت عبري كلمات ناعمة شعثاء تاركة خلفها شيئا واحدا فقط له علاقة بإنجاب الأطفال. أخذتُ أسجّل كلّ شيء بداخلي كصور فوتوغرافية في منتهى الدّقة نابعة من شخص آخر. من مكان غريب عنّي: منجل ضوئيّ ذهبيّ ينعكس على مكبّر الصّوت وتحته تجسيد حيّ لطفل يحاول جاهدا الوصول لذاك المنجل ولمسه. كان طرف زيّه الموحَّد عالقًا في فمه، وقبضته مغلقة بإحكام حول إبهامه الصّغير. وهناك ظلٌّ خفيف لتجعّد طفيف حول معصمه. واصلتُ خطف جميع اللّحظات كمصوّر فوتوغرافيّ.. الآن ها أنا أرصد ساقا عارية وأصابع أرجل معلّقة في الزاوية تدور في الهواء كمروحيّة ورديّة، ممّا سيتسبّب في وقوع الطّفل على الأرض في أيّ لحظة.

ثمّ سمعتُ صراخ امرأة. طارت بأجنحتها الشفّافة نحو المنصّة وأمسكت الطفل، وقامت بتعديل الطيّة المنتفخة حول معصمه بشفتيها ثمّ أعادته إلى منتصف المنصّة وعادت أدراجها. خلّف هذا المشهد انطباعا غريبا لديَّ: الفمُ الورديّ الشّبيه بالهلال الذي تتّجه حافتاه للأسفل والعينان الزرقاوان الغارقتان. إنّها 'O'. اعتراني شعورٌ غريب وأنا أدرس هذه المعادلة الأنيقة بحتميّة وقوع هذا الحادث التافه وضرورته.

جلست ورائي عند اليسار فالتفتُّ للخلف. أشاحت بنظرها بكلّ طواعية عن الطّفل الذي يتوسّط المنصّة واخترقتني عيناها: كان ثلاثتنا.. أنا وهي والمنصّة نمثّل مجرّد ثلاث نقاط رُسمت عبرنا ثلاث خطوط. توقّعات لأحداث لا يمكن تجنّبها. أحداث ما زال بعضها مخفيّا.

عدتُ للمنزل عند الغسق عابرا الشارع الأخضر المضاء بمصابيحه التي بدت لي كأعين كبيرة. كنتُ أسمع دقّات قلبي كأنّني ساعة، كانت عقاربي على وشك تجاوز رقم ما والقيام بأمر سيكون من الصعب جدّا تجاوز عواقبه. هي تريد أن تقنع أحدا ما أنّها معي، وأنا أريدها أن تكون معي حقّا. أنا بحاجة إليها. لمَ عليَّ أن أكترث لاحتياجاتها هي؟ لا أريد أن أكون مجرّد ستائر تُسدل على شخص آخر.. أرفض هذا قطعا... سمعتُ خلفي الخطوات السّاحقة المألوفة. كان أحدهم يعبر بركة ماء. لم أكن بحاجة للالتفات لأدرك إنّه 'S'. سيتبعني كظلّي حتّى أصل إلى الباب، ثمّ سيقف هناك عند الرصيف وسيتفحّص بعينيه الثّاقبتين كلّ من يصعد لغرفتي حتّى أسدل ستائرها لأغطّي جريمة شخص ما...

ها هو ملاكي الحارس يحسم الأمور. لقد تردّدت بما فيه الكفاية، والآن اتخذتُ قراري. لم أصدّق عينيّ حين دخلت الغرفة وأشعلتُ النّور فوجدتُ 'O' واقفة أمامي بجانب الطاولة أو بالأحرى لم تكن واقفة بل معلّقة هناك كأنّها ثوب فارغ خُلِع للتو. ثوبٌ لا ربيع يزهر داخله. لم يعد هناك ربيع يلفّ يديها وصوتها المترهّل.

"أنا.. أنا هنا لنتحدّث عن رسالتي.. لقد استلمتها أليس كذلك؟ عليَّ أن أعرف ردّك الآن.. حالا".

هززتُ كتفي بتجاهل. استمتعتُ بإلقاء اللّوم عليها والتحديق في عينيها الزرقاوين المليئتين بالدّموع. كأنّها المسؤولة الوحيدة عما حدث.. أخذتُ الوقت اللاّزم لأجيبها وحرصتُ على التّلذّذ بغرس كلّ كلمة أقولها فيها "تريدين إجابة؟ ما الذي تتوقّعينه منّي؟ كلّ ما تقولينه صحيح".

حاولتْ إخفاء ارتعاشها الخفيف وراء ابتسامة وقالت "هذا يعني أنّ... حسنا. هذا جيّد جدّا.. عليَّ الذهاب الآن".

ظلّت معلّقة هناك بجانب الطّاولة وعيناها مسبلتان للأسفل، ويداها متدليتان ورجلاها ، كانت تذكرة الأمس الورديّة مكوّمة فوق الطاولة. هرعتُ فاتحًا كتاب السِّجلّات "نحن" وخبّأتها بين صفحاته (خبّأتها عنّي لا عن 'O').

"انظري.. أنا أدوّن كلّ شيء هنا.. لقد وصلتُ إلى الصّفحة 150.. سيكون حتما عملاً أخّاذا..".

أردفتْ بصوتٍ خافت كأنّها ظلّ "أتذكر عندما سقطت دمعتي على الصفحة رقم 7 وقمتَ أنتَ بـــ...".

كان صحنا عينيها الزرقاوين الصغيرين ممتلئين بالدّموع الفيّاضة التي أخذت تجري عبر خدّيها، ثمّ غمغمت بكلمات سريعة جوفاء "لم أعد قادرة على الاحتمال.. عليَّ المغادرة فورا ولن أعود هنا مرّة أخرى.. هذا أفضل.. كلّ ما أريده هو أن أحمل طفلا منك.. أرجوك اعطني هذا الطفل وسأرحل للأبد".

رأيتها ترتعش بالكامل عبر زيّها الموحَّد وانتابتني الرعشة نفسها أنا أيضا. تشابكت يداي خلف رأسي "هل فقدت صوابك؟ هل تريدين أن تكوني الفريسة القادمة لآلة حامي الحِمى؟".

انهالت عليَّ كلماتها تغمرني كفيضان سدّ فُتح للتوّ "فليكن. على الأقلّ سأنهي حياتي بعد أن أحسّ بتحرّك طفل في أحشائي.. حتّى ولو لبضعة أيّام. سأحسّ بطيّاته تماما كتلك التّذكرة الملقاة على الطاولة.. ولو ليوم واحد فقط".

كنّا ثلاث نقاط فقط: أنا وهي وتلك القبضة الصغيرة ذات الطيّة المنتفخة على الطاولة..

أذكر أنّهم أخذونا حين كنتُ صغيرا إلى برج التّجمّع.. ثمّ قمنا برحلة في الأعلى على متن الطائرة، فانحنيتُ فوق الزجاج الخارجيّ وبدا لي النّاس في الأسفل كنقاط.. لمعت فكرة حلوة مثيرة في قلبي "ماذا لو.." ثمّ تراجعتُ بسرعة وأحكمت قبضتي على القضبان الحديديّة.. أمّا هذه المرة فقررت القفز..

"هل هذا ما تريدينه فعلا؟ هل تدركين جيّدا أنّ...".

أغمضت عينيها كما لو أنّ الشّمس بزغت أمامها، وأشرقت ابتسامتها رطبة "نعم.. نعم هذا ما أريده فعلا".

هرعتُ نحو كتاب السِّجلّات وسحبتُ تذكرتها متوجّهًا نحو المكتب المناوب في الأسفل. حاولت 'O' الإمساك بيدي وصاحت قائلة شيئا لم أفقه معناه إلاّ عندما عدت. كانت جالسة على حافة السّرير وقد ضمّت ركبتيها إليها بشدّة..

"هل... هل كانت تلك تذكرتها؟".

"ما الفرق؟ نعم.. كانت تذكرتها".

سمعتُ صوت تشقّق صادر من مكان ما. لعلّ 'O' تحرّكت من مكانها. ولكنّها ما تزال جالسة في صمت ويداها مضمومتان إليها..

"حسنا.. نحن نضيّع الوقت" ضغطتُ على ذراعيها بقوة مخلّفا بقعًا حمراء (التي ستتحوّل إلى كدمات زرقاء في الغد) حيث الطيّة الطفوليّة المنتفخة. تلك كانت النهاية. تلاها إطفاء النّور، وقد خفتت شرارة الأفكار.. وبقيتُ أنا والظّلام والشرارات وظللتُ أهوي من خلف الحاجز إلى الأسفل...

السِجلّ العشرون

تفريغ الشّحنة

مادّة الفكرة

صخرة الصّفر

تفريغ الشّحنة هو التّعريف الصّحيح لهذه الحالة... ها أنا أرى بوضوح الآن أنّه نوع من تفريغ الشّحنة الكهربائية. أصبحت نبضاتي أكثر جفافًا وقوّةً وسرعةً وحدّةً طيلة الأيّام الماضية، ممّا قرّب قُطبيْ بطّاريتي من بعضهما البعض أكثر فأكثر، وجعلهما يحدثان صوت خشخشة جافّة.. إن استمرّ هذا التّقارب لمسافة سنتمتر واحد، فسيدوّي انفجار يعقبه سكون..

أحسّ أنّني هادئ جدّا، وفارغ تماما كالهدوء والفراغ الذي يسود المباني على يميني ويساري حين أكذب وأقول أنّني مريض وأبقى لوحدي في غرفتي.. أسمع بوضوح النغمات الدقيقة المعدنية لأفكاري، لربمًا سيشفيني هذا " التفريغ " ويحرّرني من ذاك العذاب المسمّى بـ"الروح" وأعود رقما عاديّا كجميع الأرقام.

الآن على الأقلّ لا يعتريني أيّ نوع من الألم حين يُخيّل إليَّ أنّني أرى 'O' تقف على مدرّجات المكعّب أو تحت جرس الغاز.

حتّى لو أخبرتهم عنّي في قاعة العمليات، فليكن.. لا أهتمّ لهذا، سيكون آخر عمل أقوم به هو طبع قبلة على يدي حامي الحِمى التي تعاقبنا. فمن حقّي كرقم ينتمي للدولة المُوحَّدة أن أخضع للعقاب، ولن أتنازل أبدا عن هذا الحقّ.. لا يحقّ لأيّ رقم من الأرقام أن يتنازل عن هذا الحقّ السامي. أحدثت أفكاري المعدنيّة صوتا طفيفا.. طائرة مجهولة تحملني إلى المرتفعات التجريديّة الزرقاء المفضلة لديَّ. وهنا، في خضمّ هذا الهواء النقيّ نادر الوجود.. أرى فكرتي حول "حقّي المنطقيّ" تفرقع فرقعة طفيفة

كتمزّق إطار سيّارة، أرى بوضوح تامّ أنّ هذا ليس سوى مخلّفات الخرافات البلهاء للقدماء، إنّه تصوّرهم لكلمة "حقّ".

هناك أفكار قُدَّت من صلصال وأخرى تشكّلت ونُحتت على مرّ القرون من الذهب الخالص أو من الزجاج الثمين. وكلّ ما عليك هو سكب حمض قويّ على الفكرة لكشف معدنها.. حتّى القدماء كانوا يعرفون هذه الأحماض مثل الملقّب بالـ reductio ad finem. ولكنّهم كانوا يخافون من هذا السّمّ، كانوا يفضّلون رؤية نوع من الجنّة على رؤية هذا العدم الأزرق- حتّى ولو كانت مصنوعة من صلصال أو شبيهة بدمى الأطفال. ولكنّنا كبرنا بفضل حامى الحِمى، ولم تعد تغرينا دمى الأطفال. تأمّل معي هذا.. ماذا لو سكبنا قطرة من الحمض على فكرة "حقّ". حتّى أقدم القدماء يدركون أن السلطة هي مصدر الحقّ، وأنّ الحقّ هو تابع للسّلطة. فلنأخذ ميزانا إذن ولنضع غراما من ناحية، وطنّا من الناحية الأخرى... أنا أمثّل الـ "غرام"، و"نحن" أي الدولة المُوحَّدة نمثّل الطّنّ... الفرق واضح للعيان أليس كذلك؟ فالقول إنّ الـ "أنا" لديه حقوق متساوية مع حقوق الدولة المُوحَّدة مشابه لاستنتاج أنّ الـ "غرام" يزن كالـ "طنّ". هذا يفسّرُ لنا التقسيم المنطقيّ للأشياء: الطنّ ينعم بالحقوق، والـ "غرام" بالواجبات.. والطريق الطبيعيّ الذي تسلكه لتخرج من العدميّة وتصل للعظمة هو أن تنسى أنّك "غرام" وتنصهر ضمن المليون طنّ.

يمكنني سماع غمغمتكم وتذمّركم يخترق صمتي الأزرق يا سكّان كوكب الزّهرة ذوي الأجسام الفارغة والخدود الزهريّة، ويا سكّان أورانوس السّود كالحدّادين. ولكن يجب أن تفهموا هذا: تتجلّى العظمة في البساطة.. يجب أن تفهموا هذا أيضا: قواعد الحساب الأربع هي قواعد أزليّة وغير قابلة للتغيير. النظام الأخلاقيّ السائد الوحيد هو النظام الذي بُني على هذه القواعد. هذه هي قمّة الحكمة.. هذه هي قمّة الهرم الذي ظلّ النّاس يتدافعون لتسلّقه طيلة قرون بوجوههم المحمرّة، وأنفاسهم المتقطّعة، ومناكبهم المتدافعة. يتراءى لي من أعلى القمّة غليان ما تبقّى فينا من وحشيّة أسلافنا كغليان الديدان.. إن نظرنا من أعلى هذه القمّة فلا يوجد أدنى فرق بين 'O' التي أنجبت طفلا غير شرعيّ، أو قاتل أو ذاك المجنون الذي تجرّأ على هِجاء الدولة المُوحَّدة عبر أشعاره. الحكم يجب أن يكون نفسُه ويُطبّق على جميعهم: الموت المبكّر. هذه هي العدالة الإلهيّة نفسها التي حلم بها أهل العصر الحجريّ، والتي كانت مضاءة بهالة ورديّة باهتة، نابعة من فجر التاريخ: فقد كان "إلهُهم" يعاقِب من يُسيء للكنيسة المقدّسة تماما كالمجرم.

أنتم يا سكّان أورانوس القساة، والسّود كالإسبان القدامى الذين كانوا يجيدون نصب محارق محاكم التفتيش، لمَ أنتم صامتون؟ أظنّكم تتّفقون معي. ولكن أنتم يا سكّان

الزّهرة ذوي الخدود الورديّة.. أسمع غمغمتكم حول التّعذيب والإعدام والعودة إلى عصر البربريّة. أنا أُشفِق عليكم حقّا فأنتم لستُم قادرين على التفكير الفلسفيّ المنطقيّ المبنيّ على الرياضيّات. التاريخ البشريّ يتصاعد بطريقة لولبيّة كطائرة نفّاثة. يتصاعد في دوائر مختلفة، بعضها ذهبيّ وبعضها دمويّ، ولكن كلّها مُقسّمة بطريقة متساوية إلى 360 درجة. تنطلق من الصفر وتمرّ عبر 10، 20، 200، لتصل إلى 360 درجة، ثمّ تعود لنقطة الانطلاق، النقطة الصّفر. نعم، لقد عدنا للصّفر.. ولكن حسب رأيي هناك شيء واضح: هذا الصّفر جديدٌ ومختلفٌ جدّا.. غادرنا الصّفر وتوجّهنا يسارا ثمّ عدنا إليه من اليمين.. ولهذا ها نحن نحظى بـ "سالب صفر" عِوَضَ "مَعَ صفر". هل فهمتم؟

هذا الصّفر يبدو لي كهُوّة ضخمة صامتة، ضيّقة وحادّة كسكّين. ها نحن نخترق ظلامها الدامس الرهيب للخروج من الجانب الدّاكن لصخرة الصّفر. أبحرنا على مرّ القرون، ودُرنا حول الأرض طويلا ككولومبوس الجديد.. وأخيرا، مرحى.. تحيّة إكبار تُقدَّم إلينا وكلّ الأعناق تشرئبّ نحونا. ها نحن أمام الجانب الآخر لصخرة الصفر الذي كان مجهولا إلى أن أضاءه البريق القطبيّ للدولة المُوحَّدة.. البريق الذي يتكوّن من الكتلة الزرقاء المهولة، وشرارات قوس قزح، لا بل آلاف الشموس ومليار قوس قزح. ماذا لو فَصَلتنا عن صخرة الصفر مسافة حدّ سكّين؟ السكّين هو من أكثر اختراعات الإنسان ديمومة وخلودا وروعة، يُستخدم السكّين كأداة للصّقل، وتُحَلُّ به أعتى العُقَد، وطريقُ المفارقات يعبرُ عبر حدّ هذا السكّين، وهو الطّريق الوحيد الذي يمكن للعقل عبوره دون خوف.

السِجلّ الحادي والعشرون

واجب الكاتب

الثّلج المتورّم

أصعب حبّ على الإطلاق

كان من المفترض أن تأتي اليوم، وها قد أرسلت لي مجدّدا رسالة غير منطقيّة لا تفسّر شيئا. ولكنّني لم أسمح لهذا بزعزعة هدوئي. إن كنتُ ما زلتُ أنفّذ ما تخُطّه في رسائلها، وآخذ تذاكرها الورديّة إلى مكتب المناوبة، ثمّ أقوم بخفض الستائر والجلوس وحيدا في غرفتي، فهذا ليس لأنيّ لا أملك الشجاعة لتنفيذ أوامرها. سيكون من السخف أن أفعل هذا... أنا أقوم بهذا أوّلا لأنّ الستائر المنخفضة تحميني من أيّ ابتسامات شافية كالمرهم، وتجعلني أقوم بالتّدوين في سجلاّتي بسلام. وثانيا، أنا أحاول ألاّ أفقد '*330-i*'. فهي المفتاح الوحيد لفكّ شيفرة هذه الأشياء المجهولة (قصّة الخزانة وموتي الوقتيّ وما إلى ذلك)، وأنا أشعر الآن أنّ من واجبي تفسير هذه الأحداث. وهذا من أسمى واجباتي ككاتب لهذه السِّجلاَّت، فالمجهول عامّة هو العدوّ الأزليّ للإنسان. إنّ الإنسان العاقل 'Homo sapiens' لا يحقّ له امتلاك صفة الإنسانيّة إلاّ إذا تخلّصت قواعده النحويّة تماما من علامات الاستفهام، تاركةً خلفها فقط نقاط التعجّب والفواصل والنقاط.

ولذا فقد امتثلت لواجبي الرسميّ ككاتب، وركبتُ الطائرة عند السّاعة 16 وأقلعتُ نحو المتحف القديم. اعترضتني رياح قوية أعاقت تقدّم الطائرة. كانت تشقّ طريقها بصعوبة عبر الهواء الكثيف، وصفير الأغصان الشفّافة. بدت لي المدينة في الأسفل كمكعّبات جليد زرقاء، وفجأة اعترضتني سحابة كظلّ سريع مائل، وتحوّل لون الجليد إلى رصاص، وبدأ ينتفخ. تماما كما يحدث في الربيع حين تقف أمام نهر منتظرا انفجاره بين الدقيقة والأخرى لينهمر السيل الفيّاض. لكنّ الدقائق تمرّ متتالية، ويظلّ الجليد على حاله، فأشعر أنّني أنا أيضا أنتفخ، وتتسارع دقّات قلبي بوحشيّة (ولكن.. لمَ

أكتبُ عن هذا؟ ومن أين ينبع هذا الإحساس؟ فمن المستحيل حقّا أن يخترق أيّ شيء مهما كان حجمه جليد حياتنا.. هذا الجليد الكريستاليّ الشفّاف المتين).

لم يكن هناك أحد عند مدخل المتحف القديم. درتُ حول المتحف فلمحتُ المرأة العجوز التي تحرس البوّابة واقفةً بجانب السور الأخضر. كانت تظلّل عينيها بيديها المرتفعتين إلى الأعلى. رأيت هناك في الأعلى فوق السور نوعا من الطيور على هيئة مثلّثات سوداء حادّة تنقضّ في هجوم مُوحَّد، وتضرب على صدورها متّجهة نحو السّياج الكهربائيّ المتين، ليرُجعها على أعقابها بعنف، فتعود للطيران حول السور. رأيتُ الظّلال الحادّة ترتسم على رأسها وتتضخّم كالتّجاعيد، بينما رمتني بنظرة سريعة "لا يوجد أحد هنا، لا أحد، لا أحد على الإطلاق... لا فائدة من الدخول إلى هناك. حقّا..".

ما الذي تقصده بلا فائدة من مجيئي؟ ما الذي اعتراها كي تَعُدَّني مجرّد ظلّ شخص ما؟ ثمّ ربمّا تكونون أنتم كلّكم ظلالا لي أنا. ألستُ أنا من مَلأتُ هذه الصّفحات التي كانت منذ قليل مجرّد صحراء بيضاء رباعيّة الزّوايا؟ هل كنتم ستقدرون من دوني على أن تكونوا مرئيّين من قِبَلِ من سينساقون خلفي في المسار الضيّق لهذه الخطوط؟

لم أقل لها أيّا من هذا بالطبع، فأنا أدرك أيضا انطلاقا من تجربتي الشخصيّة أنّه شيء مدمّر أن تغرس في أحد ما بذرة شكّ حول حقيقته -حقيقته ثلاثيّة الأبعاد-، كلّ ما فعلته هو تذكيرها أنّ وظيفتها الوحيدة هي فتح الباب والسّماح لي بالدخول إلى الفناء. كان كلّ شيء فارغا وهادئا. كانت الرياح تبدو بعيدة.. هناك حيث الجدران، تماما كما كانت يوم عبرنا هذه الممرّات معا مستندين على بعضنا البعض كأنّنا شخص واحد..

هذا إن افترضنا أنّ ما وقع ذاك اليوم حدث فعلا. كنتُ أسير تحت الأقواس الحجريّة، وكانت خطواتي ترتطم بالقباب الملساء فتحدث صدى صوت كأنّ هناك من يتعقّبني. كانت الجدران الصفراء ذات القرميد الأحمر المتعفّن تراقبني من خلال مربّعات نوافذها الدّاكنة.. كانت تشاهدني أفتح أبواب الحظائر وأدقّق في زواياها وحدودها المظلمة وأجزائها. بوّابة في السياج تطوّق أرضا مُعدَّة لرمي فضلات مخلَّفات حرب المائتي عام. تحتوي هذه الأرض على أضلع حجريّة انبثقت من التراب وعلى الفكّين الأصفرين للجدران المكشّرين عن أنيابهما، وموقد قديم تعلوه مدخنة عموديّة، وسفينة تحوّلت إلى صخرة دائمة وسط الصخور الصفراء والحمراء.

بدت لي هذه الأنياب الصفراء مألوفة، ولكنّها بعيدة ومشتّتة. كأنّها تتخبّط عبر أمواج مياه كثيفة. ثمّ انطلقتُ في البحث.. كانت رحلة البحث شاقّة، إذ تعثّرتُ في

الصخور وانزلقت قدماي في الحفر، وحاولت القوائم الصّدئة الالتفاف حول أكمام زيّي الموحَّد، وسالت قطرات العرق المالحة من جبيني لتغمر عينيّ وتتساقط أرضا.. لا أثر لها هنا، لم أعد قادرا على إيجاد ذاك الممرّ السفليّ وكأنّه لم يعد موجودا أبدا، ولكن قد يكون هذا أفضل، فقد دعَّم هذا فرضيّة أنَّ كلّ ما حدث هنا مجرّد أضغاث أحلام غبيّة.

نال التعب منّي، وكنت مغمورا بالغبار وبخيوط شباك العنكبوت. وعندما كنتُ بصدد فتح البوّابة للعودة إلى الردهة الرئيسيّة تناهى إلى مسامعي فجأة صوت ضجيج خافت وخطوات ساحقة قادمة من الخلف. فالتفتُّ لأجد نفسي وجها لوجه مع الأذنين الورديّتين والابتسامة المزدوجة لـ 'S'.

أحكم قبضته عليَّ بعينيه الثاقبتين قائلا "أتقوم بجولة؟".

لم أقل شيئا، فقد كانت يداي تزعجانني.

"حسنا كيف حالك؟ هل تشعر بتحسّن؟"

"أجل شكرا لك، أشعر أنّني أعود رويدا رويدا لسابق عهدي"

رفع عينيه وفكّ طوق نظراته من حولي مُطلقًا سراحي، وأرخى رأسه للخلف، فلاحظتُ للمرّة الأولى تفّاحة آدم في وسط حلقه. هناك طائرات تحلّق على بعد حوالي خمسين مترا فوقنا، أيقنتُ عبر طيرانها البطيء المنخفض، وعبر أنابيب التجسّس السوداء المتدلّية منها كخراطيم الفيلة، أنّها طائرات تابعة للحرّاس، إلاّ أنّها لم تكن مجرّد طائرتين أو ثلاث كما جرت العادة، بل حوالي عشرَ أو اثنتي عشر طائرة تزمجر فوق رؤوسنا. (أنا آسف، ولكن عليَّ أن أنقل فقط الرقم التقريبيّ) استجمعت شجاعتي وسألته "لمَ هناك الكثير من الطائرات اليوم؟".

"ماذا؟ امم.. دعني أفسّر لك.. إنّ الطبيب البارع هو من يداوي المريض قبل أن تصيبه علّة. قبل أن يصاب بداء ما يُرديه مريضا غدا أو بعد غد أو حتّى في الأسبوع المقبل.. هذا ما يُسمّى بالوقاية".

أومأ برأسه ثمّ غادر برجليه المتدلّيتين كأعلام قُدَّت من حجر، متّجها نحو فناء المتحف، ثمّ التفت قائلا "كن حذرا".

بقيتُ وحيدًا محاطًا بالهدوء والعدم. كانت الطيور تتخبّط هناك فوق السور الأخضر، والرياح تهبّ بكلّ قوّة.. ما الذي قصَدَهُ بقوله؟

حملتني الطائرة في طريق العودة عبر التيّارات الهوائيّة وظلال السحب، الخفيفة منها والثقيلة.. في الأسفل رأيت القباب الزرقاء الفاتحة، ومكعّبات الزجاج المتجمّد تتحوّل إلى لون الرصاص وتنتفخ..

في المساء

فتحتُ كتاب السِّجلاَّت لأدوّن بعض الأفكار المفيدة (لكم أعزّائي القرّاء) عن يوم المصادقة بالإجماع العظيم الذي بات قاب قوسين أو أدنى منّا. إلاّ أنّني ارتأيتُ أنّني غير قادر على الكتابة الآن. ظللتُ أنصت طوال الوقت إلى صوت الريح التي تضرب الجدران الزجاجية بأجنحتها الداكنة، وأحملق في الفراغ الذي يحيط بي وأنتظر فحسب. لا أدري ما الذي أنتظره بالضبط. سأخبركم بكلّ صدق أنّني أحسست بسعادة غامرة حين أطلّت عليَّ الخياشيم الورديّة المائلة إلى اللّون البنّيّ.

جلستْ أمامي بكلّ تواضع ورتَّبت طَيَّة زِيِّها الموحَّد عند ركبتيها ثمّ ضمّدتني بابتساماتها وغلّفت بحنان كلّ جرح على حدة، وشعرتُ أنّني مغلّف كلّيّا بإحكام وكان هذا رائعا.

"أتعلم؟ لقد ذهبتُ إلى قاعة الدّرس اليوم (هي تعمل في حقل إنجاب الأطفال) ورأيتُ هناك رسما كاريكاتوريا على الحائط.. نعم.. أنا أعني ما أقول.. لقد رسموني على هيئة سمكة.. ربمّا أبدو حقّا كسمكة..".

أسرعتُ بالإجابة "لا بالطبع، لا تبدين كذلك" (في الواقع عندما رأيتها عن قرب لم أرَ تلك الخياشيم.. أظنّ أن صراعي مع تلك الخياشيم لا مبرّر له).

"حسنا.. إنّه مجرّد تفصيل لا معنى له على المدى الطويل، ولكنّ هذه الحادثة في حدّ ذاتها تدعو للقلق. فقمتُ باستدعاء الحرّاس على الفور. أنا أحبّ الأطفال جدّا وأعرف أنّ القسوة هي من أسمى درجات الحبّ وأرقاها.. أتفهمني؟"

وكيف لا أفهمها؟ فأفكارها تتماشى تماما مع الأفكار المتصارعة داخلي.. لم أتمكّن من ردع نفسي ففتحت صفحة السجلّ العشرين وتلوتُ على مسامعها الأبيات التالية "صوت أفكاري المعدنيّ الواضح والهادئ ينقر داخل رأسي".

لاحظتُ من دون أن أنظر إليها ارتعاش الخدّين الورديّين المائلين إلى اللون البنّيّ، ثمّ أخذت تقترب منّي رويدا رويدا، وشعرتُ بيديها الجافّتين وأصابعها الخشنة بعض الشيء تحيطان بيداي.

"أعطني إيّاها! أعطني إيّاها! سأقوم بنسخها وتوزيعها على الأطفال ليحفظوها عن ظهر قلب، نحن نحتاج هذا أكثر من سكّان فينوس الآن.. وغدا وبعد غد".

جالت ببصرها في الغرفة بهدوء ثمّ قالت "هل سمعت؟ يُقال إنّه في يوم المصادقة بالإجماع العظيم...".

قفزتُ من مكاني قائلا "ماذا؟ ما الذي يقولون؟ ما الذي يحدث في يوم الإجماع العظيم؟".

تلاشت الجدران الدافئة وشعرتُ أنّني ألقيتُ خارجا على الفور حيث الرياح القويّة التي تعصِف فوق أسطح المنازل، وغيوم الشفق المائلة تتساقط شيئا فشيئا.. أحاطتني 'U' بذراعيها بقوّة وحزم (أظنّني لاحظتُ أن عظام أصابعها ترتعش مثل شوكة تهتزّ).

"اجلس يا عزيزي، هدّئ من روعك ولا تتحمّس كثيرا، فالنّاس يثرثرون كثيرا، سأساندك يومها إن احتجتني طبعا. سأطلب من أحدهم أن يهتمّ بالصغار في المدرسة وسأكون بجانبك. لأنّك يا عزيزي ما زلتَ طفلا وتحتاج إلى..".

هززتُ ذراعي قائلا "لا.. لا.. لن أحتاج شيئا.. قد تخالين أنّني طفل ولستُ قادرا على تدبّر أمري، ولكنّني لا أحتاج شيئا.." (أعترف أنّ لي مخطّطات أخرى لذاك اليوم).

ابتسمتْ، فبانت الرسالة التي أخفتها ابتسامتها "آه، يا لك من طفل عنيد".

ثمّ جلست وأسبلت عينيها وقامت يداها الخجولتان بتسوية طيّة زيِّها الموحَّد عند ركبتيها. لنغيّر موضوع الحديث.

"أعتقد أنّه عليَّ أن أحدّد موقفي.. من أجلك.. لا أرجوك لا تستعجلني عليَّ أن أفكر مليّا".

كنتُ على عجلة من أمري. رغم أنّني أدرك أنَّ عليَّ أن أكون سعيدا، فلَعَمْرِي إنّه لَشَرَفٌ عظيم أن تُقدّم نفسك هديّة لتتويج سنوات أحدهم المتضائلة.. سمعتُ صوت أجنحة طوال تلك الليلة، وكنت أروح وأجيء محاولا حماية وجهي منها بذراعي.

ثمّ شاهدتُ كرسيّا من الطّراز القديم مصنوعا من الخشب، مختلفا تماما عن كراسينا.. وكنتُ أحرّك قدميّ كحصان (القائمة اليمنى للأمام والساق اليسرى في الخلف، القائمة اليسرى للخلف والساق اليمنى في الخلف) ثمّ ركض الكرسي وقفز في وسط السرير. ضاجعتُ ذاك الكرسيّ القديم.. كانت مضاجعته غير مريحة ومؤلمة.

هذا رائع. هل من المستحيل حقًّا إيجاد ترياق يشفي هذا الحلم المرضيّ.. أو على الأقل يجعله أكثر عقلانيّة أو أكثر فائدة؟

السِجلّ الثّاني والعشرون

أمواج متجمّدة

كلّ شيء يكاد يكون كاملا

أنا جرثومة

فلنتخيّل معا أنّك تقف على حافة نهر، وفجأة تهبّ أمواج عاتية وترتفع عاليا. ولكنّها لا تستقرّ على الأرض، بل تظلّ هناك معلّقة في الفضاء وتتجمّد بالكامل، هل تتخيّل فظاعة هذا المشهد، وخروجه عن قواعد الطبيعة؟ هذا مماثلٌ لما شَهدناهُ اليوم عندما تداخلت بيانات نزهتنا اليوميّة في الجدول، فتشوّشت نزهتنا وتوقّفت فجأة. حسب سجلاّتنا، آخر مرّة شهدنا فيه حادثةً مماثلة كانت منذ 119 عاما، حين ارتطم نيزك بالأرض وسط الصفير والدخان، في منتصف نزهتنا...

كنّا نسير كعادتنا، تماما كالمحاربين الذين يُرسمون في الآثار الآشورية... ألف رأس منتصبة، وساقان منصهرتان متداخلتان، وذراعان متناغمان متدليان.. عند نهاية الشارع حيث يصدر برج التجمّع غمغمته الغاضبة، هناك مستطيل يتّجه نحونا، مقدّمته ومؤخّرته وضلعاه الجانبيان وكلّ جوانبه مؤلّفة من الحرّاس.. أمّا وسطه فقد كان يضمّ ثلاثة أشخاص قد جُرّدوا من الشارة الذهبيّة التي تحمل أرقامهم.. كان الأمر واضحا ومفعما بالألم.

السّاعة العملاقة المعلّقة فوق البرج أشبه بوجه ينحني متحاشيا السحب، وراح يبصق الثواني وينتظر دونما اكتراث. ثمّ تحديدا على السّاعة 13:06 حدث شيء غريب داخل المستطيل.. كنتُ على مقربة منه فتمكّنت من رؤية أدقّ التفاصيل. حُفِر في ذاكرتي منظر رقبةٍ طويلة نحيفة وشبكة من العروق الزرقاء الرقيقة المتشابكة، كأنّها أنهار رُسمت فوق خريطة عالم مجهول. كان العالم المجهول ها هنا مجرّد شابّ صغير السنّ. بدا كأنّه تعرّف على شخص ما في صفوفنا، فوقف على أطراف أصابعه واشرأبّ

عنقه وتحنَّط على تلك الحال. صعقه أحد الحرّاس بشرارة زرقاء من سوطه الكهربائيّ، فأصدر صوتا كعواء جرو صغير، تَلَتْها جَلدة فجئيّة أخرى بعد حوالي ثانيتين، عُواء فَجَلدة فَعُواء...

مررنا بجانبه مواصلين مسيرتنا الآشورية المنظّمة.. جال بخاطري وأنا أشاهد تموُّج الشرارات الأنيق: "يتمحور تاريخ الإنسانيّة حول كيفيّة تطوير نفسها وبلوغ الكمال.. كم كان قبيحًا سوط القدماء، وكم هو جميل سوطنا".

وفي هذه اللحظة تماما، مزّق صفوفَنا صوتُ صراخ نحيل لرقم مؤنَّث كأنّه شظيّة تتطاير بسرعة أقصى من كسّارة الجوز..

"هذا يكفي! إيّاكم أن تتجرّؤوا...!".

واندفعت بسرعة نحو المستطيل، تماما كاندفاع ذاك النيزك منذ 119 عاما. تجمّدت نزهتنا بالكامل، وبدت صفوفُنا كقمم من الأمواج الرمادية التي تجمّدت آنيّا جرّاء صقيعٍ فُجئيّ.. حملقتُ فيها، تماما كما فعل الآخرون، وبدت لي كأنّها خرجت من العدم.. لم تعد رقما بل أصبحت ببساطة إنسانًا... كان وجودها يقتصر على كونها الجوهر الميتافيزيقيّ لإهانةٍ كُبرى لَحِقت بالدولة المُوحَّدة. ثمّ قامت بحركة مألوفة، استدارت وثنت وركيها لليسار، فعرَفتُها على الفور..

عرفتُ ذاك الجسد المرن كالسّوط، وتينك العينين واليدين والشفتين. كنتُ متأكّدا للحظة أنّها هي.. تحرّك اثنان من الحرّاس على الفور لتصفيتها.. رأيتهما عبر مرآة الأرضيّة يقطعان الشارع وأيقنت أنّ مسارهما ومسارها سيتقاطعان، وسيُحكمان قبضتهما عليها. انقبض قلبي بشدّة وأوشك على التوقّف.. ولم أستطع أن أتوقّف عن التّفكير إذا ما كان عليَّ أن.. أم لا... إذا كان من المنطقيّ أم لا، أن أتوجه نحو نقطة التقائهما..

أحسستُ بآلاف العيون المرتعبة الموجّهة صوبي.. ولكنَّ هذا أجّج القوّة المخبّأة اليائسة التي اعترت ذاك الهمجيّ المخبّأ داخلي، صاحب اليد الشعثاء.. فركض بأقصى سرعة ممكنة.

لم تتبقَّ سوى خطوتين لأصل إليها. عندما استدارت رأيتُ أمامي وجهًا مرتجفا مليئا بالنمش، وحاجبين محمرّين.. لم تكن هي.. ليست *'i-330'*.

غمرتني هالة مسعورة من الفرح.. وراودتني رغبة في قول شيء مثل "هيّا واصل! اقبض عليها!". ولكن كلّ ما استطعت النطق به كان مجرّد همسات.. ثمّ أحسستُ بيد

ثقيلة تنقضّ عليَّ. لقد قبضوا عليَّ وها هم يحملونني إلى مكان ما غير عابئين بمحاولاتي الفاشلة لتبرير فعلتي.. "انتظروا لحظة.. عليكم أن تعرفوا أنّني ظننتُ أنّها..".

ولكن كيف سأتمكّن من شرح حالتي لهم؟ كيف سيفهمون هذا المرض العُضال الذي أخطُّ تفاصيله على هذه الصفحات؟ لذا خيّرت الصمت، واستسلمتُ لهم صاغرا ذليلا، كورقة شجرة هبّت عليها ريحٌ عاتية فاقتطعتها من الشجرة الأمّ لتسقط بسكون، ولكن في طريقها للأسفل، تحاول الدوران وتتشبّث بكلّ غصن أو غصين مألوف. هكذا تماما حاولت التمسّك بكلّ رأس كرويّ صامت، بجليد الجدران الشفّاف، وبإبرة برج التجمّع الزرقاء المغروسة بين السّحب..

وفي تلك اللحظة، بينما انسدلت ستارة فارغة تفصلني للأبد عن ذاك العالم الرائع برمّته.. شاهدتُ عبر مرآة الرصيف وجها واسعا مألوفا وذراعين ورديتين ترفرفان كجناحين.. ثمّ سمعتُ الصوت المسطّح المألوف يقول "إنّ من واجبي أن أقرّ لكم أن الرقم 'D-503' ليس في حالة تخوّل له السيطرة على مشاعره، وأنا على قناعة تامّة أنّه انساق وراء استنكاره وغضبه الطبيعيين".

قاطعته قائلا "نعم، نعم، حتّى أنّني صحتُ قائلا: اقبضوا عليها..".

"لم تصرخ ولم تقل شيئا" قال الشّكل الذي كان خلفي.

"نعم، ولكنّني كنتُ على وشك الصراخ، أقسم باسم حامي الحِمى أنّني أوشكتُ على ذلك".

اخترقتني على الفور تلك العيون الرماديّة المتمرّسة. لا أدري إن كانت تتصفّح داخلي وتدرك أنّني (غالبا) أقول الحقيقة، أو ربمًا كان لديه غاية خفيّة خلف الصفح عنّي مرّة أخرى لبعض الوقت. كلّ ما في الأمر هو أنّه كتبَ ملاحظة وأعطاها إلى أحد الرجال الذين يمسكون بي. وها أنا حرّ طليق مجدّدا، أو بالأحرى مقيّد ضمن هذه الصفوف الآشورية اللاّمتناهية...

اختفى المستطيل الذي يحمل ذاك الوجه المنمّش، وخريطة العروق الزرقاء الجغرافية عند الزاوية إلى الأبد. واصلنا مسيرتنا المُوحَّدة كجسد يعلوه مليون رأس، وكلّ منّا ينعم بالسعادة المتواضعة التي تحافظ بدورها على حياة الجزئيّات والذرّات والخلايا الدفاعية. هذا ما استنتجَه أسلافُنا الوحيدون المسيحيون في العالم القديم (رغم بُعدهم عن المثالية): التواضع فضيلة والتفاخر رذيلة..

"نحن" منبَعُها الله أمّا "أنا" فمنبعُها الشيطان. ها أنا أخطو حذو الجميع خطوة بخطوة، ولكنّني رغم ذلك منفصل عنهم. ما زلتُ أرتعش جرّاء تلك الحادثة المثيرة. تماما كجسر مرّ عبره للتّوّ أحد القطارات الحديديّة القديمة. ولكنّني أشعر بذاتي. أمّا هو فلا يشعر بذاته.. رغم كلّ هذا، كنتُ أعي وجوده كالعين التي تحوي رمشا، والإصبع المتورّم والسّنّ الملتهبة.. أمّا العين أو الإصبع أو السّنّ السليمة فلم يعد لها وجود.. إنّ الأمر في غاية الوضوح أليس كذلك؟ أليس الوعي مجرّد مرض عضال؟

ربمّا لم أعد خليّة دفاعية تلتهم الفيروسات والميكروبات بهدوء (ذات العروق الزرقاء والنمش). لعلّني أصبحتُ جرثومة. ولعلّ هناك العديد من الجراثيم المندسّة بيننا والتي تدّعي أنّها خلايا دفاعية.. إنّ ما حدث اليوم هو مجرّد حادث عرضيّ لا أهمية له. ولكن ماذا لو كان شرارة البداية لحدث جلل؟ ماذا لو كان مجرّد نيزك منفرد متبوع بسيل متدفّق من الصخور الملتهبة التي ستقصف جنّتنا الزجاجيّة إلى الأبد؟

السِجلّ الثالث والعشرون

الأزهار

ذوبان الكريستال

لو

يُقال إنّ هناك نوعًا من الأزهار يتفتّح مرّة واحدة كلّ مائة عام. لمَ لا توجد أزهار تتفتّح مرّة كلّ ألف عام أو كلّ عشرة آلاف عام؟ ربمًا لم نعلم بوجودها حتّى الآن لأنّ اليوم بالذات هو ذلك اليوم الألف.. هأنذا منتشٍ وفرحٌ. أنزل الدرج متوجّها نحو مكتب المناوبة، وبراعم الألف عام تبزغ في كلّ مكان حولي.. في الكراسيّ المزهرة والأحذية والشارات الذهبيّة والمصابيح. عيونٌ ذات رموش سوداء تتفتّح رويدا رويدا، وأعمدةُ الدرابزين ومنديل مرميّ على الدرج وطاولة الشخص المناوب، وفوق الطاولة يوجد خدا 'U' البنّيّان النّاعمان.. بدا كلّ شيء غريبا جديدا وناعما ووورديا ورطبا..

سلّمتُ 'U' تذكرتي الورديّة ورأيتُ عبر الجدار البلوريّ القمر الأزرق الفوّاح يتدلّى من غصن لا مرئيّ فوق رأسها.. أشرتُ إليه وقلتُ بصوت ينمّ عن انتصار "إنّه القمر.. هل فهمتِ؟"

ألقت 'U' نظرة عليَّ ثمّ على التذكرة، ثمّ قامت بحركتها المألوفة الساحرة المتواضعة، تماما كما فعلت سابقا، قامت بتعديل طيّات زيّها الموحَّد عند زوايا ركبتيها...

"أنتَ لا تبدو طبيعيّا عزيزي.. تبدو مريضا.. أنت تعرف أنّ المرض هو مرادف لكونك غير طبيعيّ.. أنتَ تدمّر نفسك، ولن يحاول أحد إعادتك إلى رشدك.. لا أحد..".

تلك الـ "لا أحد" تعني بالضرورة ذاك الرقم على التذكرة، الـ '*i-330*' عزيزتي 'U' الرائعة! أنتِ على حقّ طبعا.. أنا لستُ منطقيّا، أنا مريض، أنا روح، أنا جرثومة.. ولكن ألا يُعتبر تفتّح الأزهار مرضا؟ ألا يحسّ البرعم بالألم حين يتشقّق و يتفتّح؟ أوَ لا ترون معي أنّ الحيوانات المنويّة هي أخطر المكروبات والجراثيم؟

ها أنا في غرفتي في الأعلى. 'i-330' تجلس على كمّ الأريكة المفتوح على اتّساعه. وأنا جالس على الأرض وذراعي مضمومتان حول ساقيها، ورأسي مندسّ في حضنها.. كلانا هادئ. صمتَ نبض قلبي.. كنتُ كحبّة كريستال أنصهر وأذوب في 'i-330'. أشعر بذلك بوضوح تامّ.. أشعر بذوبان الأضلع المصقولة التي تحدّدني في الفضاء تزول رويدا رويدا.. أتلاشى وأنصهر في حضنها.. في كيانها كلّه.. فيها. أحسستُ أنّ حجمي يتقلّص شيئا فشيئا. وفي الوقت نفسه كنتُ أتّسعُ وأتّسع لأصبِحَ لا محدودا. فهي.. لم تعد هي فقط.. بل أصبحت تمثّل الكون بأسره. ولثانية واحدة التحمتُ أنا وهذه الأريكة المليئة بالفرح - بجانب السرير- وأصبحنا واحدا. اِتحدت أيضا مع المرأة العجوز صاحبة الابتسامة الرائعة التي تقف على باب المتحف القديم، والنفايات البرّيّة الملقاة خلف السور الأخضر، والأنقاض الفضيّة التي تشعّ خلف السواد كالمرأة العجوز، والباب الذي صُفق في مكان ما بعيدا: كلّ هذا تداخل ونفذ إلى داخلي والتحم بي، وظلّ يستمع إلى نبضات قلبي ويعبر من خلالي عبر الثواني.

بدت كلماتي غبيّة ومرتبكة وجوفاء حين حاولتُ إخبارها أنّني مصنوع من الكريستال.. وهذا يفسّر أنّه يوجد باب بداخلي وأنّني قادر على تقاسم سعادة تلك الأريكة. لكن هذا مجرّد كلام بلا معنى. أحسست بالخجل وصمتُّ... وفجأة قلت "حبيبتي 'i-330' سامحيني.. لم أعد أفهم شيئا.. أقول أشياء غير منطقيّة وغبيّة.."

"ما الذي يجعلك تظنّ أنّ الغباء أمرٌ سيّء؟ لو تمّ الاعتناء بالغباء البشريّ واهتُمّ به على مرّ العصور تماما كالذكاء.. لكان اليوم ربمّا يحظى بمكانة خاصّة..".

"نعم" (إنّها على حقّ.. كيف يمكنها ألاّ تكون على حقّ في لحظة كهذه؟).

"وبسبب تصرّفاتك غير المنطقية فقط، وبسبب ما قمتَ به البارحة في وقت النّزهة... يزداد حبّي لك".

"لماذا تعذّبينني إذن؟ لماذا لا تأتين؟ ولماذا أرسلتِ تذكرتك الورديّة؟ ولماذا تجعلينني...؟".

"ربمّا كان عليَّ اختبارك أوّلا؟ كان عليَّ أن أعرف إن كنتَ ستنفّذ كلّ ما طلبتُه منك؟ لأتأكّد أنّك مِلكي بالكامل".

"نعم، أنا مِلكُك بالكامل..".

ضمّت وجهي -لا، بل كياني كلّه- براحتيْ يديها، ورفعتْ رأسي للأعلى قائلة "حسنا، ماذا عن 'واجباتك تجاه كلّ رقم شريف'؟ ماذا عن ذلك؟".

برزت أسنانها الحلوة الحادّة وابتسمت. بدت كالنّحلة في كمّ الأريكة المفتوح... يمكنها منحُك العسل، ويمكنها كذلك لسعُك.

نعم، الواجبات... راجعتُ بسرعة في خيالي آخر ما كتبتُه من أسطر، وأدركت أنّني لم أخطَّ أيّ سطر حول أيّ واجبٍ عليَّ القيام به..

لزمتُ الصمت. ارتسمت ابتسامة منبهرة (وربمّا غبية) على مُحيّاي.. نظرتُ في عينيها الواحدة تلو الأخرى، ورأيت نفسي في كلتيهما. أنا مجرّد سجين نحيل في هاتين الزنزانتين الصغيرتين اللّتين تشعّان بألوان قوس قزح. ثمّ وجدتُ هناك مجموعة نحل أخرى وشفاها وألما حلوا يزدهر...

يحمل كلّ واحد منّا، نحن الأرقام، رقّاص ساعة يدقّ بهدوء، ممّا يجعلني قادرا على تحديد الوقت بدقّة من دون النظر إلى السّاعة. ولكن الآن رقّاص ساعتي توقّف ولم أعد أعرف كم مضى من الوقت. أحسستُ بخوف شديد، فتناولتُ بسرعة شارتي والسّاعة المعلّقة بها من تحت الوسادة..

يحيا حامي الحِمى! ما زالت عشرون دقيقة. ولكنّها مجرّد دقائق تمرّ... مجرّد أشياء صغيرة قصيرة متعثّرة وليست مضحكة حتّى.. وما زال لديّ الكثير لأقوله لها.. سأخبرها عن كلّ جزء منّي، وعن تفاصيل ما حدث لي: عن رسالة 'O' وعن ذاك المساء الفظيع الذي منحتها فيه الطفل.. أريد أن أحدّثها لسبب ما عن طفولتي.. وعن أستاذ الرياضيات Pliapa، وعن 1-√ وعن يوم المصادقة بالإجماع الأوّل لي وعن بكائي طوال اليوم بسبب لطخة الحبر الورديّ على زيّي الموحَّد..

رفعت *'i-330'* واستندت على مرفقيها. كان الخطّان الحادّان الطويلان يمتدّان من زوايا شفتيها. ورسم حاجباها علامة 'X'.

"ربمّا في ذاك اليوم..." سكتت وأصبح حاجباها أكثر قتامة.. ثمّ أخذت يدي بين يديها وضغطت عليهما "قل لي إنّك لن تنساني.. ستتذكّرني دائما أليس كذلك؟".

"لمَ تقولين هذا؟ لمَ تتحدّثين عن النسيان؟ حبيبتي"

غرقت *'i-330'* في صمت عميق وعيناها تشردان بعيدا عنّي.. وفجأة سمعتُ الرّياح العاتية تخبط الزجاج بأجنحتها الكبيرة (كانت الريح تهبّ منذ البداية، ولكنّني لم أسمعها سوى الآن) ولسبب أجهله، ذكّرني صوت الرياح بالطيور ذات الأصوات الحادّة التي كانت تحلّق فوق السّور الأخضر..

هزّت *'i-330'* رأسها هزّة قويّة كأنّها أرادت أن تنفض عنها شيئا ما. ولمسني جسدها الطويل مرّة أخرى لثانية فقط. تماما كما تلمس الطائرة الأرض لمسة صغيرة حنونا قبل أن تحطّ.

"حسنا إذن، ناولني جوربي. أسرع!".

كان جورباها ملقيين هناك على الطاولة.. بالتّحديد فوق الصفحة 193 من سِجلاّتي التي كانت مفتوحة هناك. اصطدمتُ -وأنا في عجلة من أمري- بسجلاّتي، فتداخلت الصّفحات ولم أقدر على إعادة ترتيبها، ولكن المهم هو أنّ ترتيبها لم يعد ذا أهمية، لأنّه لا وجود لترتيب حقيقيّ، سيكون هناك في كلّ حال منحدرات خطيرة وحفر مجهولة.

قلت لها "لا يمكنني الاستمرار هكذا، أنتِ هنا الآن معي وبجانبي، ولكنّني أشعر أنّك في الجانب الآخر من جدار قديم عازل للرؤية.. أسمعُ حفيفا عبر الجدار وأصواتا ولكنّني لا أستطيع فكّ شيفرة الكلمات، ولا أدري ما الذي يحصل هناك؟ لا أستطيع الاستمرار على هذا النحو. أنتِ لا تُفصحين أبدا بوضوح عمَّا تُريدين، ولم تقولي لي أبدا عن المكان الذي كنّا فيه في المتحف القديم، ولا عن تلك الدهاليز، ولا من أين أتى ذاك الطبيب... أو، ربمَّا لم يحدث أيّ من هذا أبدا؟"

وضعت *'i-330'* يديها على كتفيَّ ثمّ تأمّلت عينيّ ببطء وعمق.

"تريد أن تعرف كلّ شيء إذن؟".

"بالطبع أريد ذلك. عليكِ أن تخبريني.".

"ولن يُخيفك أن تتبعني للنّهاية.. مهما كانت النّهاية؟"

"مهما كانت!".

"حسنا. أنا أعدك.. عندما تنتهي العطلة، لو فقط... آه، بالمناسبة.. كيف حال "الأنتغرال"؟ أنسى دائما أن أسألك عنه.. هل سيجهز قريبا؟".

"لا. ماذا تقصدين بـ "لو فقط"؟ ها أنتِ تفعلين هذا مجدّدا.. لو فقط؟".

قالت وهي تقفل الباب "سترى...".

أنا لوحدي مجدّدا. لم يتبقَّ منها سوى شيء صغير يذكّرني بحبوب الطّلع الصّفراء الحلوة الجافّة النّابعة من زهور مّا في الجانب الآخر من السّور. علِقَ فيَّ هذا مع عدد من الأسئلة كما تعلق الأسماك في خطّاف الصنّارة.. تلك الصنّارات التي كانت تُستخدم لصيد الأسماك في عهد القدامى (متحف ما قبل التاريخ).

لمَ سألتني فجأة عن "الأنتغرال"؟

السِجلّ الرّابع والعشرون

حدّ الوظيفة

عيد الفصح

يجب شطب كلّ شيء

أشعر أنّني آلة تدور بسرعة تفوق سرعتها القصوى: فتشتدّ حرارة محاملها، سيذوب المعدن بين دقيقة وأخرى، وتتساقط قطراته أرضا معلنة نهاية كلّ شيء، وإرساء العدم. أحتاج رشّة ماء بارد.. رشّة منطق يعيد إليَّ صوابي.. ها أنا أصبّ الماء، ولكنّ المنطق يُحدث صوتَ حفحفة خفيفة على المحامل الحامية، ويتبدّد في الهواء كبخار أبيض عابر.

حسنا، من الجليّ أنّ علينا أن نأخذ بعين الاعتبار حدود شيء ما إذا ما قرّرنا أن نوكلَ إليه وظيفةً معيّنة. ومن الواضح أيضا أنّ ما أحسستُ به البارحة، ذاك "الانصهار الغبيّ في الكون" هو نبذة عن الحدّ الأقصى لي ألا وهو الموت. فالموت في الأصل هو الانصهار التّام لذاتي في الكون.. وعليه، فإن كانت 'L' هي رمز الحب و'D' هي رمز للموت فإنّ 'L'= وظيفة من وظائف 'D'.. إذن فالحبّ يساوي الموت..

نعم، هذا هو، هذا ما يجعلني أخاف من *'i-330'*، هذا ما يجعلني أواجهها ولا أريد أن... ولكن لمَ يوجد هذان معا بداخلي جنبا إلى جنب: أريد ولا أريد؟ هذا شيء مروّع جدّا: أريد ذلك الموت المبهج الذي عشته البارحة. من المفزع أنّه حتّى بعد أن دخلتُ في المعادلة المنطقيّة ورأيت مليّا أنّها تحتوي على الموت كنتيجة حتميّة، ما زلتُ أريدها، شفتاي وذراعي وصدري يريدونها. كلّ مليمتر في جسدي يريدها...

غدا هو يوم المصادقة بالإجماع. ستكون هي أيضا هناك بطبيعة الحال، ولكنّني سأرقبها عن بعد، سيكون ذلك مؤلما لأنّني أريدها.. أنا منجذب نحوها بشدّة.. أتوق لمس يديها وكتفيها وشعرها.. أنا أريد حتّى حدوث ذاك الألم مجدّدا... وليكن ما يكون.

يا حامي الحِمى العظيم! إنّه لمن العبث أن يريد أيّ كان الألم.. هل يجهل أيّ رقم أنّ الألم قيمة سلبيّة، وأنّه كلّما أضفته تنقص حصيلة مجموع ما نسمّيه بالسّعادة؟ وهكذا دواليك..

ولكن... لا يتلو هذا شيئا. اللاّئحة نظيفة... وعارية تماما.

في المساء.

أطلّ غروب شمسورديّ عاصف محموم عبر جدران المبنى الزّجاجيّة. حرّكتُ كرسيًّا من مكانه كي لا يلتصق بي هذا اللّون الورديّ وواصلت تدوين الملاحظات في سجلاّتي. أظنّني نسيتُ مرّة أخرى أنّني لا أكتب لنفسي، بل لكم أنتم، أعزّائي القرّاء المجهولون الذين أحبّكم وأشفق عليكم في الوقت نفسه. أنتم الذين ما تزالون تتدحرجون في مكان ما عبر القرون البعيدة في الأسفل.

دعوني أحدّثكم عن يوم المصادقة بالإجماع العظيم. لطالما أحببتُ هذا اليوم المميّز مذ كنتُ صغيرا. أظنّه شبيها بعيد الفصح لدى القدامى. أتذكّر أنّنا كنّا نصنع في اللّيلة التي تسبق العيد تقويما مصغّرا للسّاعات ثمّ نشطبها بسعادة، الواحدة تلو الأخرى، ونقترب مع شطب كلّ ساعة من حلول اليوم المبارك.. سأحدّثكم بصراحة، لو كنتُ متأكّدا أنّ أحدا لن يراني، لكنتُ حملت معي تقويما كهذا أينما ذهبت. ولكنتُ سجّلتُ كم تبقّى من الوقت لحلول يوم غد، لأراها.. حتّى ولو من بعيد..

(لقد قطعوا عليّ حبل أفكاري أثناء الكتابة، إذ جلبوا لي للتوّ زيّي الموحَّد الجديد مباشرة من المصنع. من عاداتنا أن نخيط أزياء جديدة بمناسبة اليوم العظيم.. يمكنني سماع خطوات في الرّدهة، وضوضاء، وصيحات فرح).

سأواصل الآن.. سأشاهد غدا المشهد نفسه الذي يُعاد كلّ سنة، ومع ذلك، يبثّ فينا الحماسة نفسها كلّما شاهدناه: كأس الانسجام الهائل، والأذرع المرتفعة في خشوع تامّ.. غدا هو يوم المبايعة السنويّة لحامي الحِمى.. غدا مرّة أخرى سنضع مفاتيح حصن سعادتنا الثّابت بين يديْ حامي الحِمى.. من البديهيّ طبعا أنَّ هذا لا يشبه أبدا الانتخابات غير المنظّمة التي يقوم بها القدامى حيث لا يملكون مسبقا أدنى فكرة عن نتيجتها (لا أستطيع تمالك نفسي عن الضحك حين أفكّر في هذا). أهناك أمرٌ أغبى من بناء دولة على أسسٍ عشوائيّة عَرضِيّة وغير محسوبة مسبقًا؟ ومع ذلك، تطلّب إدراك هذا الأمر قرونا طويلة. أظنّ أنّه ليس ضروريا أن أخبركم أنّه لا مكان للعشوائيّة هنا ولا للمفاجآت.. وحتّى انتخاباتنا لا تتعدّى كونها مجرّد انتخابات صوريّة.. مجرّد رمز يذكّرنا بوحدتنا.. بأنّنا كائنٌ واحد قويّ يتألّف من مليون خليّة، وبأنّنا على حدّ التّعبير المذكور في "إنجيل

القدامى 'كنيسة واحدة'.. لأنّ تاريخ الدولة المُوحَّدة لم يشهد أبدا –ولو لمرّة واحدة- تجرّأ صوت أحدهم على انتهاك ذاك اللّحن الرّائع المنسجم الذي ندندنه بصوت واحد في هذا اليوم المجيد.

يُقال إنّ انتخابات القدامى تُقام في السرّ، يختبؤون خلف مقصورة كاللّصوص. يقول البعض من مؤرّخينا إنّهم كانوا يُلثّمون أنفسهم بعناية قبل حضور الحفلات الانتخابية.. (كلّ ما يمكنني تصوّره هو مشهد ليليّ خياليّ كئيب، أتخيّل الليل، وساحة المدينة، وأرقاما قاتمة تزحف على طول الجدران، ولهب مشاعلهم القرمزية يتضاءل بمفعول الرياح.) لا يوجد أيّ تفسير وراء حاجتهم لهذا الكمّ من السريّة. أظنّ أنّ انتخاباتهم كانت على الأغلب مرتبطة ببعض الغموض والخرافات، أو ربمّا ببعض الشعائر الإجرامية.

أمّا نحن، فلا شيء لدينا لنخفيه أو نخجل منه. نحن نحتفل بانتخاباتنا في قمّة الشّفافية وفي وضح النهار. أرى جيّدا كيف يبايع كلّ منّا حامي الحِمى، تماما كما يراني الآخرون أبايعه.. ومن سنختار غيره إن كان كلّ فرد منّا هو رقم إضافيّ لـ "نحن" المُوحَّدة؟ أليس هذا أكثر صدقا ونُبلا من السرّ الجبان للقدامى؟ أليس هذا أكثر نفعا أيضا؟ فحتّى لو افترضنا حدوث المستحيل، أي حدوث نشاز في نوتتنا المعتادة، فحرّاس العزل هنا مصطفّون للتّدخّل فورا وإيقاف أيّ رقم يَحيد عن الجادة، ومنعه من خطو خطوات خاطئة، وسينقذون الدولة المُوحَّدة منهم طبعا.. أخيرا هناك أمر آخر..

نظرتُ إلى الجدار على يساري فرأيت امرأة تقف خلف مرآة الباب المغلق، وتفكّ أزرار زيّها الموحَّد بسرعة.. لمحتُ بنظرة ضبابيّة سريعة عينيها وشفتيها وحلمتي ثدييها الورديّتين كالبراعم.. ثمّ أسدلتُ الستائر واجتاحتني ذكريات ليلة البارحة، ونسيت ما كان ذاك "الأمر الآخر" وصدقا، لم أعد أهتمّ، ولم أعد أريد أن أهتمّ.. كلّ ما أريده هو '*i-330*'.. أريدها أن تكون بجانبي كلّ ثانية.. بل كلّ جزء من الثانية، وألاّ تفارقني أبدا.. أريدها لي أنا فقط.. أمّا كلّ ما كتبته عن يوم المصادقة بالإجماع، فلا أحد بحاجة إليه. إنّه خاطئ بالكامل.. أريد أن أشطبه وأمزّقه وأرميه بعيدا.. لأنّني أعرف أنّ (ربمّا كان هذا كفرًا ولكنّه صحيح) عُطلتي الوحيدة ويوم عيدي هو حين تكون هي معي.. حين نكون معًا جنبا إلى جنب..

الشّمس من دونها مجرّد قرص قصديريّ، والسّماء مجرّد لوحة خشبيّة مطليّة باللّون الأزرق، وأنا نفسي...

تناولتُ الهاتف بسرعة "'*i-330*' هل هذه أنت؟".

"نعم، هل تعي كم السّاعة الآن؟".

"ربمّا ليست متأخّرة جدّا. أريد أن أسألك إن كان بإمكانك أن تكوني معي غدا... حبيبتي." .

قلت "حبيبتي" بكلّ لطف. ذكّرني هذا بحدث صار اليوم في العنبر.. وضع أحدهم على سبيل الدّعابة ساعةً تحت زلاّجة تَزِنُ مائة طنّ.. ثمّ حاولوا تحريك الزلاّجة بكلّ ما أوتوا من قوّة.. فهبَّت ريح على وجوههم ثمّ توقّفت مائة طن من اللطف تلمس الساعة الصغيرة.. بعثتْ ملايين الأنسام اللّطيفة من ساعة صغيرة..

ثمّ ساد سكون.. وخُيّل إليَّ أنيّ سمعتُ أحدهم يهمس في غرفتها. ثمّ سمعتها تقول "لا.. لا أستطيع.. تعلم جيّدا أنّني أنا أيضا أرغب بذلك... ولكن رغم ذلك لا أستطيع، ولا تسألني لماذا، ستراني غدا".

الليل..

السِجلّ الخامس والعشرون

النّزول من الفردوس الأعلى

أعظم كارثة على مرّ التاريخ

نهاية كلّ المتعارف عليه

قبل بداية مراسم الاحتفال، نهض الجميع من أماكنهم وانطلقت ملايين الحناجر البشريّة وآلاف الأبواق الموسيقيّة في ترديد نشيدنا الوطنيّ السامي، وامتدّت الأصواتُ كحجاب مُهيب يلفّ رؤوسنا بنعومة، فنسيتُ كلّ شيء للحظة.. نسيتُ كلّ الأشياء المزعجة التي قالتها 'i-330' عن احتفالات هذا اليوم الجليل، وأظنّني نسيتها هي أيضا.. عدتُ مجدّدا ذاك الطّفل الصّغير الذي انفجر باكيا حين رأى تلك البقعة الصغيرة التي تُلطّخ زيّه الموحَّد والتي لا يمكن لأحد ملاحظتها ما عداه هو.. لعلّ تلك البقع السوداء العالقة فيَّ غير واضحة للعيان، ولكنّني أعرف جيّدا أنّه لا مجال لحضور مجرم مثلي بين هذه الوجوه البريئة المفتوحة على مصراعيها...

آه لو كنتُ أستطيع أن أقف في هذه اللحظة بالذّات وأصرخ عاليا حدّ الاختناق، وأخبرهم عن حقيقتي بالكامل. سأكتب نهايتي بيدي. وماذا في ذلك؟ على الأقلّ سأحسّ للحظة بأنّني طاهرٌ من كلّ الشّوائب.. سأخرج جميع تلك الأفكار من رأسي، وسأكون نقيًّا كتلك السّماء الزرقاء المعطاءة..

ارتفعت كلّ العيون صوب إشراقة الصّباح الأزرق الذي مازال مبلّلا بدموع اللّيل، وركّزت جميع النّظرات على تلك البقعة التي بالكاد نراها أحيانا سوداء اللّون وأحيانا أخرى مغمورة بأشعّة الشّمس.. إنّه هو.. 'يَهُوهْ' الجديد ينزل بطائرته من الفردوس الأعلى ليحطّ بيننا.. إنّه رحيم وقاسٍ في حبّه لنا، تماما كـ "يهوه" القديم. ها هو يقترب رويدا رويدا، وملايين القلوب ترتفع ترحيبا به، ها هو على مقربة منّا.. إنّه يرانا.. تخيّلتُ نفسي بجانبه هناك في الأعلى وأنظر للأسفل: رأيتُ دوائر المدرّجات

مرسومة بصفوف من النّقاط من المضيئة الزرقاء، كدوائر شبكة عنكبوت مرصّعة بشموس مجهريّة (لمعان شاراتها الذهبيّة) وفي وسط هذه الدّوائر العنكبوتيّة سيحطّ بعد قليل العنكبوت الأبيض، حامي حمانا بردائه الأبيض ليُكبّل بحكمته أيدينا وأرجلنا بأغلال السّعادة والرضا..

ها قد اكتمل الآن نزول جلالته المهيب من جنّات الخلد، وحطّ بيننا وسط هالة من الإكبار. سكت النّشيد النّحاسيّ، وجلس الجميع في مقاعدهم. وفهمتُ على الفور أنّ كلّ هذا ليس إلاّ شبكة عنكبوت في منتهى الدقّة، مفتوحة على مصراعيها ومشدودة بإحكام ممّا يجعلها تهتزّ وتكاد تتمزّق في أيّ لحظة ليحدث أمر يفوق الخيال.. نهضت قليلا عن مقعدي وأجلتُ نظري في الحشود. التقت عيناي بأعين الآخرين وتبادلنا نظرات مِلؤُها الحبّ والخوف.. رفع أحدهم يده مشيرا بأصابعه نحو شخص آخر..

ليجيبه شخص آخر بالحركة نفسها، ثمّ شخص آخر، وهكذا دواليك... فأدركتُ أنّهم الحرّاس، وأنّ شيئا ما أزعجهم. نسيج العنكبوت المشدود يهتزّ ويرتجف. فشعرتُ أنا أيضا بقشعريرة تسري بداخلي كجهاز استقبال لاسلكيّ عُدِّل على الموجة نفسها..

كان الشاعر يتلو على مسامعنا آيات التّمجيد التي تسبق البيعة، لكنّي لم أفقه كلمة ممّا يقول، كلّ ما تناهى لسمعي هو تأرجح رقّاص العروض الشعريّ السّداسيّ الذي يُدني مع كلّ دقّة من دقّاته ساعة مصيريّة. وها أنا أتصفّح الصّفوف بنظراتي المحمومة كأنّني أقلّب صفحات كتاب ما. ورغم أنّني لم أجد ما أبحث عنه، فإنّه يتعيّن عليَّ الإسراع في البحث، فلم تتبقَّ سوى دقّة واحدة للرّقّاص قبل أن...

إنّه هو طبعا.. رأيته هناك في الأسفل بجانب المنصّة، يجرّ أذنيه الورديتين الشبيهتين بالأجنحة عبر الزجاج اللاّمع. كان حرف 'S' القاتم الشبيه بحلقة مزدوجة يندفع إلى مكان ما عبر الممرّات الشّبيهة بالمتاهة. خيطٌ ما يربط بين 'S' و'*i-330*'، خيط لا أفقه ماهِيَته لطالما ربط بينهما، ولكنّني سأفكّ لغزه يوما ما... تعلّقت عيناي به وهو يتدحرج مثل كرة صوف يتدلّى منها خيط. لقد توقّف الآن، الآن...

لقد أُطلقت عليَّ النّار..

ولُفّتْ العقدة حولي بشدّة كأنّني صُعقت بصعقة كهربائية قويّة... توقّف 'S' عند صفّنا وانحنى على مسافة 40 درجة منّي.. رأيت '*i-330*' بجانب الـ 'R-13' (ذو الشفاه الإفريقية المبتسمة المثيرة للاشمئزاز)... أوّل ما راود ذهني هو أن أنقضّ عليها صارخا "لمَ أنتِ معه اليوم؟ ولمَ رفضتِ أن..؟" ولكن لحسن الحظ أنّ شبكة العنكبوت كانت تقيّد يديّ وأرجلي. كظمتُ غيظي وضغطت بشدّة على أسناني، وبقيتُ متسمّرا

في مكاني ككتلة حديديّة أنظر إليهم.. شعرتُ بالألم الحادّ بداخلي كأنّه يتشكّل للتوّ.. أذكر أنّني فكّرتُ "بما أنّ محفّزا غير ملموس يفرز ردّة فعل ملموسة ألا وهي الشعور بالألم، فمن الواضح أنّ..." من سوء حظّي أنّني لم أصل إلى أيّ استنتاج. كلّ ما أذكره هو أنّني خُضت في بعض الأفكار العابرة عن "الروح"، وخطر ببالي المثل القديم عديم الفائدة "غرق القلب في خيبته"، ثمّ تجمّدت في اللحظة نفسها التي صمت فيها الرقّاص.. ثمّ بدأ كلّ شيء.. ولكن ما الذي بدأ؟

تنصّ العادات والتّقاليد على أن نتمتّع براحة مدّتها خمس دقائق قبل البَيْعة، وأن نَلْزَم الصمت أيضا.. ولكنّه صمتٌ مختلفٌ عن سكوننا المعتاد الجليل الخاشع، هو شبيه بسكون القدامى الذين كانوا يجهلون كلّ ما يتعلّق ببرج التجمّع.. حين كانت سماء القدامى المستعرة تنفث "عواصف رعديّة" في بعض الأحيان.. صمتنا شبيه بالهدوء الذي يسبق العاصفة..

كان الهواء كحديد مسبوك، شفّافا. تشعر بالحاجة لفتح شفتيك على مصراعيها لتتمكّن من التّنفّس.. حاسّة السّمع لديَّ قويّة بدرجة مؤلمة، فقد تمكّنتُ حتّى من تسجيل همسة حماسيّة في وسط الجموع شبيهة بصوت فأر يقضم شيئا ما. ما زلتُ ألمح '*i-330*' و'R-13' جنبا إلى جنب، وما زالت يداي الشعثتان البغيضتان ترتجفان فوق ركبتي..

كلّ منّا يحمل شارته وساعته في يديه.. واحد. اثنان. ثلاثة. ثمّ خمس دقائق مرّت... ثمّ تكلّم أحدهم بصوت بطيء حديديّ.

"الرّجاء من المصوّتين بـ "نعم" رفع أيديهم" .

لو أنّني كنتُ قادرا على النّظر في عينيه مباشرة كما كنتُ أفعلُ سابقا لكنتُ قلت له بكلّ إخلاص وولاء "هأنذا.. خذني بالكامل" ولكنّني لم أعد قادرا على فعل هذا.. أحسست بالصّدأ يجتاح كلّ أعضاء جسدي، ولم أتمكّن من رفع يدي إلاّ بشقّ الأنفس.. ها هي الأذرع تُرفع مُحدثة حفيفا، ثمّ تناهى إلى سمعي صوتُ تأوّهٍ مختنق صادر عن شخص ما.. أحسستُ أنّ شيئا مّا يسقط، ولكنّني لم أستطع تحديد ماهيته، إذ لم أعد أملك القوّة أو الشّجاعة لأنظر...

"هل هناك من معارض؟".

كانت هذه من أعظم فقرات الاحتفال: يعود كلّ منّا ليجلس بهدوء في مكانه ونحني رؤوسنا لنور جلالة الرقم المختار من بين جميع الأرقام.. في هذه اللّحظة بالذّات سمعتُ التأوّه الحسّاس من جديد كتنهيدة صغيرة، وتملّكني الرّعب لسماعه.. طغى

صوته على النّشيد الصّادر عن الأبواق النّحاسيّة.. صوتٌ لا يكاد يُسمع، شبيه بالحشرجة الأخيرة لشخص يحتضر، ولكن كلّ من حوله هبّوا واقفين بوجوه شاحبة باردة، وقطرات العرق الباردة تتصبّب على جبينهم. رفعتُ عيني و... استغرق الأمر كلّه جزءا من الثّانية. لا، بل أقلّ، رُفعت آلاف الأذرع "المعارضة" وخُفضت بسرعة. لمحتُ '*i-330*' بحاجبيها المقرونين ويدها المرفوعة، ثمّ اسودّت الدنيا أمام عيني وغبتُ عن الوعي. ثمّ خيّم السكون المطبق بالسرعة نفسها.. وتلاه نبض قلب.. ثمّ انطلقت ضجّة فوريّة في المدرّجات كأنّها استجابة لأوامر قائدٍ مجنون، وعلا صراخ الأرقام المهرولة، وتطايرت أزياؤهم المُوحَّدة بينما كان الحرّاس يمزّقون أحدهم بجنون ووحشيّة.. وكان حذاؤه يتطاير أمامي في الهواء ليستقرّ على الأرض بجانب وجه أحدهم الملقى على الأرض وعيناه متّسعتان وفمه مفتوح على صرخة مكتومة.. أحرق فؤادي مشهد رهيب يُبثّ على شاشة عملاقة: آلاف الأصوات الصّارخة المكبوتة. ولمحت للحظة في الجانب الأسفل من الشاشة شفتي 'O' الشاحبتين.. كانت ملتصقة بالحائط محاولة حماية بطنها بيديها من شدّة الزحام ولكن سرعان ما اختفت. ومُحيَ أثرها بالكامل أو ربمّا نسيتها لأنّني..

لم تعد هناك شاشة، هذا بداخلي. هذان الصدغان النابضان والحاجبان المتوتّران يتصارعان في داخلي. قفز 'R-13' فجأة من المقعد الأماميّ على يساري. وجهُه محمرٌّ، وكان يبصق يمينا ويسارا بغضب حاملا '*i-330*' بين يديه. كانت تبدو شاحبة وزيّها الموحَّد ممزّق من كتيفيها حتّى أسفل ثدييَها، وبقع الدّم تلمع على جسدها الأبيض.. كانت تحيط رقبتَهُ بذراعيها بينما كان هو يخطو خطوات حثيثة، ويقفز بخفّة تثير الاشمئزاز كالغوريلا، محاولا إيصالها للأعلى.. بدا كلّ شيء أحمر قانيا شبيها بالنّار التي يوقدها القدامى.. ولم أستطع منع نفسي من القفز ومحاولة اللّحاق بهما.. أعجز إلى حدّ هذه اللّحظة عن تفسير مصدر القوّة التي اعترتني حين انبثقتُ وسط الحشود كمنجنيق، وعبرتُ بسرعة قصوى فوق أكتاف النّاس، وعبر الصفوف المتراصّة.. وما إن دنوتُ منهما حتّى أحكمتُ قبضتي على ياقة زيّ 'R' المُوحَّدة وصرختُ عاليا "إيّاكَ أن تفعل هذا.. إيّاك.. ضعها أرضا" (من حسن الحظّ أنّ الجميع كانوا يركضون ويصرخون بدورهم، ولذا لم ينتبه إليَّ أحد).

التفت 'R' وارتجفت شفتاه المبلّلتان "من..؟ ما الذي يحدث؟ ماذا؟".. ربمّا ظنّ أنّ أحد الحرّاس قد قبض عليه..

"ماذا؟ حسنا سترى هذا الآن.. لن أسمح لك بهذا.. ضعها على الأرض فورا..".

ولكنّه لم يصغ إليّ، بل أصدر صوتا غاضبا، وأشاح بوجهه عنّي ثمّ واصل التقدّم.. في هذه اللحظة بالذّات سمحتُ لنفسي بضربه على رأسه -أشعر بالخجل الشّديد لكتابة هذا ولكنّني مضطرّ لتدوينه لكم يا قرّائي المجهولين علّكم يوما ما تقومون بدراسة معمّقة عن علّتي.. نعم، أنّني أتذكّر بوضوح أنّني لكمته.. وأتذكّر شعور التّحرّر والخفّة الذي غمر جسدي بعد أن وجّهتُ له تلك اللّكمة.. تسلّلت *'i-330'* من بين ذراعيه وصاحت "اذهب يا 'R'، ألا ترى أنّه.. هيّا اذهب من هنا.. اذهب بعيدا"

صرّ 'R' أسنانه الزنجيّة البيضاء وغمغم ببعض الكلمات الموجّهة إليّ، ثمّ غاص في الأسفل واختفى كلّيّا.. حملتُ *'i-330'* بين ذراعيّ وضممتها بشدّة وواصلتُ طريقي.. أحسستُ أنّ قلبي يتضخّم ويتّسع.. كان ينبض بعنف، ومع كلّ نبضة تجتاحني موجةٌ من الدفء والسعادة الغامرة.. وما همّني أنا إن قُطّع أحدهم إلى أشلاء؟ كلّ ما يعنيني هو أنّ هذا الحادث مكّنني من حملها بين ذراعيّ.. كم أودّ أن أحملها هكذا للأبد.

السّاعة 22:00 مساءً.

بالكاد تمكّنتُ من مسك القلم.. لا يمكنني وصف مدى تعبي بعد الأحداث المذهلة التي حصلت اليوم.. لا أستطيع أن أصدّق أن جدران دولتنا المُوحَّدة الخالدة قد انهارت حقّا.. لا أستطيع أن أصدّق أنّنا أضحينا دون مأوى أو ملجأ، وأنّنا نعيش كأسلافنا في حالة الهمجيّة المسمّاة بالحريّة.. لا وجود لحامي حِمى.. هذا أمر مستحيل.. معارض؟ أيُعقل أن يوجد معارض في يوم المصادقة بالإجماع؟ أستطيع أن أشعر بالخجل والألم والرّعب الذي يحسّه الجميع.. ولكن من هم على أيّة حال؟ من أنا؟ هل أنا "هم" أو "نحن"، كيف لي أن أعرف؟

كانت جالسة هنا حيث وضعتها على مقعد زجاجيّ محترق بلهيب الشّمس في أعلى المدرّجات. كتفها الأيمن عارٍ، وأسفله بداية المنحنى الرائع اللاّمتناهي، وهناك ثعبان دمويّ أحمر قان يلتفّ على تلك البقعة العزيزة على قلبي. تجاهلتْ منظر الدم وصدرها العاري، مع أنّها ترى كلّ شيء.. ربمّا هذا ما قد رغبتُ بحدوثه تماما.. بل ربمّا لو كان زيُّها الموحَّد مغلقا الآن لكانت مزّقته.. إنّها..

"وغدا..." كانت تتنفّس بصعوبة عبر الأسنان البيضاء النّاصعة المطبقة بإحكام. ما الذي سيحدث غدا؟ لا أحد يدري.. هل تعي الأمر؟ إنّه أمر أجهله أنا ويجهله الجميع.. انتهى كلّ شيء أَلِفْناه.. وكلّ ما سيحدث الآن هو أمر جديد لم يسبق لنا رؤيته أو حتّى تخيّله.. هناك في الأسفل الجميع يتدافعون ويصرخون في حالة من الغليان غير المسبوقة. ولكن بدا لي ذاك بعيدا جدّا عنّي.. وابتعدتُ أكثر حين نظرتْ إليَّ وجذبتني

إليها ببطء عبر نافذتي عينيها الذهبيّتين الضيّقتين.. وتواصل هذا الانجذاب في صمت لوقت طويل.. ولسبب أجهله تذكّرت لحظة نظرت عبر السّور الأخضر ورأيت عيونا صفراء غير مفهومة، وحين كانت الطيور تحلّق في الأعلى حول السّور (أو أنّ ذلك حدث في وقت آخر؟).

"اسمعني جيّدا.. سآخذك هناك غدا إن لم يعترض طريقنا شيء ما.. أنت تعرف إلى أين أليس كذلك؟"

لا. أنا لا أعرف شيئا.. ولكنّني أومأتُ لها برأسي.. ها أنا أتحلّل وأصبح في غاية الصّغر.. لقد أصبحتُ نقطة.. ولكن في نهاية الأمر، إنّ التّحوّل لنقطة له معنى خاصّ (عصريّ): فالنّقطة تحوي مفاهيم عديدة مجهولة، وكلّ ما عليها القيام به هو أن تتحرّك وتتزحزح قليلا من مكانها لتتحوّل إلى آلاف المنحنيات المختلفة، ومئات الأشكال الصّلبة.

أنا خائف ولا أريد أن أتزحزح من مكاني.. ماذا سنصبح إن تحرّكنا؟

يبدو أنّ الجميع مثلي يخشون من القيام بأبسط حركة.. الآن مثلا فيما أخطّ هذه الأسطر، الجميع من حولي منغلق على نفسه في قفصه الزجاجيّ وينتظر حدوث شيء ما... لا وجود للضوضاء المعتادة الصّادرة من المصعد في مثل هذه السّاعة. لا وقع خطوات، ولا صدى ضحكات.. بين الفينة والأخرى أرى زوجين يعبران الردهة على أطراف أصابعهما، يهمسان لبعضهما البعض ويسترقان النّظر..

ما الذي سيحدث لنا في الغد؟ ماذا سأصبح غدا؟

السِجلّ السّادس والعشرون

العالم موجود

طفح جلديّ

41 درجة مئوية

أطلّ الصّباح.. الصّباح القويّ المعتاد المستدير ذو الخدود المحمرّة يتسلّل إلى غرفتي عبر السّقف.. لم أكن سأندهش لرؤية شمس مستطيلة غريبة وأناس يرتدون جلود حيوانات مختلفة الألوان وجدران مصنوعة من حجر حاجب للرؤية.. إذن ما معنى هذا؟ العالم. عالمنا ألا يزال موجودا؟ هل ما حدث هو مجرّد عطب فنّيّ؟ فالمولِّد ما زال موصولا بالكهرباء، والعجلات المسنّنة ما زالت تدور وتحدث أزيزا. ستستمرّ في الدوران مرّتين أو ثلاث وتنطفئ في المرّة الرابعة.

هل مررتم يوما بهذه الحالة الغريبة؟ تستيقظُ ليلا وتفتح عينيك لِتشعر فجأة أنّك ضائع، فتسرع بتحسّس كلّ ما يوجد حولك علّك تعثر على شيء متين ومألوف كجدار أو مصباح أو كرسيّ؟ هذا بالضبط ما فعلته حين تصفّحتُ الصّحيفة الوطنيّة وإليكم ما وجدت:

"كان البارحة يوم المصادقة بالإجماع الذي طال انتظاره على أحرّ من الجمر.. للمرّة الـ 48 على التّوالي أسفرت البَيْعة بالإجماع عن فوز حامي الحِمى الذي برهن عديد المرّات عن حكمته اللاّمتناهية.. شابَ هذه المناسبة الموقّرة اضطراب طفيف من قبل أعداء السّعادة الذين حَرموا أنفسهم جرّاء فعلتهم الشّنعاء من أن يكونوا جزءًا من حجر أساس الدولة المُوحَّدة الذي جُدّد البارحة.. وأظنّ أنّ الجميع يفهم أنّه من السّخف أخذ أصواتهم بعين الاعتبار وضمّ سعال هؤلاء المرضى الذين اندسوا صدفة بيننا إلى سمفونيّتنا الملحميّة الرائعة."

يا للحكمة! هل يعني هذا أنّنا أُنقذنا رغم كلّ شيء؟ يا لسخفي! وهل يُعقل أن يقع اعتراض في هذا القياس الزجاجيّ المنطقيّ؟

ستُقام جلسة موحَّدة اليوم على السّاعة 12 تجمع بين المكتب الإداريّ والمكتب الطبّيّ ومكتب الحرّاس. ستنبثق عنها قرارات حكوميّة صارمة، وسيتمّ الإعلان عنها في الأيّام القليلة القادمة.

نعم. الجدران ما زالت صامدة.. لم أعد أشعر بالضّياع أو أنّني ضللتُ طريقي ولم أعد أعرف أين أنا، لم أعد مندهشا لرؤية السّماء الزرقاء والشّمس المستديرة ولا لرؤية الجميع يتّجهون إلى العمل كالعادة.. كنت أسير في الشارع بخطى ثابتة رنّانة، وبدا لي أنّ الجميع يسيرون بالثقة نفسها.. ثمّ حين وصلت إلى تقاطع الشوارع، والمنعطف الموجود عند الزّاوية، بدأ الجميع يتصرّفون بغرابة ويتحاشون الزّاوية كأنّ أنبوبا انفجر عند الجدار، وغمر الماء البارد الرّصيف، فلم يعد ممكنا استخدامه. خطوتُ خمسة خطوات أخرى، ثمّ عشرة، فلفح الماء البارد وجهي مبعدا إيّايَ عن الرصيف. على مسافة حوالي مترين في الأعلى، عُلّقت لافتة ورقيّة مستديرة طُبعت عليها حروف مبهمة بلون أخضر سامّ: MEPHI وأسفلها ظهر منحن لأحدهم كحرف 'S' وأذنان شبيهتان بأجنحة شفّافة تهتزّ غضبا أو اضطرابا.. كان يقفز: ذراعه اليمنى ممدودة للأمام، وذراعه اليسرى مثنيّة كجناح مكسور يحاول تمزيق اللافتة، ولكنّه لم يستطع ذلك إذ ينقصه القليل فقط ليصل إليها..

أظنّ أنّ الجميع يتقاسم الفكرة نفسها الآن "إن قرّرتُ الصّعود هناك ومساعدته وحدي من بين كلّ الجموع المارّة، هل سأُعتبر متّهما بشيء ما؟ ولهذا أريد أن..".

أنا أيضا فكّرت في الأمر نفسه. ولكنّني تذكّرتُ المرّات التي ساعدني فيها ملاكي الحارس وقام بإنقاذي. فتقدّمت بكلّ جرأة ومددت يدي ومزّقت الورقة.. استدار 'S' وغرز مثقابيه في أعماقي والتقط شيئا ما.. ثمّ رفع حاجبه الأيسر مشيرا للجدار حين علقت كلمة 'Mephi'.. ودهشتُ لرؤية ابتسامة خفيفة سعيدة تلُوح على محيّاه.. لكن ما المدهش في هذا؟ فالطبيب يُفضّل مريضا يعاني طفحا جلديًّا وحرارة تعادل الـ40، على مريض تنمو داخله حرارة ترتفع تدريجيا من دون عوارض خارجية.. الـ 'Mephi' الذي لطّخ الجدران اليوم هو الطفح الجلديّ الذي من السّهل مواجهته.. إذ من السّهل إيجاد الدواء حين يكون الدّاء واضحا وجليًّا.. ولهذا فهو يبتسم...

توجّهتُ نحو المترو ولمحتُ تحت قدمي ورقة بيضاء مرميّة على زجاج الرصيف النقيّ كُتب عليها 'Mephi'.. وانتشر الطفح الجلدي الأبيض المشؤوم نفسه في كلّ

مكان: على الجدار وعلى المقاعد وحتّى على مرآة السيّارة.. (لقد أُلصقت الأوراق على عجل ودون تأنٍّ فبدت مُكرمشة).

خرق صوتُ العجلات الصّمتَ وبدا صوتها محموما كبركان دم. شعر أحدهم بيد تلمس كتفه فتفاجأ وارتعش، فسقطت كومة الأوراق من يده.. أمّا الآخر على يساري فها هو يقرأ ورقة ويعيد قراءة السطر نفسه مرار وتكرارا... من الواضح جدّا ارتجاف الأوراق بين يديه.. أشعر أنّ النبضات تتسارع في كلّ مكان. في العجلات والصّحف والأيدي وحتّى في الرموش.. ربمّا حين أصل أنا و'*i-330*' إلى هناك سيشير الخط الأسود لمقياس الحرارة إلى الدرجة 39 فالـ40 ثمّ الـ 41... ساد السكون نفسه في العنبر الذي يشوبه ضجيج شبيه بطنين مروحيّة بعيدة غير مرئيّة.. الآلات متوقّفة وعابسة. وكلّ ما أسمعه هو الرّافعات التي تنزلق ببطء على أطراف أصابعها ثمّ تنحني وتقبض على كتل الهواء الأزرق المتجمّد لتضعها في خزّانات "الأنتغرال" الجانبيّة: كنّا نجهّزه للقيام برحلة تجريبيّة.. قلتُ للصّانع الثّاني "أتظنّ أنّ التّحميل سينتهي في غضون أسبوع؟".

وجهه الخزفيّ يكون عادة مزدانا بورود صغيرة وناعمة، العينان زرقاوان والشفتان ورديّتان، ولكن تلك الورود بدت ذابلة اليوم وخفَتَ بريقها.. كنّا نقوم بحساباتنا بصوت عالٍ، ولكنّني توقّفتُ فجأة وذهلت من هول ما رأيت: هناك مربّع ورقيّ عالق على الكتل الزرقاء التي حملتها الرّافعات ووضعتها تحت القبّة.. فجأة، شعرتُ بجسدي يهتزّ من شدّة الضحك.. نعم، لقد سمعتُ ضحكاتي (هل حدث هذا يوما لكم؟ هل سبق وسمعتم أنفسكم تضحكون؟) وقلت "لا أسمعني جيّدا.. تخيّل معي أنّك في طائرة قديمة على ارتفاع 5000 قدم. تخيّل أنّك فقدتَ أحد الأجنحة وبدأت تنحدر للأسفل كالحمام الزاجل، وفي طريقك للأسفل راجعتَ جدولك اليوميّ: في الغد من منتصف النهار إلى السّاعة الثّانية.. ثمّ من الثّانية إلى السادسة، ثمّ العشاء على السّاعة السادسة.. أليس هذا ضربًا من الجنون؟ ومع ذلك هذا ما نقوم به. هبّت الورود الزرقاء الصغيرة، وحملقتُ فيما حولها.. ماذا لو كنتُ مصنوعا من زجاج وتمكّنت من رؤية ما سيحدث في غضون 3 أو4 ساعات؟

السِجلّ السابع والعشرون

لا وجود لمحتوى

لا أستطيع

أنا وحيد في الدّهاليز اللاّمتناهية التي زرتها من قبل.. تعلوني سماء خرساء ملموسة وماء يقطر على الحجارة في مكان ما، أرى الباب الثقيل الحاجب للرؤية نفسه، وأسمع أزيزا مكتوما صادرا من خلفه.. قالت إنّها ستأتي على السّاعة 16، ولكن ها هي السّاعة 16:05 تليها 16:10 و16:15 ولم تأت بعد.. عدت للحظة إلى سابق عهدي وخشيت أن يُفتح الباب. سأنتظرها لمدة خمس دقائق فقط وإن لم تأت... ما يزال الماء يقطر على الحجارة في مكان ما، ولم يأت أحد بعد. تنفّست الصعداء، فلقد نجوت.. وعدتُ أدراجي ببطء عبر الدهليز. وفجأة، فُتح الباب بسرعة خلفي، وانبثقت الخطوات بهدوء عبر السقف والجدران. جاءت مسرعة تلهث وتتنفّس عبر فمها..

"كنتُ متأكّدة أنّك ستكون هنا.. أنّك ستأتي.. كنتُ متأكّدة.. آه أنت.. أنت".

تحرّكت الرّموش سامحة لي بالدّخول إلى أعماقها، و... ولكن كيف يمكنني أن أجد كلمات تعبّر عمّا يفعله بي هذا الشّعور القديم الرائع والسخيف حين تتلامس شفتانا؟ وما هي الصيغة التي قد تعبّر عن تلك الزّوبعة التي تكتسح روحي فتمحو كلّ شيء ما عداها هي؟ نعم.. نعم.. لقد قلت 'روحي' للتّوّ وإن كان هذا يبدو لكم مضحكا فليكن.

رفعت جفنيها بعد جهد جهيد وقالت ببطء "يكفي الآن.. سنواصل لاحقًا.. علينا الذهاب حالا".

فُتح الباب وتتالت الخطوات القديمة البالية، ثمّ صوت اختلاط، وضجيج ونور ساطع.

مرّت حوالي 24 ساعة على الحادثة، وهدأتُ قليلا، ولكنّني ما زلتُ عاجزا عن تقديم وصف دقيق لما حصل.. لا أستطيع حتّى تذكّر الخطوط العريضة.. أحسستُ كأنّ أحدهم

فجّر قنبلة داخل رأسي لتُحيل كلّ شيء إلى ركام: الأفواه المفتوحة، والأجنحة والصراخ وأوراق الأشجار والكلمات والحجارة، كلّها تكدّست كومة واحدة.. أتذكّر أنّ أوّل ما تبادر إلى ذهني هو "أسرع بالمغادرة. عد من حيث أتيت" لأنّني كنت أراهم طيلة فترة انتظاري في الدهليز ينسفون السور الأخضر ويدمّرونه، ورأيتُ العالم السفليّ الذي لطالما بقي بعيدا خارج مدينتنا، يزحف متقدّما نحونا.. أظنّني أخبرت *'i-330'* عمّا أراه فضحكت قائلة: "بالطبع لا. نحن ببساطة ذهبنا إلى الجانب الآخر من السور الأخضر".

ثمّ فتحت عيني فوجدت نفسي في وضح النهار وجها لوجه مع مشهد لم يره كائن حيّ على الإطلاق، إذ قامت غيوم السّور الزجاجيّة بتقزيمه وإضعافه وإطفاء بريقه.. هذه الشّمس لم تكن كشمسنا الموزعة بالتّساوي على أسطح الأرصفة الزجاجيّة.. لم تكن هذه الشّمس سوى مجموعة من الشّظايا الحادّة المفعمة بالحياة، التي ترسل باستمرار أشعّةً تُعمي العيون، وتصيب الرؤوس بدوّار.. أمّا الأشجار فهي ملتصقة بالسّماء كالشموع، أو كعناكب تتأرجح بساقيها الملتويتين، أو كنوافير خضراء خرساء.. كأنّ كلّ هذا يحبو ويزحف حولي بتململ. ثمّ تحرّكت كتلة شعثاء تحت قدمي فتسمّرت مكاني وعجزت عن المضيّ قُدما لأنّني لم أكن واقفا على شيء مُسطّح.. ليس سطحا أملس كما ترون.. بل شيئا ناعما مثيرا للاشمئزاز.. شيء أخضر ربيعيّ مفعم بالحياة..

صدمني كلّ هذا، أو بالأحرى أحسست بالاختناق. نعم، كلمة اختناق هي الأنسب لوصف حالتي.. ظللت هناك متشبّثا بغصن يتأرجح..

"لا تجزع.. ليست هذه إلاّ البداية.. سيمرّ كلّ هذا سريعا. تمسّك جيّدا".

هناك جسم نحيل كأنّه قطع من ورق بجانب *'i-330'* يقف على الشبكة الخضراء الهائلة المقزّزة.. لا، ليس شخصا مجهولا، بل جسم شخص أعرفه.. نعم، لقد تذكّرته الآن. إنّه الطّبيب. أدركت كلّ شيء الآن. رأيتهما معا يضحكان متشابكي الأيدي ويجرّانني إلى الأمام.. تعثرت قدماي وعلقتُ في طريقي بأصوات النعيق والطحالب والأعشاب والأغصان وجذوع الأشجار والأجنحة وأوراق الأشجار وأصوات الصفير... ثمّ، ها هي الأشجار تفسح لي المجال لأرى باحةً مشرقةً تعجُّ بالنّاس... أو ربمّا من الأنسب نعتهم بالـ "كائنات".

والآن، نمرّ إلى الجزء الأصعب.. فما سيحدث الآن يتعدى كلّ الحدود التي يمكن تخيّلها. فهمتُ لمَ ألحّت *'i-330'* على إخفاء هذا عنّي، فلم أكن لأصدّقها على أيّة حال.. ربمّا في الغد لن أستطيع حتّى تصديق نفسي أو ما كتبتُه في سجلاّتي. في الباحة حشد صاخب يتألّف من 300 أو400 شخص مجتمعين حول صخرة عارية شبيهة

بجمجمة بشرية. سألقّبهم "أشخاصا" إذ لم أجد كلمة أخرى تصفهم.. كما تعرفون، من البديهيّ البحث عن وجه مألوف بين الحشود الموجودة فوق المنصّة، ولذا، كان أوّل ما استقرّ عليه نظري هو زيّنا الموحَّد الأزرق الرّماديّ.. ثمّ رأيت بعد ذلك بوضوح تامّ أناسًا (أو بالأحرى بَدوْا شبيهين بالنّاس) برزوا من بين أزيائنا المُوحَّدة، سودا وحمرا وبنّيّي اللّون، وبيضا.. عارين تماما، ولا تغطّيهم سوى قطعة لامعة قصيرة من الصّوف، تماما كالصّوف الذي تُحشى به الأحصنة المحنّطة في متحف ما قبل التّاريخ.. أمّا النساء فوجوههنّ شبيهة تماما بوجوه نسائنا، وجوهٌ ورديّة ناعمة وخالية من الشّعر.. وصدورهنّ مُشَكّلة وفق رسم هندسيّ رائع، وكانت كبيرةً وثابتة وخالية من الشّعر أيضا.. أمّا الذّكور، فقد كانوا مكسوّين بالشّعر كأسلافنا، ما عدا جزءًا صغيرا أملس من وجوههم.. إنّه لشيء لا يُصدّق أن أقف هنا بينهم. أؤكد لكم أنّني أقول الحقيقة. لقد وقفتُ هناك بينهم ونظرت إليهم بأمّ عينيّ. كنتُ شبيها بالميزان، إن أفرطتَ في وضع الكثير من الأشياء في الكفّة الأولى، فمهما حاولتَ التّعديل، ومهما وضعتَ في الكفّة الثّانية فلن تتحرّك إبرة القيس.. فجأة، صرتُ وحيدا، ولم تعد '*i-330*' بجانبي.. اختفت تماما ولا أعرف أين وكيف ذهبت؟ لم يتبقَّ حولي سوى هذه المعاطف التي تلمع في الشّمس كالحرير.. أمسكتُ بكتف أحدهم القويّة السّاخنة وقلت "أرجوك، بحقّ حامي الحِمى.. هل تعرف إلى أين ذهبت؟ لقد كانت هنا منذ دقيقة...".

نظر إليَّ بحاجبيه الكثيفين الحادّين وقال "صه! اصمت" ثمّ أومأ نحو الحشود المنشغلة في التّحديق نحو النقطة المركزيّة حيث الصخرة الصفراء الشبيهة بالجمجمة. ثمّ لمحتها هناك في الأعلى.. أعلى من الجميع.. بدت على مقربة من الشّمس التي تبزغ خلفها وقد أحيطت بهالة جعلت منها شخصيّة بارزة بحدّة. سوداء كالفحم.. بدت ظلاّ داكنًا يتوسّط زرقة السّماء.. كانت السّحب تمرّ أعلى منها بقليل، وبدا لي أنّها هي من تطير عاليا.. هي والصخرة الصفراء.. والحشود، والباحة بأكملها.. بدا أنّ كلّ شيء ينزلق بصمت كسفينة، والأرض تبحر بنا بعيدا..

"أيّها الرفاق" قالت "يا رفاقي. أنتم تعلمون جميعا أنّهم يقومون ببناء "الأنتغرال" هناك في المدينة خلف السّور. وكلّكم تعلمون أنّ الوقت قد حان لهدم ذاك السّور وبقيّة الجدران أيضا كي تجتاح الرياح الخضراء الأرض من أدناها إلى أقصاها.. ولكن "الأنتغرال" سيحمل هذه الجدران عاليا نحو بقاع أخرى، وسيُخفت بسواده الحالك أضواءهم.."

انطلقت موجات غاضبة من الحشود حول الصخرة 'ليسقط "الأنتغرال"! ليسقط "الأنتغرال"!'.

"لا يا رفاقي، لن نسقطه.. يجب أن يصبح هذا "الأنتغرال" مِلكًا لنا. سنكون ضمن أفراد طاقمه حين يُطلقُ لأوّل مرّة نحو الفردوس الأعلى.. فصانعه بيننا الآن.. لقد غادر الجدران وجاء معي لينضمّ إليها.. عاش صانع 'الأنتغرال'!".

وحُملتُ في لمح البصر فوق الرّؤوس حيث أحاطتني الأفواه الصّارخة المفتوحة على مصراعيها، والأيدي التي تعلو وتنزل.. أحسستُ بشعور غريب مسموم وأنا أُحمل فوق رؤوس الجميع.. وأصبحتُ.. معزولا عن العالم.. وتوقفتُ عن كوني جزءًا من كلّ، بل للمرّة الأولى في حياتي أصبحتُ واحدا فقط.. ثمّ وضعوني أرضا بجانب الصخرة، وشعرتُ بالنّشوة والسّعادة كأنّني انتهيت للتّوّ من مضاجعة امرأة. كنتُ محاطًا بالشّمس وبالأصوات وبـ 'i-330'.. لمحتُ امرأة تشمّ العشب الأخضر.. شعرها ذهبيّ، لا بل كانت بأكملها ذهبيّة وناعمة كالحرير.. تحمل في يديها على ما يبدو كوبا خشبيّا وتشرب منه بشفتيها القانيتين، ثمّ سلّمته إليَّ، فأغمضت عينيّ وارتشفت منه.. شربته بنهم كي أطفئ الحريق المستعر في داخلي.. شربت شرارة باردة وحلوة ولاذعة.. ثمّ اندفع دمي، لا بل عالمي كلّه، بسرعة قصوى.. وأضحت الأرض خفيفة، وبدا كلّ شيء بسيطا وسهلاً وواضحا.

رأيتُ الآن الحروف العملاقة المألوفة لكلمة 'Mephi'. ولسبب ما شعرتُ أنّ هذا أمر في غاية الأهميّة، وأنّ هذا هو الخيط القويّ البسيط الذي يربط كلّ شيء.. ثمّ رأيت رسمًا مُبسّطًا (ربمًا وُجد على الصّخرة أيضا) لشابّ شفّاف ذي أجنحة، وفي مكان القلب رُسمت قطعة فحم قرمزيّة متوهّجة..

وأحسستُ أنّني أتفهّم قطعة الفحم هذه، أو بالأحرى، أشعر بها، تماما كما أشعر بكلّ كلمة تفوّهت بها من فوق الصخرة من دون حتّى أن أسمعها، وشعرتُ أنّ الجميع يتنفّسون معا في انسجام تامّ، وأنّ مصير الجميع هنا هو الطّيران معا صوب مكان ما، تماما كتلك الطيور التي كانت تحوم حول السّور..

ثمّ جاء صوت عال من الخلف، شقَّ الأنفاس الكثيفة "ولكن هذا ضرب من ضروب الجنون".

وأعتقد أنّه.. نعم. كان هذا صوتي، وأظنّ أنّني قفزتُ فوق الصخرة حيث أستطيع رؤية الشّمس والرّؤوس المتراصّة والبقعة الخضراء الخشنة وصحت عاليًا "نعم.. نعم.. هذا صحيح.. يجب على الجميع أن يُصابوا بالجنون بسرعة وفي أقرب وقت ممكن.. إنّه أمر محتوم لا شكّ فيه".

كانت 'i-330' بجانبي، وامتدّت ابتسامتها كخطّين داكنين يمرّان من زوايا فمها نحو حاجبيها، ثمّ تلتهب في داخلي كجمرة. ولكن هذا الاحتراق في داخلي سهل وغير مؤلم ورائع.. كلّ ما أذكره بعد هذا هو مجرّد شظايا حادّة متناثرة، وطائر يحلّق ببطء على ارتفاع منخفض.. بدا مفعما بالحياة مثلي تماما، كأنّه إنسان يدير رأسه يمنة ويسرة، ويحدّق فيَّ بعينيه الداكنتين المستديرتين. أمّا ظهره فكان مغطّى بفرو لامع لونه كلّون العاج القديم، تزحف فوقه حشرة سوداء ذات جناحين صغيرين، ثمّ ينتفض الظهر ليُبعد الحشرة.. وينتفض مجدّدا. وهناك المزيد.. فقد ألقت أوراق الأشجار بظلّ متشابك منسوج بعناية، وكان النّاس مستلقين في كنف ذاك الظلّ يأكلّون طعاما أسطوريّا كطعام القدامى: ثمرة صفراء طويلة، وقطع طعام داكنة.. دسّت امرأة الطّعام في يدي فضحكت لأنّني لا أدري إن كنتُ قادرا على أكله.. واختلطت من جديد الحشود والرؤوس والأذرع والأرجل والأفواه.. أمّا الوجوه فكانت تطفو على السّطح ثمّ تختفي تماما، كفقاعات الصابون.. ولمحتُ للحظة، أو بالأحرى خُيّل لي أنّني لمحتُ جناحين شفّافين يرفرفان بجانبي.. مسكتُ يد 'i-330' بكلّ ما أوتيتُ من قوّة فنظرت إليَّ قائلة "ماذا بك؟".

"إنّه هنا على ما أظنّ".

"من؟".

" 'S'.. إنّه هنا.. بين الحشود".

شدّت حاجبيها السوداوين، ولمع مثلّث ابتسامتها الحادّ.. لا أفهم كيف يمكنها أن تبتسم؟ لمَ ابتسمت؟

"'i-330' أعتقد أنّك لا تفهمين ما أقول. لا تعين ما معنى أن يتواجد هو أو أيّ واحد منهم هنا؟".

"أنت مضحك.. هل يمكن لأيّ أحد من خلف السّور أن يحلم حتّى بوجودنا هنا؟ تذكّر كيف كنت.. هل كنتَ تظنّ أنّه من الممكن أن يحدث هذا هنا؟ إنّهم يبحثون عنّا هناك.. دعهم يبحثون.. أنت تحلم"

ابتسمت لي ابتسامة خفيفة ومرحة فابتسمتُ لها بدوري. كانت الأرض في حالة سُكر. تُبحر بنا في مرح وخفّة.

السِجلّ الثّامن والعشرون

كلتا المرأتين

التحوّل والطاقة

عضو مبهم من الجسد

تخيّل معي أنّ عالمك شبيه بعالم أسلافنا القدامى، وأنّك كنتَ ذات مرّة تُبحر في المحيط ووقعتَ فجأة على الجزء السّادس أو السّابع من العالم، تلك الإمبراطورية المفقودة المسمّاة "أطلانطس" مثلا. فوجدتَ فيها متاهات مدن مجهولة وأناس يحلّقون في الهواء من دون استعمال أجنحة أو طائرات، وصخور ترتفع من مكانها بمجرّد النّظر إليها.. أي باختصار، سترى أشياء يصعب تخيّلها حتّى ولو كنتم مصابين مثلي بمرض "الحلم". هذا بالضبط ما شعرتُ به البارحة، فمنذ حرب المائتي عام، وكما سبق وأخبرتك، لم يتجرأ أيّ منّا على الذهاب إلى الجانب الآخر من السّور.. أصدقائي المجهولين.. أنا أعي جيّدا أنّه من واجبي إخباركم بأدقّ التّفاصيل عمّا اكتشفته البارحة في هذا العالم الغريب المليء بالمفارقات. ولكنّني لستُ في حالة تخوّل لي تذكّر ما حصل. فالأحداث تتسارع وتغمرني كأمطار غزيرة، ويصعبُ عليَّ متابعتها بمفردي: ها أنا أحاول بسط زيّي الموحَّد وأمدّ يدي لجمع كلّ الأحداث، ولكنّها تمطر بغزارة كدلو أُفرغ من محتواه، فيفيض الماء ولا أقدر سوى أن أجمع بعض الرذاذ لأدوّنه على هذه الصفحات..

في البداية سمعت أصوات صراخ أمام البيت. تمكّنت من تمييز صوتها المعدنيّ المرن، وصوت 'U' الخشبيّ المتجمّد كمسطرة. ثمّ فُتح الباب بعنف شديد، واندفع كلاهما إلى غرفتي، تماما كرصاصتين. وضعت '*i-330*' يدها على الأريكة ونظرت نحو المرأة الأخرى وكشّرت عن أسنانها كأنّها تبتسم. لكم كنتُ سأنزعج لو وُجّهت لي أيّ ابتسامة كهذه..

"اسمعني جيّدا" قالت *'i-330'* "أظنّ أنّ هدف المرأة من الحياة هو حمايتك منّي كأنّك طفل صغير. هل أنت موافق على هذا؟".

ثمّ ارتجفت خياشيم المرأة الثّانية وقالت "نعم، ما يزال طفلا، ولذا فهو عاجز على رؤية الخطر المحدق الذي تقودينه نحوه.. فقط لـ...كلّ هذا ليس إلاّ مجرّد مهزلة، ومن واجبي إيقافها".

لمحتُ في المرآة خطّ حاجبي المدمّر، وقفزت مهرولا محاولا كبح جماح نفسي بقبضتي الشعثاء، وحشر الكلمات بين أسناني. ولكنَّ الحروف انفجرت من فمي وشقّت الطريق مباشرة نحو خياشيمها "اخرجي من هنا! اغربي عن وجهي! حالا!".

انتفخت الخياشيم وأضحت كقرميد أحمر، ثمّ تقلّص حجمها وأصبحت رماديّة. ثمّ فتحت فمها ولكن لم يصدر منه أيّ صوت. فأغلقت الباب وغادرت دون أن تنطق بحرف واحد..

هرعتُ نحو *'i-330'* قائلا "لن أسامح نفسي على ما اقترفته أبدا.. كيف تجرّأتْ على قول هذا لك؟ ولكن أرجوك، لا تعتقدي أنّني قد أوافق أنّها.. كلّ هذا حصل لأنّها أرادت أن تسجّلني باسمها ولكنّني...".

"لحسن الحظّ أنّ وقت التّسجيل انتهى.. وإحقاقا للحقّ، لن يزعجني حتّى ولو وجدتُ مئات النساء مثلها. فأنا أعرف أنّك ستفضّلني عنهنّ جميعا.. وستصدّقني.. فبعد ما حصل البارحة أظنّ أنّك تعرف جيّدا أنّني أضحيت مِلك يديك تماما كما أردت.. وتستطيع في أيّ لحظة أن...".

"ماذا؟ أستطيع فعل ماذا في أيّ لحظة؟" ثمّ فهمتُ قصدها فتدفّق الدم نحو أذني وخدّيّ وصرختُ "لا تحدّثيني عن هذا! إيّاك أن تذكري لي هذا مجدّدا! ألا تدركين أنّ من كان معك هو الأنا الآخر.. الأنا القديم، أمّا الآن...".

"من يدري من تكون في الحقيقة؟ فالإنسان شبيه بالقصّة، يجب الوصول للصّفحة الأخيرة كي تعرف النهاية.. وإلاّ فما الفائدة من القراءة؟".

أصابني كلامها بسكتة دماغية.. لم أعد قادرا على رؤيتها، ولكنّني أدركت عبر نبرة صوتها أنّها تنظر للأفق البعيد، وأنّ عينيها مثبّتتان على منظر سحابة تطفو ببطء وسكون، تتّجه نحو العدم..

فجأة، دفعتني إلى الأمام بيدها وقالت بصوت حادّ رائع "اسمعني جيّدا. لقد أتيت لأخبرك أنّ هذه آخر أيّام تجمعنا. فقاعات الاجتماعات ستُغلق انطلاقا من اليوم؟".

"ستغلق؟".

"نعم، في طريقي إلى هنا، شاهدتهم يجهّزون شيئا ما في وسط القاعات.. رأيت طاولات وأطبّاء ببدلاتهم البيضاء و...".

"ماذا يعني هذا؟".

"لا أعرف. إنّه لأمر سيء، فجميعنا نجهل ما يحدث. أشعر أنّهم قد شغّلوا التيّار الكهربائيّ، ولذا فإن لم يحدث شيء من الآن إلى الغد.. فربمّا سيكون قد فاتهم الأوان".

سبق وأن أضعتُ منذ زمن طويل الخطّ الفاصل الذي يحدّد من 'هم' ومن 'نحن'.. لم أعد أعرف إن كنت أريدهم أن يتأخّروا ويفوتهم الأوان أم لا.. كلّ ما كنت أدركه هو أنّ '*i-330*' تمشي على حافّة جرف هارٍ وقد تقع في أيّ لحظة..

قلتُ "ولكن هذا ضرب من ضروب الجنون. أنتِ من جانب و.. الدولة المُوحَّدة من جـا.. إنّ هذا لأشبه باستخدام يدك لتكميم فوهة بندقية ومنع إطلاق النار.. هذا جنون!".

قالت مبتسمة "قال أحدهم البارحة إنّ على الجميع أن يُجنّ في أسرع وقت ممكن.. أتتذكر؟ هناك...".

نعم لقد دوّنتُ ذلك في سجلاّتي ممّا يعني أنّه حصل بالفعل.. لم أنطق بحرف، بل اكتفيتُ بالتّحديق في وجهها، الصّليب الدّاكن المرسوم عليه بات واضحا وجليًّا..

"حبيبتي '*i-330*'. قبل فوات الأوان... لو طلبتِ منّي رمي كلّ شيء ونسيانه، سأفعل ذلك.. وسنذهب معا هناك خلف السور حيث يعيش هؤلاء الذين أجهل من يكونون".

أومأت برأسها. فرأيت عبر نوافذ عينيها المظلمة الموقد المستعر في الدّاخل، رأيت اللّهيب يتصاعد والشّرر يتطاير، وأكوام الخشب الجافّة التي تنتظر دورها لتأجيج النّار. فأدركت أنّ الأوان قد فات، وأنّه لا فائدة ممّا أقول.. ثمّ نهضتْ وتأهّبت للرّحيل.. قد تكون هذه أيّامنا الأخيرة معا، بل حتّى الدّقائق الأخيرة، مسكتُ يدها..

"لا أرجوكِ.. فلتبقي قليلا...".

رفعتْ يدي الشعثاء صوب النّور، وهو أمرٌ أمقته، فحاولتُ جذبها ولكنّها أحكمت قبضتها عليَّ..

"انظر إلى يدك. أنت لا تعلم، معظم النّاس لا يعلمون أنّ هناك نساء من هنا. من هذه المدينة وقعوا في حبّ رجال من خارج السّور.. ربّما كنتَ أنت نفسك تحمل في دمائك قطرة أو اثنتين من دم الغابة المشمسة.. ربّما هذا هو السبب...".

ثمّ ساد سكون، والغريب في الأمر أنّ قلبي انتفض جرّاء هذا السكون وصرخت عاليا: "آه يا إلهي! أرجوك لا تذهبي الآن! لن تذهبي حتّى تخبريني من 'هم'؟ لأنّك تحبّينهم.. وأنا أجهل من هم ومن أين يأتون؟ من يكونون؟ هل هم نصفنا المفقود، هل هم الـ H_2 ونحن الـ O وإن جُمعنا معًا نُصبح H_2O.. وينجرّ عن انضمامنا لبعضنا البعض بحارٌ وشلّالات، وأمواج وعواصف؟".

أذكر كلّ حركة قامت بها بكلّ وضوح.. أتذكّر حملها للمثلّث الزجاجيّ من فوق الطاولة، وبينما كنتُ أتحدّث، كانت هي تضغط بحافّة المثلّث الحادّة على خدّها ممّا تسبّب في جرح أبيض مليء بلون ورديّ ثمّ تلاشى.. من المثير للدّهشة أنّني لا أذكر ما قالته، خاصّة في البداية، بل كلّ ما رسخ بذاكرتي هو صور وألوان متعدّدة..

أعلم أنّ ما يحصل له علاقة بحرب المائتي عام... هناك حمم من اللّون الأحمر تلطّخ العشب الأخضر والصلصال الدّاكن والثّلج الأزرق. شلّالات من الحُمرة التي لا تجفّ. الأعشاب المصفرّة التي أحرقتها الشّمس، والنّاس عراة، صفر، ومتّسخون، وبجانبهم كلاب متّسخة أيضا، وجثث كلاب منتفخة أو ربّما كانوا جثثا لبشر.. حدث كلّ هذا بطبيعة الحال خارج السّور، فمدينتنا هي من ربحت الحرب، ولذا توفّر لدينا الطعام المصنوع من النّفط الذي ربحناه كغنيمة..

وامتدّت طيّات ثقيلة متموّجة مصنوعة من مادّة مجهولة على طول المكان كأنّها تتدلّى من الجنّة نحو الأرض: إنّها أعمدة دخان بطيئة مترامية فوق الغابات وفوق القرى. صوت النعيق الأسود، الخطوط اللّامتناهية لأولئك النّاس الذين يجرون نحو المدينة ليتمّ إنقاذهم بالقوّة وتعليمهم السّعادة..

"هل كنتَ تعرف هذا كلّه تقريبا؟".

"نعم تقريبا".

"ولكنّك لا تدركه، بل القليل منكم يعرف أنّ مجموعة صغيرة استطاعت النجاة وواصلت العيش هناك في الجانب الآخر من السّور.. كانوا عراة فتوغّلوا في الغابة وتعلّموا قواعد الحياة من الأشجار والحيوانات والطيور والأزهار والشّمس. لقد أنبتوا معاطف صوفيّة تُغطّي ظهورهم، ولكنّهم احتفظوا بدمهم الأحمر الحامي تحت ذاك الصّوف. ما حصل لك أسوأ من هذا.. غلّفت الأرقام جسدك، وزحفت تجتاحك كالقمل.

كان عليكم جميعا نزع ثيابكم والتّوجّه للغابة.. عليكم تجربة إحساس الارتعاش من شدّة الخوف ومن شدّة الفرح ومن جرّاء الحنق والبرد.. عليكم تعلّم تقديس النّار والصلاة لها.. ونحن Mephi.. نحن نريد..".

"انتظري، هل قلت للتّوّ Mephi؟ ما هو الـ Mephi؟"

"Mephi هو اسم قديم.. Mephi هو من... أتذكُر صورة الشّاب التي عُلّقت على الصخرة أو دعني أفسّر لك هذا بلغتك لتفهم سريعا.. هناك قوّتان في العالم: قوّة التحوّل وقوّة الطّاقة.. إحداهما تؤدي إلى الهدوء والسكينة والتوازن، في حين تؤدي الأخرى إلى اختلال التوازن وعذاب الحركة الدائمة.. أسلافنا أو بالأحرى أسلافكم القدامى، المسيحيون، عبدوا التحوّل كما عبدوا الربّ.. أمّا نحن أعداء المسيحيين فقد...".

وفي هذه اللّحظة بالذات، قُرع الباب قرعة أقرب للهمس بالكاد تُسمع، وهرع إلى الغرفة الرقم نفسه ذو الوجه المسطّح والجبين الممتدّ كمظلّة فوق العينين.. ذاك الذي حمل لي دائما رسائل *'i-330'*. قَدِم يركض نحونا ثمّ توقّف يلهث كمضخّة هواء وعجز عن الكلام.. من الواضح أنّه كان يجري بأقصى سرعته..

مسكته *'i-330'* من ذراعه بقوة "أخبرني بسرعة، ما الذي يحدث؟"

وأخيرا نطقت المضخّة "إنّهم يتّجهون إلى هنا.. الحرّاس قادمون ومعهم ذاك الأحدب".

"S؟"

"نعم. إنّهم هنا في الأسفل، وقد يكونون هنا في أيّة لحظة.. أسرعوا هيّا".

"هدّئ من روعك.. ما زال أمامنا وقت كاف" وابتسمت وتطاير الشرر من عينيها كألسنة صغيرة من اللّهب.. لم يكن هذا سوى موقف شجاع لاعقلانيّ وغبيّ أو شيء آخر أجهله على وشك أن يقع..

"أرجوكِ *'i-330'* بحقّ حامي الحِمى. عليك أن تفهمي أنّ.. هذا".

لمع مثلّث ابتسامتها الحادّ "بحقّ حامي الحِمى؟".

"حسنا.. لأجلي أنا إذن.. أرجوكِ".

"آه بالمناسبة، هناك أمر آخر عليَّ إخبارك به، ولكن لا تهتمّ.. يمكن تأجيله للغد".

أومأت لي بفرح (نعم بفرح) وأومأ لي الرقم الآخر أيضا من تحت جبينه ثمّ غادرا وبقيت وحيدا..

جلست حذو طاولتي سريعا وفتحت سجلاّتي، ثمّ تناولتُ قلمي. أردت إيهامهم أنّني أعمل لصالح الدولة المُوحَّدة، وفجأة وقف شعر رأسي كلّه مرّة واحدة "ماذا لو تصفّحوا ما دوّنته وقرأوا صفحةً منه.. خاصّة واحدة من الصفحات الأخيرة؟".

جلستُ عند الطاولة بلا حراك وشعرتُ أنّ الجدران ترتعش، والقلم الذي بيدي يرتجف أيضا، والحروف تتموّج وتمتزج معا.. هل أخبّئهم؟ ولكن أين سأخبّئهم؟ إنّ كان كلّ شيء مصنوعا من زجاج؟ هل أحرقهم؟ ولكن ماذا إن لمحني أحدهم من الغرف المجاورة؟ ثمّ إنّني لا أقدر على تدميرهم. لا أقوى على محو هذا الجزء المؤلم من ذاتي. هذا الجزء الذي قد يتحوّل فيما بعد إلى قطعة نادرة وذات أهميّة. سمعتُ وقع خطوات عند الممرّ ولم أتمكّن سوى من القبض على بضع صفحات، دسستها تحتي والتحمتُ بالكرسيّ الذي كانت كلّ ذرّة منه ترتجف من تحتي، والأرض تميد وتعلو تحت قدمي كسطح سفينة. تكوّرت على نفسي واختلستُ النّظر إليهم وهم يتنقّلون من غرفة إلى أخرى بدءًا من الطرف الأيمن للممرّ ويقتربون منّي رويدا رويدا.. كان البعض متجمّدا في مكانه مثلي، في حين قفز آخرون مرحّبين بهم وفاتحين لهم الأبواب على مصراعيها.. يا لهم من محظوظين.. آه لو..

"حامي الحِمى هو التّعقيم المثاليّ الضروريّ للإنسانيّة الذي يقضي تماما على أيّ انبعاج قسري في جسم الدولة المُوحَّدة" كنتُ أضغط على قلمي ليخرج هذا الهراء اللاّمنطقي وأنثره ليملأ الورقة، وأنحني أكثر فأكثر على الطاولة بينما يهوي حدّاد بسندانه على رأسي. وفجأة، سمعت مقبض الباب يفتح خلفي، تلاه هبوب ريح عاصفة، وبدأ الكرسيّ يتراقص من تحتي..

تمكّنت بصعوبة بالغة من الانفصال عن الأوراق واستدرتُ لمواجهة هؤلاء الذين اقتحموا منزلي (ما أصعب أن أمثّل أنّني جزء من هذه المهزلة.. من حدّثني اليوم عن كلمة مهزلة؟) إنّه 'S' ينخرني بنظرته القاتمة السريعة الصامتة، وينخر الكرسيّ وحتّى الأوراق المتكدّسة تحتي، ثمّ تلته بعض الوجوه المألوفة الواقفة في مدخل الغرفة، وتمكّنت من تمييز وجه من بينهم. إنّها صاحبة الخياشيم المنتفخة الورديّة والمائلة إلى اللّون البنيّ.. تذكّرت ما حدث منذ حوالي نصف ساعة في هذه الغرفة بالذّات، وكان من الواضح أنّها قد.. انتفض جسمي بأكمله واشتدّ نبض الجزء الذي أخفي تحته السِّجلاّت (مؤخّرتي التي لم تكن شفّافة لحسن الحظّ).

وقفت 'U' خلف 'S' ولمست طرف زيّه الموحّد بحذر وقالت بهدوء "هذا هو 'D-503' صانع "الأنتغرال".. لقد سمعتَ عنه دون شكّ.. إنّه ينكبُّ دوما على مكتبه بهذه الطريقة ولا يرحم نفسه أبدا.. ".

أمّا أنا فندمت لتشكيكي في هذه المرأة الرائعة المذهلة.. انزلق 'S' ووقف عند كتفي.. حاولت إخفاء الورقة بمرفقي ولكنّه صرخ بشدّة "أرني ما تكتب حالا"..

سلّمته الورقة وأنا أشعر بالخزي والعار، فقرأها ثمّ انبثقت ابتسامة من عينيه وانحدرت تغمر وجهه ثمّ ارتسمت على الجانب الأيمن لفمه..

"إنّها تبدو غامضة بعض الشيء، ولكن رغم ذلك استمر. لن أزعجك مجدّدا.. ثمّ خرج وأقفل الباب وراءه. ومع كلّ خطوة يخطوها مبتعدا، كنت أستعيد التحكّم في قدمي وأصابعي ويديّ رويدا رويدا. وعادت روحي لتسكن بدني تدريجيّا، واسترجعتُ أنفاسي.. ثمّ ظلّت 'U' في غرفتي لبعض الوقت، ودنت منّي وهمست في أذني "أنت محظوظ لأنّني.."".

لا أدري ما قصدته بالضبط، وسمعت لاحقّا في المساء أنّه قد قُبض على ثلاثة أرقام.. عليَّ أن أنوّه أن لا أحد تحدّث عن هذا بصوت عال (هذا من تأثير الحرّاس المندسّين بيننا). تمحورت غالبيّة أحاديثنا حول حركات مقياس الضّغط الجويّ وحالة الطّقس..

السِجلّ التّاسع والعشرون

خيوط على الوجه

براعم

ضغط غير طبيعيّ

من الغريب أن يتحرّك مقياس الضّغط الجويّ في حين أنّ الريح لم تهبّ بعد.. لا يوجد شيء غير السكون. لقد بدأت العاصفة بالفعل هناك في الأعلى حيث نعجز عن سماع أيّ شيء. وبدأت الغيوم الممطرة تتسارع.. أمّا الآن، فلا يوجد الكثير من السّحب.. مجرّد شظايا مسنّنة متشرّدة... يبدو المشهد كمدينة دُمّرت فتطايرت الجدران والأبراج، وطفقت تتكدّس في الأعلى وتقترب تدريجيّا، ولكن ما زالت تنعم بأيّام من العدم الأزرق قبل أن تتساقط تلك الأشلاء على الأرض وتحلّ بيننا..

يعمّ الهدوء هنا في الأسفل.. خيوط صغيرة وغامضة وغير مرئيّة في الهواء.. إنّها تطفو نحونا قادمة من خريف ما، من هناك.. من وراء السور. فجأة، تشعر أنّ هناك شيئا غريبا غير مرئيّ على وجهك.. فتحاول إزالته ولكنّك تفشل في ذلك. ما من طريقة لمحوه.. لاحظت أنّ هذه الخيوط تتزايد بطريقة غير اعتياديّة قرب السّور الأخضر عندما مررت من هناك صباحا.. طلبت منّي *'i-330'* أن أوافيها في شقّتنا عند المتحف القديم.. كنتُ على مقربة من البيت (العازل للرؤية والذي يعتليه الصّدأ الأحمر) حين تناهى إلى مسامعي خطوات أحدهم الصغيرة المتسارعة وصوت لهيثه. التفتُّ لأرى 'O' تسرع محاولة اللّحاق بي..

كانت تبدو مميّزة.. مُدوّرة وفي غاية النّعومة.. ذراعاها وثدياها وجسمها كلّه الذي أحفظ تفاصيله عن ظهر قلب مُدوّر، مما جعل زيّها الموحّد يتمطّط، وبدا أنّه قد يتمزّق في أيّ لحظة ليخرج كلّ شيء إلى الشّمس وإلى النور.. في فصل الربيع شاهدت ذات

مرّة في الغابة الخضراء براعم تشقّ طريقها عبر الأرض بكلّ عناد وتسرع لتنبت أغصانا وبتلات وتزهر بأقصى سرعة..

ظلّت صامتة للحظة وأشرقت زرقة عينيها لتغمر وجهي.

"لقد رأيتكَ يوم المصادقة بالإجماع".

"لقد رأيتكِ أنا أيضا" وتذكّرت فجأة وقوفها في الممرّ الضيّق حين كانت تستند إلى الحائط وتغطّي بطنها بيديها.. لم أتمكّن من منع نفسي من التّحديق في بطنها المكوّر تحت زيّها الموحّد.. أظنّها لاحظت ذلك، فقد أصبحت ورديّة بالكامل، وابتسمت لي ابتسامة وردية "أنا في غاية السّعادة، أنا فرحة جدّا، أترى.. أنا ممتلئة للغاية.. عندما أسير لا أسمع شيئا ممّا يدور حولي.. كلّ ما أسمعه هو ما يجري في داخلي..".

لم أنبس بحرف. هناك شيء ما على وجهي يزعجني ولم أستطع مسحه. ثمّ فجأة أمسكت يدي وأحسستُ بشفتيها تقبّلانها– وعيناها ما تزالان تشعّان- كانت هذه أوّل مرّة يحصل لي فيها أمر كهذا، هذا نوع من المداعبة المجهولة التي يستعملها القدامى وأشعرني هذا بالألم والعار، فجذبت يدي (ربمّا جذبتها بعنف قليلا)..

"هل فقدتِ صوابك؟ وليس أنت فقط.. بل جميعكم.. ما الذي يُسعدك لهذه الدرجة؟ أرجوكِ لا تخبريني أنّك تنسين المصير الذي ينتظرك؟ ربمّا لم يحدث شيء الآن، ولكن في غضون شهر أو شهرين سيحدث ذلك بالطبع".

انطفأت كالشمعة. كلّ الدوائر التي صَنَعَتها بدت فجأة غير متوازنة ومشوّهة.. أمّا أنا فانقبض قلبي ألما، وأحسستُ بضغط مزعج متعلّق بالإحساس بالشفقة (هذا هو القلب، مجرّد مضخّة مثاليّة تمتصّ سائلا ما وتضخّه، إنّه لخطأ تقنيّ أن تقوم المضخّة بالضغط أو الانكماش، وهذا ما يفسّر سخافة هذه الأمراض المزمنة كالـ "حبّ" والـ "شفقة" أو أيّ شيء يُفرزه هذا الضغط).

ثمّ ساد الصمت والسكون. كان الزجاج الأخضر الدّاكن على يسارنا والكتلة الحمراء القانية أمامنا. كان هذان اللونان يلتحمان ويندمجان في داخلي لينتجا شيئا: وهذا ما كنت أعتبره فكرة رائعة.

"أظنّ أنّني أعرف كيف أنقذك.. باستطاعتي إنقاذك، وعليه، فلن تضطرّي إلى إلقاء نظرة واحدة على الرضيع قبل موتك، بل ستتمكّنين من إرضاعه.. ستشاهدينه يترعرع بين ذراعيك وينمو مستديرا وينضج كالفاكهة".

ارتعش جسدها كلّه وتمسّكت بي.

"أتذكرين تلك المرأة التي رأيتني معها منذ زمن في وقت النزهة؟ حسنا إنّها موجودة هنا في المتحف القديم، فلنذهب إليها وأعدك أنّها ستجد حلاً على الفور".

تخيّلتُ فورا مشهدا يضمّ ثلاثتنا: أنا وهي و'*i-330*'.. نعبر الممرّات ونتّجه حيث توجد الزهور والعشب وأوراق الأشجار. ولكنّها خطت خطوة للخلف وارتجف الهلال الورديّ وتقوّس للأسفل.. وقالت "أنت تتحدّث عنها.. هي؟".

"عنها؟" شعرتُ بالخجل لسبب أجهله "بالطبع أنا أتحدّث عنها؟"

"إذن تريد منّي الذهاب إلى تلك المرأة وتريدني أن أطلب منها..؟ لا تذكر اسمها أمامي مجدّدا!".

تكوّرت على نفسها وسارعت بالابتعاد عنّي ثمّ استدارت كأنّما نسيت أمرا ما وصاحت "إذا كنت سأموت. فليكن! هذا ليس من شأنك.. لمَ تهتم لأمري؟".

عمّ الهدوء وتواصل تساقط أشلاء الجدران والأبراج الزرقاء وتكدّسها أمام أعيننا بسرعة فائقة، ولكن ما زالت أمامهم ساعات، بل أيام ليحلّقوا عبر اللّانهاية... الخيوط المرئيّة تطفو بجانبك، وتستقرّ على وجهك، ولا يمكنك محوها أو التّخلّص منها..

واصلتُ طريقي ماشيا ببطء نحو المتحف القديم، وقلبي يحمل ذاك الضّغط العبثيّ المؤلم.

السِجلّ الثلاثون

الرقم الأخير

خطأ غاليليو

ألا يكون هذا أفضل؟

إليكم الحوار الذي دار بيني و'i-330' البارحة في البيت القديم وسط أعمال الشغب المليئة بالألوان، بالأحمر والأخضر والبرونزيّ والأبيض والبرتقاليّ.. ضجيج مختلط حجب تسلسل التفكير المنطقيّ.. وظللنا نتحاور تحت ظلّ الابتسامة المتجمّدة للشّاعر الأفطس القديم.. سأعيد على مسامعكم الحوار بالحرف الواحد لأنّني أوّلا أظنّ أنّه سيكون له وقع كبير على مصير الدولة المُوحَّدة، لا بل على مصير الكون بأسره، وثانيا، أنقله لكم أعزّائي القرّاء المجهولين لعلّكم تلتمسون لي عذرا..

لم تُضِع *'i-330'* لحظة أخرى بل انفجرت قائلة "أعرف أنّكم ستقومون بإجراء رحلة تجريبيّة للـ "أنتغرال" بعد غد، وسننتهز نحن الفرصة لتسلّم القيادة".

"ماذا؟ بعد غد؟".

"نعم.. اجلس ولا تتحمّس كثيرا، فلا وقت لدينا لنضيّعه. قام الحرّاس بالقبض على اثني عشر فردا بطريقة عشوائيّة من بين آلاف الـ Mephi إن لم نتحرّك خلال يومين أو ثلاثة فستتمّ تصفيتهم.

لم أقل حرفا واحدا.

"سيقومون بمراقبة سير الرحلة التجريبيّة، سيرسلون لك أخصّائي كهرباء وأخصّائي ميكانيك وأطبّاء، وأخصّائي أرصاد جويّة.. تذكّر جيّدا في تمام السّاعة 12 حين يدقّ جرس الغداء ويذهب الجميع لتناول غدائهم، سنكون خلف الممرّ وسنحتجزهم في غرفة الغداء وسنستحوذ على "الأنتغرال".. سيصبح مِلكنا.. عليك أن تدرك أنّ هذا

هو ملاذنا الوحيد مهما حدث.. سيكون "الأنتغرال" مِلكنا وسنتمكّن عبر امتلاك سلاح بهذا الحجم من إنهاء كلّ شيء بسرعة ومن دون ألم. ستبدو طائراتهم مجرّد مزحة ظريفة أمام الأنتغرال، تماما كمجموعة بعوض يواجهون طائر الصرد، إن اقتضى الأمر سنستغلّ فوّهات المحرّك وسنقوم بالقضاء عليهم..

قفزتُ من مكاني مذعورًا "هذا مستحيل.. هذا غباء.. ألا تَريْن أنّك توحين إلى القيام بثورة؟".

"نعم، ثورة، لِمَ تَعدُّ هذا غباءً؟".

"نعم غباء. فلا مجال لحدوث ثورة هنا. لأنّ ثورتنا، ثورتنا نحن، -وأنا الذي أقول هذا لا أنتِ- هي آخر الثورات.. من المستحيل القيام بثورة بعدها. الكلّ يعلم ذلك".

قطبتْ حاجبيها، وتشكّل ذاك المثلّث الحادّ السّاخر "عزيزي.. أنتَ عالِم رياضيّات، بل أنتَ فيلسوف رياضيّات، ولذا أجبني عن هذا السؤال: ما هو الرقم الأخير؟".

"ماذا؟ لم أفهم. أيّ رقم أخير؟".

"آخر رقم ممكن.. أكبرُ رقم يُمكن تخيُّله.. خاتم الأرقام..".

"ولكن هذا غباء يا *'i-330'*.. الأرقام لا نهاية لها، فكيف يمكن أن يوجد رقم أخير؟".

"لمَ توجد إذن ثورة أخيرة؟ إنّها ببساطة، غير موجودة. فعدد الثورات أيضا لا نهاية له. الثورة الأخيرة خدعة مُوجّهة للأطفال، فهم وحدهم تُفزعُهم اللّانهاية، ومن المهمّ أن نُطمئنهم -عبر تقديم نهاية لهم- كي يناموا نوما هنيئا".

"ولكن ما المغزى من كلّ هذا؟ ما الهدف من ورائه؟ باسم حامي الحِمى، ما الفائدة التي تُرجى من هذا إن كان الجميع سعداء وراضين بما هم عليه؟".

"حسنا لنفترض أنّك على حقّ. ثمّ ماذا سيحدث؟".

"هذا سخيف.. سؤالك طفوليّ وتافه.. فالأطفال، حتّى بعد سماعهم للحكاية والوصول لنهايتها، يتساءلون: ثمّ ماذا؟ ما الذي سيحدث؟".

"الأطفال هم أجرأ الفلاسفة على الإطلاق. والفلاسفة الجريئون يظلّون أطفالا على الدوام.. ولذا فأنت محقّ.. كان سؤالي طفوليّا ثمّ ماذا سيحدث؟".

"ثمّ العدم! النهاية.. الكون متوازن ومقسّم بالتساوي".

"آها.. مقسّم بالتساوي.. نحن نتحدّث الآن عن التحوّل.. التحوّل النّفسيّ.. أنت عالم رياضيات ولا تدرك جيّدا أنّ هناك اختلاف في درجات الحرارة؟ وفي حالة المناخ التي تحدّد نوعيّة الحياة؟ إن كان جميع النّاس في العالم دافئين أو كان جميعهم باردين فعليك دمجهم لتندلع النار.. سيحصل انفجار وستفتح بوّابة الجحيم.. وسنقوم بسحقهم..".

"ولكن يا *'i-330'* تتذكّرين جيّدا أنّ هذا بالضبط ما قام به أسلافنا خلال حرب المائتي عام".

"كم كانوا محقّين في فعلتهم تلك.. ولكنّهم ارتكبوا خطأ واحدا: ظنّوا أنّهم هم الرقم الأخير- الذي لا وجود له أصلا- خطؤهُم شبيه بخطأ غاليليو.. لقد كان محقّا في اكتشاف أنّ الأرض تدور حول الشّمس، ولكنّه لم يكتشف أنّ النّظام الشّمسيّ بأسره يدور حول مركز آخر.. فشل في اكتشاف المدار الحقيقيّ، غير النّسبيّ للأرض، الذي لا يتعدّى كونه مجرّد دائرة ساذجة".

"وأنتم؟".

"نحن كنّا نعرف طوال الوقت أنّه لا وجود لرقم أخير، ولكنّنا ربّما سننسى هذا.. لا بل سننساه بالتّأكيد حين نشيخ، تماما كما يصاب كلّ ما حولنا بالطبع بالشيخوخة.. سنتساقط نحن أيضا تماما كما تتساقط أوراق الشجر في الخريف، وهذا ما سيحدث بعد غد.. ولكن لا.. لا يا حبيبي فأنت الآن معنا.. أنت معنا".

احتضنتني كزوبعة ساخنة لامعة لم أعهد لها مثيلا من قبل، والتفتُّ حولي فذبت فيها.. وكان آخر ما قالته لي وهي تنظر في عيني مباشرة "لا تنس غدا على السّاعة 12".

قلت "نعم لن أنسى" ثمّ غادرت وتركتني وحيدا في خضمّ الأصوات الصاخبة: أزرق وأخضر وأحمر وبرونزيّ وبرتقاليّ.

نعم، على السّاعة 12سيطر الشعور المجنون الغريب عليَّ، وظهر على وجهي ولم أستطع محوه.. وفجأة تذكّرت كيف كانت 'U' تصرخ على *'i-330'* هذا الصباح.. لماذا؟ يا للعبث.

وركضت إلى الخارج بأقصى سرعة، وكلّ ما أردته هو الوصول إلى بيتي. ومن خلفي، تعالى النّعيق الثّاقب للطيور التي تحلّق فوق السّور، رأيت أمامي تحت أشعّة الشّمس الكريستاليّة القرمزية كلّهيب النّار، القبب ومكعّبات المباني الضخمة الملتهبة،

وعمود برج التجمّع كالبرج المتجمّد في السّماء.. يا لهذا الجمال المعماريّ الهندسيّ الذي لا تشوبه شائبة.. أنا الذي سأقترف هذا الجرم بكلتا يديّ... لا أستطيع أن أصدّق أنّه لا وجود لمخرج آخر أو حلّ آخر.

مررتُ بجانب القاعة التي نسيت رقمها. في الداخل، المقاعد متراكمة والطاولات مغطّاة بأقمشة بيضاء كالثلج، موضوعة في الوسط، وهناك بقعة من دم الشّمس على بياض الأقمشة. كلّ هذا مغلّف في انتظار الغد المجهول، والمخيف أيضا، إذ لا أعرف عنه شيئا.. إنّ هذا لمخالفٌ للطّبيعة، فمن اللاّمعقول أن يعيش مخلوق مثقّف ومفكّر مثلي بين الأضداد والأشياء المجهولة والـ 'X'.

تخيّل لو أغمضوا عينيك بعصابة وأجبروك على المشي عبر تحسّس الطّريق، عليك مواصلة دربك وأنت تتعثّر، وتدرك جيّدا أنّك على بعد سنتيمترات من الحافّة.. وما هي إلاّ خطوة بعد، وتصبح مجرّد كومة لحم ميّت عفن ملتصقة بالأرض. أليس هذا بالضبط ما أقوم به؟

ماذا لو مللتَ الانتظار؟ ماذا لو ألقيتَ بنفسك من الحافّة؟ ألا يكون ذلك الحلّ الأفضل الذي ستُحلّ به كلّ الأمور؟

السِجلّ الحادي والثلاثون

العمليّة الرائعة

لقد صفحت عن كلّ شيء

حطام القطار

نجوتُ في اللحظة الأخيرة.. حين فقدت الأمل في التشبّث بشيء ينقذني... حين خُيّل لي أنّ كلّ شيء انتهى..

بدا الأمر كما لو أنّني خطوت خطوات في اتّجاه آلة حامي الحِمى الفظيعة.. وقَرع الجرس البلوريّ قرعته العنيفة وأسرعتُ بالنظر حولي لآخر مرّة محاولا أن أبتلع ما تيسّر من زرقة السّماء،

وفجأة، أستيقظ لأكتشف أنّني كنت أحلم..

الشّمس ما تزال ورديّة وسعيدة، والجدار البلوريّ ما يزال هنا.. ابتهجتُ لأنّني ما زلتُ قادرا على أن أمرّر يدي على سطح الجدار البارد الأملس.. والوسادة.. آه لا أستطيع أن أشيح بصري عن الأثر الذي خلّفه رأسي على الوسادة.

هذا بالضبط ما شعرت به حين قرأت الصحيفة الوطنيّة صباحا.. عشت كابوسا مخيفا وها قد انتهى.. وأنا.. أنا الجبان ذو الإيمان الضعيف فكّرت في الانتحار.. أشعر بالخجل حين أقرأ ما كتبته البارحة.. حسنا فليكن: فلتكن هذه الأسطر شاهدا على ذاك الحدث المريع الذي أوشك على الوقوع ولكنّه لم يحدث ولن يحدث.

إليكم العنوان الأبرز على الصفحة الأولى من الصحيفة الوطنيّة

ابتهجوا!

أنتم من اليوم فصاعدا مثاليون.. فحتّى اليوم كانت الآلات (أبناؤكم) أكثر كمالا منكم..

165

بأيّ معنى؟

كلّ شرارة تنبعث من الآلة الديناميكية الكهربائية هي شرارة وعي خالص.. كلّ دورة من دورات المكبس هي قياس منطق حتميّ، ولكن ألا تخبّؤون في دواخلكم أنتم أيضا هذا العقل الخالص؟

فلسفة الرافعات والمكابس والمضخّات هي فلسفة واضحة ومثالية شبيهة بدائرة رسمها البركار. ولكن هل تقلّ فلسفتكم مثاليّة عنها؟

إنّ جمال الآلات يكمن في دقّتها وثبات إيقاعها، تماما كرقّاص السّاعة.. ولكن أنتم الّذين تغذّيتم منذ طفولتكم على النظام التايلوريّ، أتقلّون مثاليّة عن رقّاص السّاعة؟

فكّروا معي مليّا:

الآلات لا تملك مخيّلة..

هل سبق أن شاهدتم خلال عملكم ابتسامة بلهاء حالمة تصدر عن مضخّة أسطوانيّة؟ هل سبق أن سمعتم الرافعات تدندن أو تتنهّد ليلا أثناء الساعات المخصّصة للراحة؟

لا!

ولكن عليكم أن تشعروا بالخزي، فالحرّاس أصبحوا يدوّنون أنّكم تبتسمون وتتنهّدون أكثر فأكثر مؤخرا. عليكم أن تُخفوا أعينكم ووجوهكم خجلًا، فمؤرّخو الدولة الموحَّدة فضّلوا الاستقالة على تدوين أحداث مخجلة كهذه..

ولكن لا لوم عليكم.. أنتم مرضى وعلّتكم تُدعى:

الخيال.

هذه هي الدودة التي تنخر التجاعيد السوداء فوق جباهكم.. هذه هي الحُمّى التي تدفعكم بعيدا.. نحو مكان لا تصل إليه السّعادة.. هذا هو الحاجز الوحيد الذي عجزت السعادة عن تخطّيه..

ولكن ابتهجوا: فقد دُمّر بالكامل .

أصبح الطريق خاليا من الحواجز..

إليكم آخر اكتشافات علوم الدولة المُوحَّدة: يتمركز الخيال في عقدة دماغية صغيرة بائسة في منطقة 'جسر فارول' the pons Varolii وكلّ ما علينا هو معالجة تلك المنطقة باستعمال جرعات من الأشعّة السينيّة على مدى ثلاثة أيّام، وستُشفى من هذا الدّاء نهائيّا.

للأبد.

أنت كامل. أنت مساوٍ للآلة.. الطريق نحو تحقيق مائة بالمائة من السّعادة مفتوح كلّيا أمامك، أسرعوا جميعكم شيبا وشبابا للخضوع إلى هذه العمليّة العظيمة، توجّهوا بسرعة نحو الغرف حيث تُجرى العمليات..

فلتحيَ العملية العظيمة! فلتحيَ الدولة المُوحَّدة! فليحيَ حامي الحِمى!

أنتم –آه لو تقرؤون كلّ هذا في مكان آخر غير سجلاّتي الشبيهة برواية قديمة غريبة الأطوار- لو أنّ هذه الورقة التي تفوح منها رائحة الحبر الطازج ترتعش بين أيديكم كما بين يديّ الآن.. لو أدركتم مثلي أنّ هذه هي الحقيقة المطلقة تماما كما أدركت أنا الآن، وإن لم تكن حقيقة صالحة لليوم فهي صالحة بدون شكّ للغد.. هل كنتم ستشعرون بما أحس به الآن؟

أكنتم شعرتم مثلي بالدوّار؟ أكنتم شعرتم بهذه القشعريرة الحلوة المخيفة والمقدّسة تزحف على أذرعكم وعند أسفل ظهوركم.. ألا تعتقدون فجأة أنّكم عمالقة كالأطلس العظيم وأنّكم إن نهضتم من مكانكم فستصطدم رؤوسكم بالسّقف الزجاجيّ الهشّ؟

تناولت الهاتف "*'i-330'* نعم نعم *'i-330'*" ثمّ اختنق صوتي "من الجيّد أنّك في المنزل، هل قرأت... تقرئين المقال؟ أليس هذا مدهشا؟"

"نعم!" ثمّ ساد صمت قاتم، وسمعت بالكاد صوتها عبر السمّاعة وفهمت أنّها تفكّر في شيء ما.. "يجب أن أراك اليوم.. تعال إلى منزلي على السّاعة 16 ولا تتأخّر".

حبيبتي.. حبيبتي الغالية

"لا تتأخّر".

لم أتمالك نفسي فابتسمت.. سأضطرّ الآن إلى حمل هذه الابتسامة على وجهي عبر الشوارع كمشعل مرفوع فوق رأسي.

ضربتني الرياح القويّة في الخارج.. كانت تلتوي وتصفر بقوّة ولكنّها زادت من سعادتي. أيّتها الرياح فلتزمجري أو فلتعوي.. هذا لا يعنيني.. السحب الرمادية من فوقي تتسارع بعنف.. فلتتكدّسي أيّتها السحب، لن تتمكّني أبدا من إخفات نور الشّمس، لقد ربطناها بسلسلة أبديّة.. نحن أحفاد يَشُوعُ بْنُ نُونٍ..

رأيت مجموعةً صغيرة من أحفاد يَشُوعٍ بْنِ نُونٍ عند الزاوية يضغطون على الجدار الزجاجيّ بجباههم. وفي الداخل لمحت أحدهم متمدّدا بطواعية على الطاولة البيضاء..

تمكّنت عبر ذلك البياض الناصع من رؤية باطن قدميه العاريتين المفتوحتين لتشكّلا زاوية صفراء.. كان المسعفون البيض مُنكبّين فوقه، وكانت كلّ يد بيضاء تمرّر لليد الأخرى حقنة مليئة بدواء مّا..

وأنت؟ لمَ لم تذهب؟' لم أوجّه سؤالي لفرد بعينه بل وجّهته ربمّا لهم جميعا.. استدار نحوي رأس كرويّ قائلا "ماذا عنك؟".

''سأذهب لاحقا أما الآن فعليَّ أن..." أحسست بالخجل وغادرت المكان، يجب أن أذهب لرؤية '*i-330*' أوّلا.. ولكن لحظة لمَ "أوّلا"؟ لم أستطع الإجابة عن هذا السؤال..

في الحظيرة، يلمع "الأنتغرال" الأزرق الجليديّ الشاحب متلألئا. والمحرّك يهدر في مقصورته ويردّد مرارا وتكرارا، بكلّ حبّ، البعض من كلماتي.. أو أنّ هذا ما أحسست به على الأقلّ، ثمّ انحنيت وربّتُّ بيدي على أنبوب المحرّك الطويل البارد.. حبيبي.. حبيبي الغالي.. ستولد غدا.. غدا ولأوّل مرّة في حياتك، سترتعش من هول الشرارات الناريّة الحارقة في أحشائك..

كيف أمكنني النظر إلى هذا الوحش الزجاجيّ العظيم كأنّ شيئا لم يكن؟ كيف أمكنني هذا إن كنت سأقوم غدا بخيانته.. نعم، سأخونه؟

أحسست بلمسة حذرة على كوعي.. فالتفتّ لأجد الوجه المستدير كالصّحن للصّانع الثاني.

قال "بالطبع أنت تعرف..".

"ماذا؟ العملية؟ ماذا عنها؟ ما رأيك؟ كيف حُلّ الأمر كلّه دفعة واحدة هكذا؟".

"لا.. لم يكن هذا ما قصدت. لقد أُجّلت الرحلة التجريبيّة بسبب هذه العمليّة إلى ما بعد غد.. لقد استعجلنا وعملنا بكدّ عبثا".

"بسبب العمليّة" يا له من إنسان مضحك محدود التفكير. إنّه لا يرى أبعد من حافّة وجهه المسطّح. لو علم فقط أنّه لولا هذه العمليّة لكان محبوسا في قفص زجاجيّ غدا، ولكان يحاول عبثا فكّ أسره عبر تسلّق الجدران..

إنها السّاعة 15:30 وها أنا قد عدت لغرفتي. عدتُ لأجد 'U' جالسة على طاولتي كصورة عاجية صلبة ومستقيمة، وخدّها الأيمن يستند إلى راحة يدها.. لا بدّ أنّها تنتظرني منذ زمن، فحين هبّت للترحيب بي، لمحت آثارا مجعّدة خلّفتها أصابعها الخمسة على خدّها.. وداهمتني ذكرى ذاك الصباح المؤسف حين كنّا في المكان نفسه

هنا.. بجانب الطاولة.. كانت هي تقف بجانب '*i-330*' وكنت أنا أستشيط غضبا.. ولكنّ هذه الذكرى لم تدم أكثر من ثانية واحدة، فقد مَحتها شمسُ هذا اليوم..

هذا ما يحصل تماما حين تدخل غرفة مضاءة بأشعة الشّمس المشرقة وتقوم بإشعال النور من دون تفكير. المصباح سيشعّ بنوره، ولكنّه سيبدو خفيّا.. سيكون نوره غبيّا خافتا وعديم الفائدة..

مددت لها يدي من دون تفكير.. طالبا الصفح والغفران، فأمسكت كلتا يديّ في قبضتها الشائكة والقوية، بينما ارتعش خدّاها بتأثر كالحليّ القديمة وقالت "لقد كنت أنتظرك منذ مدّة.. لقد أتيتُ للحظة فقط.. أردت فقط أن أعبّر عن مدى سعادتي وغبطتي لما حدث لك.. فغدا أو بعد غد ستشفى تماما كأنّك ولدت من جديد"

لمحت أوراقا على الطاولة.. إنّهما آخر صفحتين كتبتهما البارحة في سجلّ مذكّراتي. كانتا هناك حيث وضعتهما البارحة. ماذا لو أنّها قرأت ما كتبت؟ فليكن، الأمر سيّان.. أصبح كلّ هذا جزءا من الماضي البعيد المضحك، تماما كمشهد أراه عبر المنظار في آخر نقطة على الأرض.

قلت "بالطبع.. أتعرفين، لقد شاهدت بينما كنت مارّا، رجلاً يُلقي بظلّه على الرصيف، وبدا لي أن الظلّ يلمع ويشعّ.. ثمّ قلت لا.. لن يكون هناك ظلال لأشخاص أو أشياء ابتداء من الغد.. ستخترق الشّمس كلّ شيء".

قالت بمزيج من اللطف والصرامة "أنت تهذي وتتخيل أمورا غير صحيحة.. أنا لا أسمح للأطفال في المدرسة أن يتحدّثوا عن أمور كهذه".

ثمّ واصلت حديثها عن الأطفال وحدّثتني كيف حملتهم دفعة واحدة نحو غرف العمليّات وقيّدتهم من دون رحمة أو شفقة.. فالحبّ هو انعدام الرحمة.. وأخبرتني كيف ستقرّر في نهاية المطاف أن..

عدّلت القماش الأزرق الرماديّ بين ركبتيها وأهدتني ابتسامة غامرة ثمّ غادرت من دون أن تكمل.. لحسن الحظّ، لم تكن الشمس بطيئة اليوم، بل كانت تتحرّك بسرعة، ها هي السّاعة الرّابعة.. وها أنا أدقّ الباب وقلبي يخفق في أحشائي..

"تفضّل بالدخول".

سقطتُ متهالكا على الأرضية بجانب كرسيّها وأحطت ساقيها بذراعيّ ثمّ رفعت رأسي ونظرت إلى كلّ عين من عينيها على حدة لأرى نفسي مفتونا أسيرا لديها..

هناك عاصفة في الجانب الآخر من السّور، الغيوم تتكدّس كأكوام حديد، ولكن ماذا في ذلك؟ كانت الأمور متداخلة في رأسي والكلمات المزدحمة تنتشر في كلّ مكان. وكنت أحلّق نحو مكان مّا كالشّمس.. لا، انتظروا لحظة.. بالأحرى لم أكن أحلّق نحو مكان مّا.. نحو مكان مجهول، فقد صرتُ أعرف أين أذهب.. والكواكب تطير خلفي: كواكب تنفث اللّهب وتسكنها أزهار ناريّة، وكواكب زرقاء، خرساء تحوّلت فيها الصخور العقلانيّة إلى مجتمعات منظّمة، وكواكب أخرى مثل أرضنا بلغت أعلى قمّة في هرم السّعادة المطلقة..

ثمّ جاء صوت من الأعلى يقول "ولكن ألا تظنّ أنّ هذه القمّة لا تعدو أن تكون صخورا موحَّدة في مجتمعات منظّمة؟".

ثمّ ازداد المثلّث حدّة وقتامة "ماذا عن السّعادة؟ ما هي؟ في نهاية الأمر، الرغبات ضرب من ضروب العذاب أليس كذلك؟ ومن الواضح أن السّعادة تتحقّق حين لا تكون لنا رغبات أبدا.. يا له من خطأ فادح، وعبث غبيّ أن نضع علامة موجب أمام السّعادة طيلة سنوات عديدة. يجب أن نضع علامة سالب أمام السّعادة المطلقة.. علامة سالب إلهية..

حاولت أن أتذكّر وغمغمت مرتبكا "الصفر المطلق[2] هو ناقص 273 درجة مئوية".

"ناقص 273 درجة مئوية.. هذا رائع. بارد قليلا لكن رائع. ولكن ألا يثبت هذا أنّنا في القمّة؟".

إنّها تتحدّث بلساني، وتعبرّ بكلماتي، وتتتبّع أفكاري تماما كما حدث منذ فترة طويلة. ولكن، كأنّ شيئا غريبا لم أدرك ماهيته يحدث، ممّا جعلني أجبر نفسي على قول كلمة "لا".

قلت "لا، أنت.. أنت تمزحين بالتأكيد".

انفجرت ضحكتها الهستيرية بصوت عال.. عال جدا.. ضحكت حتى أدركَت حافّة مّا، فتراجعت وتهاوت للأسفل.. تلى هذا صمت رهيب.. ثمّ وقفت ووضعت يديها على كتفي وحملقت فيّ لوقت طويل وجذبتني نحوها، فاختفى كل شيء ماعدا شفتيها الحادّتين الحارقتين..

"الوداع".

---

[2] الصّفر المطلق هو درجة الحرارة التي تكفّ فيها الجزيئات عن الحركة، إذ حتّى عند التجمّد تواصل الذرّات حركتها.

صدر اللفظ من بعيد ولم يبلغ مسامعي إلا بعد دقيقة أو ربمًا دقيقتين.

"ماذا تعنين بالوداع".

"أنت مريض. لقد ارتكبت جرائم بسببي وهذا يعذّبك.. أليس كذلك؟ ولكن ها قد جاءت العمليّة وستُشفى منّي ولذا فالوداع"

صرخت عاليا "لا!".

ظهر المثلّث الحادّ الأسود عديم الشفقة على الخلفيّة البيضاء "ماذا؟ ألا تريد السّعادة؟".

كان عقلي مشتّتا. اصطدم داخل عقلي قطاران بمنطقين متضادّين، فتكوّما فوق بعضهما البعض وأحدثا جلبة..

"ماذا ؟ هيا أنا أنتظرك. هل ستختار العمليّة والسّعادة المطلقة أو...".

"لا أستطيع العيش من دونك.. لا أريد العيش بدونك" ولكن لا أدري إن قلت هذا حرفيّا أو فكّرت فيه فقط. ولكن '*i-330*' سمعتني فأجابتني:

"أعرف هذا". ثمّ قالت ويداها ما زالتا فوق كتفي وعيناها تتطلعان في عيني "في هذه الحالة إذن أراك غدا على السّاعة 12.. لا تنس".

"لا، لقد أُجّلت الرحلة إلى بعد غد".

"هذا أفضل لنا.. أراك بعد غد إذن على السّاعة 12..".

كنت أسير لوحدي في الشارع عند الشفق.. الريح تلفّني وتحملني بعيدا كورقة.. وشظايا السماء الحديدية تتطاير أيضا.. لم يتبقّ سوى يوم أو يومين ليطيروا إلى ما لا نهاية.. الأزياء المُوحَّدة للمارّين تلامسني ولكنّني كنت أشعر بالوحدة.. وأدركتُ بوضوح أنّه سيتمّ علاج الجميع إلا أنا، فأنا لا أريدهم أن يعالجوني..

السِجلّ الثاني والثلاثون

لا أصدّق

الجرّارات

الرقاقة الإنسانيّة

هل تظنّون أنّكم ستموتون؟ نعم، الإنسان فان لا محالة، وأنا إنسان وبالتالي.. لا لم أقصد هذا فأنا أدرك أنّكم تعرفون هذا مسبقا. سؤالي هو هل سبق أن صدّقتم ذلك حقّا؟ هل صدّقتم قصة الموت بالكامل.. هل صدّقتموها لا بعقولكم فقط، بل حتّى بأجسادكم؟ هل تؤمنون أنّ هذه الأصابع التي تحمل الأوراق الآن ستتجمّد وتصبح صفراء..

بالطبع لا.. أنتم لا تصدّقون هذا.. ولذا فأنتم لم تقفزوا بعد من الطابق العاشر، بل ما زلتُم تأكلون وتمرّرون الصّفحات وتحلقون ذقونكم وتبتسمون وتكتبون..

هذا بالضبط ما حصل معي اليوم. أنا أعي جيّدا أنّ عقرب ساعتي السوداء سوف يتسلّل تدريجيّا نحو منتصف الليل ثمّ سيواصل الصعود ببطء ليعبر نقطة فاصلة في لحظة معيّنة، ينطلق منها غَدٌ لا يُصدَّق.. هذا أمر أعرفه، ولكنّني أرفض تصديقه أو ربمّا يخيّل لي أنّ الأربع والعشرين ساعة ستصبح أربعة وعشرين عاما. هذا ما يجعلني ما أزال قادرا على القيام بأمور عادية، أركض نحو مكان ما وأجيب على الأسئلة وأتسلّق سلّم "الأنتغرال".. ما أزال أشعر باهتزازه فوق الماء وأتمسّك بالدرابزين، وأحسّ بالزجاج البارد تحت يدي.. أرى الرّافعات الشفّافة المفعمة بالحياة تحني أعناقها الطويلة الشبيهة بأعناق البجع وتمدّ مناقيرها بحذر وحنان لتغذية "الأنتغرال"، لإطعام محرّكاتها بذلك الطعام المتفجّر الرهيب.. وفي الأسفل عند النهر، أرى بوضوح العروق المائية الزرقاء والعقد التي نفختها الرياح.. ورغم كلّ هذا، بدا كلّ شيء بعيدا عنّي.. بدا غريبا ومسطّحا كرسم بيانيّ على ورقة.. والغريب أيضا أنّ وجه الصانع الثاني -

المسطّح كذلك- كرسم بيانيّ نطق فجأة "ما رأيك؟ ما هي كميّة الوقود التي سيحتاجها المحرّك؟ إذا ما حسبنا مسافة ثلاث ساعات أو ثلاثا ونصف..".

رأيت يدي الممسكة بالآلة الحاسبة مسقطة على الرسم البياني ثلاثيّ الأبعاد، والعدّاد اللوغاريتمي يشير إلى العدد 15.

"15 طنّا.. لا، من الأفضل جعله.. حسنا لنقل 100" قلت هذا لأنّني أعرف ما سيحدث غدا، ورأيت عبر زاوية عيني يدي التي تحمل العدّاد ترتعش..

"100، لمَ نضع كميّة كبيرة كهذه؟ إنّها كافية لأسبوع.. أوه يا لغبائي! بل كافية حتّى لمدّة أطول بكثير من أسبوع!"

"لا أحد يدري ما قد يحدث..." أنا كنت أعلم ما سيحدث.

الريح تصفر بعنف، والجوّ مشحون بمواد غير مرئية، كنت أتنفّس بصعوبة، وأمشي بصعوبة، وهناك عند نهاية الشارع، تزحف عقارب ساعة برج التجمّع ببطء -وبصعوبة أيضا- ولكنّها لا تتوقّف ولو لثانية واحدة. البرج الأزرق القاتم يمتصّ الكهرباء ويعوي هناك عاليا بين الغيوم. وأنابيب مصنع الموسيقى تئزّ.

كانوا مصطفّين كالعادة في صفوف متألّفة من أربعة، لكن الصفوف بدت غير متّزنة، ربمّا لأنّ الريح تصفر بقوّة أكثر فأكثر فيتمايلون ويترنّحون. ها هم يصطدمون بشيء ما عند الزاوية فيتراجعون.. ثمّ يتحوّلون إلى كتلة متجمّدة متراصّة وملتصقة ببعضها البعض.. كتلة تتنفّس بصعوبة، وترتفع الأعناق في آن واحد..

"انظر! لا، انظر هناك! بسرعة!".

"هم! إنّهم هم!".

"أنا؟ أبدا لن أفعل هذا. أفضّل أن أضع رأسي تحت الآلة".

"أغلق فمك! هل جننت؟".

كان باب القاعة عند الزّاوية مفتوحا على مصراعيه، يخرج منه طابور متراصّ مؤلّف من خمسين رجلا أو ربمّا كلمة 'رجل' ليست كفيلة لوصفهم. لم يكن لديهم أرجل بل عجلات ثقيلة موضوعة بإحكام، يتحكّم فيها جهاز غير مرئيّ، مجموعة من الجرّارات في هيئة بشريّة وفوق رؤوسهم رايات بيضاء منمّقة كتبت عليها شعارات تشعّ تحت نور الشّمس الذهبية "نحن الأوائل! نحن أوّل من خضع للعمليّة! فلتتبعونا!".

كانوا يشقّون طريقهم بقوّة وثبات رغم الحشود المتراصّة، حتّى لو اعترض طريقهم منزل أو جدار، لن يتردّدوا في المرور عبره ومواصلة طريقهم في عزم. ها هم الآن يتوسّطون الشارع، يشكّلون بأياديهم المتشابكة سلسلة واحدة متينة تقف أمامنا. كنّا واقفين قبالتهم نترقّب، كتلةٌ صغيرة متوتّرة من الرؤوس الملساء، ندير أعناقنا بتوتر. تعلونا السّحب، وتعصف بنا الرياح العاتية.

وفجأة تحرّك الجناح الأيمن والأيسر للسلسة رويدا رويدا، وأطبقوا علينا بسرعة كشاحنة تسير في منحدر. ثمّ أحكموا قبضتهم حولنا ودفعونا عبر الأبواب المفتوحة إلى الداخل.

أطلق أحدهم صرخة مدوية "إنّهم يضيّقون الخناق حولنا! فلنهرب على الفور!".

ثمّ بدأت الحشود تتدافع نحو الشرخ الطفيف في تلك الحلقة البشريّة التي تطوّقنا بإحكام. كان الجميع يندفع إلى الأمام برؤوسهم التي أضحت كالسيوف، وأكواعهم وأضلاعهم وأكتافهم الحادّة. كانوا يتدفّقون منتشرين كتيّار مائيّ مضغوط يضخّ من خرطوم رجل إطفاء. وكان المشهد كلّه يلخَّص في أرجل تضرب على الأرض وأيادٍ متدليّة، وأزياء موحَّدة تغطّي المكان.

لمحتُ في مكان ما بين الحشود جسما مقوّسا شبيها بحرف 'S' بأذنيه الشبيهتين بأجنحة شفّافة ثمّ اختفى تماما، كأنّ الأرض انشقّت وابتلعته، ليخلِّفني وحيدا بين الأيادي والأرجل. هربتُ مسرعا. عند مدخل مّا، توقّفت لألتقط أنفاسي واستندتُ بظهري على الباب، وفي اللحظة نفسها، ظهرت أمامي قطعة بشريّة صغيرة كأنّ الريح ساقتها إليّ.

"لقد كنت أتبعك.. طوال الوقت، لا أريد أن يحدث لي هذا.. انظر. لا أريد.. أنا أتّفق معك..".

يدان صغيرتان مستديرتان على كمّ زيّي الموحَّد، وعيون زرقاء مستديرة: إنّها 'O'. ثمّ انزلقت عبر الجدار واستقرّت على الأرضيّة. تكوّرت على نفسها لتصبح كتلة صغيرة فوق تلك السلالم الباردة، كنتُ واقفا بجانبها مداعبا رأسها ووجهها بيدي المبتلّة. جعلني هذا المشهد أبدو ضخما في حين بدت هي صغيرة جدّا، كقطعة منّي. كان هذا مختلفا جدّا عمّا أحسّه مع '*i-330*'... لعلّه شبيه بالطريقة التي يُعامل بها أسلافنا أطفالهم. كانت تتكلّم هناك في الأسفل، وتغطّي وجهها بيديها، وكنتُ بالكاد أسمعها "كلّ ليلة... لا أستطيع.. أفكّر به كلّ ليلة عندما أكون وحدي في الظلام.. كيف سيكون

شكله؟ وماذا سأفعل من أجله؟.. لن يظلّ هناك سبب أعيش لأجله.. عليك أن.. من واجبك أن..".

راودني إحساس غبيّ ولكنّني شعرت أنّني على ثقة تامّة: نعم، إنّه واجبي. هذا غباء محض. فأنا بصدد القيام بجريمة أخرى، ولأنّه من المستحيل أن يكون الأبيض أسود في الآن نفسه.. فإنّ الواجب لا يمكن أن يكون جريمة! لعلّ الحياة لا يمكن أن تكون بيضاء أو سوداء، بل ربمّا تعتمد الألوان على الفرضيّات المنطقيّة الأساسيّة، وإذا انطلقنا من فرضيّة أنّني جعلتها تحمل طفلا بطريقة غير قانونية..

"حسنا.. ولكن هدّئي من روعك.. اهدئي.." قلت لها "افهميني، سآخذك إلى '330-i' .. كما أخبرتك من قبل.. لكي تستطيع..".

"حسنا" قالتها بصوت منخفض، ويداها ما زالتا تغطّيان وجهها.

ساعدتها على النهوض، ثمّ من دون أن ننبس بحرف، سلك كلّ منّا طريقه في الشارع المظلم بين المنازل الرصاصيّة الهادئة، والريح تعصف بنا، وكلّ منّا غارق في أفكاره، بل لعلّ كلينا يفكّر في الأمر نفسه. في لحظة نقيّة مشحونة، سمعتُ عبر صفير الرياح، صوت الخطى الساحقة المألوفة خلفي. والتفتُّ لأرى 'S' مرتسما على انعكاس السّحب المتراكمة فوق الرصيف الزجاجيّ الباهت. فرُحتُ على الفور ألوّحُ له بذراعي بغرابة، وبدأت أصرخ قائلا لـ 'O' "في الغد، نعم في الغد سيقوم "الأنتغرال" برحلته التجريبيّة الأولى، وسيكون هذا حدثا رائعا ومهيبا.. حدثا يفوق الخيال.." نظرت إليّ 'O' بدهشتها الزرقاء المستديرة ثمّ حملقت في صوتي المرتفع ويديّ اللّتان تلوّحان ببلاهة، ولم أسمح لها بقول حرف واحد، بل واصلت الحديث دون توقّف.. ولكن الأفكار المحمومة كانت تتخبّط في داخلي بصوت لا يسمعه أحد سواي "لا يمكنك فعل هذا. عليك أن تجد طريقة ما.. لا يمكنك أن تقوده نحو '330-i' ".

انعطفتُ يمينا عوض أن أتّجه يسارا، فاستقبلنا بكلّ خضوع منحنى الجسر أنا و'O' و'S' -الذي يقتفي أثرنا-. وكانت أضواء المباني المشعّة على الضفّة المقابلة تتساقط على سطح الماء لتتحوّل إلى آلاف الشّرارات المسعورة المتناثرة مع زبد البحر المجنون. الريح تصفّر وتُحدث طنينا كصوت وتر قيثارة مشدود بعنف، ومصنوع من حبال السّفن.. وظللت طوال الوقت أسمع عبر الصفير خلفي...

توقّفتْ عند مدخل البناية حيث أقطن وقالت شيئا "لا، لقد وعدتني.."

ولكنّني قاطعتها ودفعتها بسرعة للداخل نحو البهو.. عند مكتب المناوبة، رأيت الخدّين المترهّلين المألوفين يتدليان بنشوة، تحيطهما كتلة من الأرقام يتقدمون ببطء،

وبعضهم يناقشون أمرا ما. وكانت هناك رؤوس تطلّ عبر الدرابزين من الطابق الثاني، وآخرون ينزلون الدرج بسرعة الواحد تلو الآخر. كلّ هذا يمكنه الانتظار، أمّا الآن فأسرعت بإخفاء 'O' في الزاوية المقابلة، وجلستُ متّكئا على الحائط ثمّ أخرجت ورقة (الظلّ الأسود عند الزاوية الأخرى للجدار ينزلق ذهابا وإيّابا على طول الرصيف)..

غرقت 'O' في وسط كرسيّها ببطء، وبدا لي أنّ جسدها يذوب ويتبخّر مخلِّفا زيّا موحَّدا فارغا، وعيونا خاوية تمتصّك بفراغها الأزرق، وقالت بصوت مُنهك "لماذا جلبتني إلى هنا؟ هل خدعتني؟".

"لا.. صه. انظري هناك.. في الجانب الآخر للجدار..".

"نعم.. هناك ظلّ".

"إنّه يتبعني دائما.. لا أستطيع.. انظري.. أنا عاجز عن القيام بـ... سأدوّن هنا بعض الكلمات وستأخذينها وتذهبين بمفردك.. فهو سيبقى هنا.. أنا متأكّد".

تحرّك جسمها الممتلئ مجدّدا تحت زيّها الموحَّد وتكوّر بطنها قليلا، وبدا على خدّيها نور خفيف كنور الفجر..

دسستُ الورقة بين أصابعها الباردة، وضغطت على يديها، ثمّ ارتشفتُ لآخر مرّة من نور عينيها الزرقاوين.

"الوداع! ربمّا مرّة أخرى...".

سحبت يديها ثمّ انحنت ومضت رويدا رويدا، ولكن بعد أن خطت خطوتين، استدارت وعادت إليَّ.. حرّكت شفتيها وعينيها وكيانها كلّه لتقول لي الكلمة نفسها مرارا وتكرارا.. يا لابتسامتها التي لا تُطاق.. يا لهذا الألم! ثمّ اندفعت الشظيّة البشريّة عبر المدخل بسرعة، وفي الجانب الآخر من الجدار، كان الظلّ يتقدّم بسرعة أكبر من دون أن يلتفت إلى الوراء. توجّهتُ نحو مكتب 'U' فقالت بغضب وحماس وهي تنفخ خياشيمها "أتعلم.. لقد جنّ الجميع! هناك شخص يقسم أنه قد شاهد رجلا عاريا مكسوّا بالصّوف قرب المتحف القديم.."

ثمّ علا صوت من بين كومة من الرؤوس البشريّة "نعم، وها أنا أقولها مجدّدا.. لقد رأيته بأمّ عينيّ".

"ما رأيك؟ إنّه هذيان".

بدت واثقة من نفسها حين لفظت كلمة 'هذيان' ولم تترك مجالا للنّقاش.. حتّى إنّني تساءلتُ في سرّي "ربمًا ما حدث لي طيلة الأيّام الفارطة هو مجرّد هذيان".

ثمّ تأمّلتُ يديّ المكسوّتين بالشّعر، فعادت الكلمات ترنّ في رأسي "قد تكون فيك قطرة من دم الغابة.. ربمًا كان هذا هو السبب الذي يجعلني أشعر تجاهك بـ...".

لا، لحسن الحظّ، ليس هذيانا.. لا، لسوء الحظّ، ليس هذيانا.

السِجلّ الثالث والثلاثون

هذا السِّجلّ فارغ لضيق الوقت

آخر تدوينة

جاء اليوم الموعود.

أخذت الصحيفة بسرعة علّني أجد هناك... تصفّحت عيناي الأسطر بنهم..

ها هو ما أبحث عنه مكتوب هنا بخطّ عريض على طول الصفحة:

لا تظنّوا أنّ أعداء السّعادة نيامٌ. تمسّكوا بالسّعادة بكلتا يديكم. سيتمّ إعطاؤكم عطلة غدا، وعلى كلّ الأرقام أن تتقدّم للخضوع للعمليّة، وكلّ من يتعذّر عليه القدوم يُعرّض نفسه إلى عقاب آلة حامي الحِمى.

يوم غد؟ ولكن هل سيكون هناك غدٌ مّا؟

رفعتُ يدي بكامل قوّة الاستمرار اليوميّة نحو رفّ الكتب، ووضعتُ الصحيفة الوطنيّة إلى جانب الصّحف الأخرى في المغلّف الذهبيّ المنقوش، وفي منتصف الطريق للرّفّ، جالت بخاطري فكرة "لمَ أفعل هذا؟ ما الفرق الذي سيُحدثه؟ فلن أعود لهذه الغرفة على أيّة حال". سقطت الصحيفة من يدي واستقرت على الأرضيّة. فوقفتُ وجلتُ ببصري في الغرفة، تأمّلتُ كلّ سنتيمتر فيها محاولا تجميع كلّ شيء بسرعة وتكديس كلّ ما هو ثمين بالنسبة لي كالطاولة والكتب والكرسيّ، بطريقة فوضويّة مسعورة في حقيبة غير مرئيّة. فهذا الكرسيّ جلست عليه '*i-330*' ذات مرّة، وأنا هناك في قاع السرير.. مرّت دقيقة أو دقيقتان، انتظرتُ فيها بغباء حدوث معجزة، مثلا أن يرنّ جرس الهاتف وتقول لي إن...

لا، لن تحدث أيّ معجزة.. سأغادر نحو المجهول.. ستكون هذه الأسطر الأخيرة. الوداع يا قرّائي المجهولين الأعزّاء، يا من عشتُ معكم على امتداد صفحات عديدة، يا من كشفتُ لكم عن نفسي بالكامل عندما سكنتني "الروح"، يا من رأيتم حقيقتي حتى آخر مسمار مطحون، حتى آخر ربيع منفجر..

الوداع..

السِجلّ الرابع والثلاثون

المتمتّعون بإجازة

ليلة مشمسة

إذاعة 'فالكيريا'

آه. كان ليغدو من الأسهل لو أنيّ دمّرت نفسي ودمّرت الجميع وتحوّلنا إلى أشلاء صغيرة، لو أنيّ ذهبت معها إلى الجانب الآخر من السّور حيث الوحوش ذات الأنياب العاجيّة الصفراء ولم أعد إلى هنا أبدا. لو فعلتُ ذلك، لكان هذا أسهل ألف مرّة ممّا سأُقدم على فعله. ماذا سأفعل الآن؟ هل أخنق ذاك الـ..؟ ما نفع ذلك؟

لا، لا، وألف لا.. عد إلى رشدك يا 'D-503'.. أعد تثبيت نفسك على محور التفكير المنطقيّ الصلب حتى ولو لوقت قصير. اضغط على الرّافعة بكلّ قوّتك وأدر كعبد قديم أحجار رحى المقاييس حتى تكتب كلّ ما حصل بأدقّ تفاصيله..

كان الجميع متجمّعين عندما صعدت على متن "الأنتغرال"، كلّ منهم جالس في المكان المخصّص له، وكانت خلايا مملكة النّحل الزجاجيّة الهائلة قد امتلأت بالكامل. رأيت من خلال زجاج "الأنتغرال" النّاس في الأسفل، كانوا أشبه بمجموعة نمل، والمحرّك الديناميكيّ والمحوّلات، وأجهزة تحديد الارتفاع، والصمّامات والمؤشّرات والمحرّكات والمضخّات والأنابيب. البعض منهم منكبّ على الجداول والأدوات في غرفة القيادة، إنّهم مُعيَّنُون بلا شكّ من قبل مكتب العلوم... ولمحتُ بجانبهم الصانع الثاني للـ "أنتغرال" واثنين من مساعديه. كانت رؤوس ثلاثتهم تغوص بين أكتافهم كالسلاحف، وبدت وجوههم خريفيّة رماديّة قاتمة.

سألتهم "كيف تسير الأمور؟".

"حسنا، هناك بعض القلق" أجاب أحدهم بابتسامة رماديّة قاتمة "لا نعرف أين سنضطرّ إلى الهبوط بالضبط، عموما لا ندري..."

لم أكن قادرا على النّظر إليهما، على النّظر إلى الرجلين الذيْن سأمحوهما بكلتا يدي من أرقام جدول السّاعات في غضون ساعة، واللّذيْن سأنتزعهما من صدر الدولة المُوحَّدة الحنون. ذكّراني بقصة الأرقام المأساوية "ثلاثة في عطلة" التي يحفظها كلّ تلميذ عن ظهر قلب. أبطال القصّة هم ثلاثة أرقام تمّ تمتيعهم بعطلة، وذلك لإجراء تجربة، حيث طُلب منهم لمدّة شهر كامل أن يذهبوا حيث يشاؤون ويفعلوا ما يحلو لهم. فظلّ البؤساء يتسكّعون حول مكان عملهم ويسترقون النّظر للدّاخل بنهم. كانوا يحومون حول السّاحة المربّعة ويقومون لساعات متواصلة بالحركات التي حفظتها أجسادهم، حتّى أضحت من ضمن حاجياتهم العضويّة الأساسية في وقت محدّد. كانوا يقطعون الهواء وينفثون بقاياه، ويهوون بمطارق خفيّة على سبائك غير مرئيّة من الحديد الخام. وبعد مرور عشرة أيّام، لم يعودوا قادرين على احتمال هذا الوضع. فأمسكوا بأيدي بعضهم البعض واتجهوا صوب الماء على أنغام مصنع الموسيقى وغاصوا رويدا رويدا إلى أن غرقوا، ووضع الماء حدًّا لعذابهم.

أكرّر أنّه كان من المؤلم جدّا أن أنظر إليهما، فأسرعتُ بالهروب.. قلت "سأذهب وأتفقّد الأمور في غرفة الآلات ثمّ ننطلق".

سألوني عن أمور عديدة: ما قيمة القوّة الكهربائية المعتمدة لانفجار الانطلاق؟ وماهي كميّة الماء الاحتياطية التي يجب أن تتوفّر في الصهريج الخلفيّ؟ أجبت على هذه الأسئلة بدقّة لا متناهية كأنّني جهاز فونوغراف، بينما كان كلّ تركيزي منصبّا على ما سأقوم به.

وفجأة، عند الممرّ الضيّق، أصابني شيء ما في أعماقي، وفي تلك اللحظة تحديدا، بدأ كلّ شيء.

كانت الأزياء المُوحَّدة الرماديّة والوجوه الرماديّة تعبر هذا الممرّ الضيّق، وفجأة لمحت أحدهم وكان شعره ينسدل على جبينه وعلى عينيه العميقتين، فأدركت أنّهم هنا، وأنّه لم يعد لي مجال للهروب، وأنّه لم يتبقَّ سوى دقائق، حفنة من الدقائق فقط. سرت رعشة في خلايا جسمي كلّه (لم تفارقني هذه الرعشة حتّى النهاية) كما لو أنّ محرّكا تمّ تشغيله بداخلي فعجز هيكل جسدي الضئيل عن احتماله. الجدران والجزيئات والألياف والعوارض والأضواء تهتزّ بالكامل.

لا أدري إن كانت هنا، ولكن لا وقت لديّ للتّفكير في هذا الآن، فهم يطلبون منّي التوجّه إلى غرفة القيادة فقد حان موعد الإقلاع. ولكن، إلى أين سنقلع؟

في الأسفل وجوه رماديّة خبا بريقها، وعروق زرقاء متوتّرة على سطح الماء. في الأعلى طبقات سماويّة زرقاء ثقيلة كالحديد. شعرتُ بثقل يدي عند الإمساك بهاتف القيادة كأنّها يد حديدية..

"ارتفع-45 درجة".

دوى انفجار باهت-رجّة أرضيّة خفيفة- وتدفّق جبل من المياه الخضراء والبيضاء الهائجة، وأصبحت مقدّمة "الأنتغرال" ليّنة وناعمة، وتلاشت تحت الأقدام.. كلّ شيء خالد في الأسفل. الحياة خالدة. كان كلّ شيء حولنا يضيق أكثر فأكثر، وبرزت تعاليم مدينتنا: مخطّط المدينة الأزرق المتجمّد، القباب المدوّرة كفقاعات الهواء، وذراع برج التجمّع الرصاصيّة الوحيدة، ثمّ أسدلت ستارة مؤقّتة من الغيوم القطنيّة سرعان ما اخترقتها أشعّة الشّمس السّاطعة في السّماء الزرقاء. مرّت ثوانٍ ودقائق وأميال. ثمّ أصبح الأزرق أكثر حزمًا، واتّشح ببعض السّواد، وبدت النجوم كقطراتٍ عرق فضيّة باردة.

ها قد حلّت الليلة المشمسة السوداء المليئة بالنجوم. وأضحيتُ كمَنْ أصبح أصمّ فجأة: فالأبواق تصدح أمام عينيه ولكنّه لا يسمعها.. مجرّد أبواق خرساء وكلّ ما تصدره هو مجرّد صمت بغيض. هكذا تماما بدت الشّمس خرساء.

كان هذا طبيعيّا ومتوقّعا، فقد غادرنا المجال الجويّ للأرض. ولكن حدث هذا بسرعة وفجائيّة ممّا جعل الجميع يخجلون ويغرقون في الصّمت.. أمّا أنا فشعرت أنّ كلّ شيء سيكون أسهل بفضل هذه الشّمس الخرساء الرائعة: لقد مللت الخنوع والإذلال، وعبرت عتبة لا مفرّ منها تاركا جسدي في مكان ما في الأسفل، بينما أنطلق الآن بسرعة نحو عالم جديد، متوقّعا أن يكون كلّ شيء مختلفا وجديدا ومقلوبا رأسا على عقب.

"واصلوا السير هكذا" صحتُ عبر شاشة الاتّصال الداخلي، أو لعلّ هذه العبارة صدرت من جهاز الفونوغراف الموصول بداخلي، وقام هذا الأخير بتسليم جهاز الاتصال للصانع الثاني. وكان جسدي كلّه يرتعش بتلك الرعشة الخفيفة نفسها التي لا يعرفها سواي، فقد توجّهتُ للأسفل باحثا عن...

سيُغلق باب حجرة القيادة بعد ساعة بإحكام. بجانب الباب، وقف شخص لا أعرفه، كان قصيرا، وكان وجهه عاديّا جدّا لا يختلف عن ملايين الوجوه، لا شيء يميّزه ما عدا يديه الطويلتين بشكل غير مسبوق، تتدليان حتى ركبتيه، بدا لي كأنّه صُنع من مزيج أعضاء بشريّة متفاوتة رُكّبت بطريقة خاطئة لتعطيَ شخصًا غير متجانس..

مدّ يده الطويلة واعترض طريقي "إلى أين تذهب؟".

أدركت أنّه يجهل من أكون، وربمّا كان هذا أفضل. عدّلتُ هيئتي وقلتُ بلهجة فظّة متعمّدة "أنا صانع "الأنتغرال". أنا المسؤول عن التّجارب.. هل فهمت؟".

تلاشت يده على الفور..

في داخل غرفة القيادة، انكبّت الرؤوس ذات الشعر الرماديّ والأصفر، وحتّى تلك الرؤوس الملساء على الأدوات والخرائط، تصفّحت جميع الرؤوس بنظرة خاطفة ثمّ تسلّقت السلالم وعدتُ أدراجي عبر الممرّ إلى غرفة المحرّك. الأنابيب تتوهّج من قوّة الانفجار وتفرز حرارة مرتفعة وضجيجا قويّا، والأذرع المتلألئة تتلوّى كَسِكّير يرقص رقصةً يائسة، ومؤشّرات التواصل لا تتوقّف عن اهتزازها الخفيف. وأخيرا، لمحتُ عند مقياس الدوران ذا الجبهة المتدلّية منكبّا على دفتر ملاحظاته..

"اسمع" اضطررت إلى الصراخ ليستطيع تمييز صوتي في هذه الضوضاء "هل هي هنا؟ أين هي؟".

لاحت ابتسامته تحت ظلّ جبينه وقال "هنا؟ إنّها هناك في غرفة الهاتف اللاّسلكيّ".

أسرعتُ إلى الغرفة فوجدت ثلاث نساء، كلّهن يلبسن خوذات ذات سمّاعات وأجنحة. بدت لي أطول بقليل من المعتاد، كانت تلمع وترفرف بجناحيها كملكة من ملوك الفالكيري القدامى. وتنبعث منها شرارات زرقاء هائلة عند اللاّقط اللاّسلكيّ، وطبقة خفيفة من الأوزون، وبرق.

"هل تستطيع إحداكنّ.. أو هلاّ استطعتِ أنت.." قلتُ هذا بأنفاس متقطّعة لأنّني كنت أركض "هل تستطيعين إيصال رسالة إلى الأسفل، إلى العنبر؟ تعالي معي وسأمليها عليك".

بجانب الآلة، توجد حجرة صغيرة كالدّرج، دخلنا إليها وجلسنا عند المكتب جنبا إلى جنب ثمّ أخذت يديها وضغطت عليهما بيدي.

"حسنا، ماذا سنفعل الآن؟".

"لست أدري. أتعلم أنّه لَإحساسٌ رائع أن نطير هكذا من دون وجهة محدّدة. ها قد قرُبت السّاعة 12:00 ولا أحد يدري ما سيحصل؟ لا أحد يدري أين سنقضي اللّيلة أنا وأنت؟ ربمّا سنكون بين العشب والأوراق الجافّة".

الشّرارات الزرقاء تتطاير منها، ورائحة البرق تفوح منها أيضا، وارتعاشي يزداد أكثر فأكثر.

صحت عاليا بأنفاس متقطّعة (من الجري) "دوّني هذا. السّاعة الآن 11:30 والسرعة 6800..".

صدر صوتها من تحت خوذتها ذات الأجنحة ومن دون أن ترفع عينيها عن الورقة، قالت "لقد قدِمتْ إليّ البارحة حاملة رسالتك.. لا تجزع فقد صرت أعرف كلّ شيء. لكن طفلها هو ابنك، أليس كذلك؟ ولذا قمت بإرسالها إلى الضفّة الأخرى للسّور، إنّها هناك الآن وستقضي بقيّة حياتها هناك".

عدت من جديد لأمشي فوق الجسر، عدت بذاكرتي لتلك الليلة المسعورة والنجوم السوداء التي تغمر السّماء، والشّمس السّاطعة المبهرة، عدت لمشهد عقرب السّاعة الحائطية التي تنتقل من دقيقة لأخرى ببطء، والضباب الذي يلفّ كلّ شيء بدقّة ماعدا الارتعاش الذي لا يشعر به غيري. لا أدري لمَ خطر ببالي فجأة أنّه من الأفضل ألاّ يحدث هذا هنا، بل هناك.. في مكان قريب من الأرض.

صرختُ عبر شاشة الاتّصال الداخليّ "أوقف المحرّكات".

كان "الأنتغرال" ما يزال مندفعا بفعل قوّة الاستمرار، ولكن سرعان ما بدأ يسير ببطء ثمّ تعطّلت حركته كلّيّا لجزء من الثانية، وظلّ معلّقا دون حراك، ثمّ هوى نحو القاع بسرعة كبيرة كصخرة. أمّا أنا، فقد صار نبض قلبي مسموعا لبضع دقائق، بل لعشرات الدقائق، وكنت أترقّب العقرب التي تقترب رويدا رويدا من السّاعة 12. وخيّل إليَّ أنّني أنا الصخرة و'*i-330*' هي الأرض التي سأحطّ عليها، شعرتُ أنّ تلك الصخرة تتوق إلى السقوط على سطح الأرض والتّحطّم إلى جزيئات صغيرة. ولكن ماذا لو؟ رأيت دخان الغيوم الزرقاء في الأسفل.. ماذا لو؟

ولكن الفونوغراف الذي بداخلي أمسك الهاتف وأعطى الأوامر بدقّة لامتناهية "سر ببطء الآن" فتوقّفت الصخرة عن السقوط. ظلّت أربعة محرّكات فقط تهدر للمحافظة على توازن "الأنتغرال"، اثنان في الأمام، واثنان في الخلف، ثمّ توقّف "الأنتغرال" في الهواء على بعد بضع كيلومترات عن الأرض، وكان يهتزّ بثبات كأنّه سفينة رُبطت إلى مرساة.

اندفع الجميع إلى سطح "الأنتغرال" والتصقوا بحافّته الزجاجيّة وارتشفوا بنهم جرعات سريعة من العالم المجهول، الموجود خلف السّور. (كان جرس السّاعة 12 على وشك إعلان موعد الغداء)، هناك في الأسفل كهرمان وخضرة وزرقة وغابات خريفيّة ومروج وبحيرة. على حافّة الصحن الأزرق، هناك أنقاض صفراء تبدو كالعظام، ارتفع

في وسطها إصبع أصفر مجفّف متوعّد. إنّه على الأرجح برج الكنيسة القديمة الذي تمكّن من البقاء بمعجزة مّا.

"انظر، انظر هناك، عند اليمين".

هناك كتلة تتحرّك بسرعة عبر الصحراء الخضراء كظلّ بنّيّ اللّون. رفعتُ المنظار بحركة ميكانيكيّة نحو عيني، ولمحتُ قطيع خيول يعدو عبر العشب وأذيالها تتطاير وعلى ظهورها مخلوقات بيض وسود..

قال صوت خلفي "وأنا أقول لك، رأيت وجه شخص ما".

"قل هذا لشخص غيري!".

"حسنا، خذ منظاري".

لكنّهم قد تلاشوا. صحراء خضراء لامتناهية... سيسري اهتزاز الجرس في الصحراء وسيملؤنا بالكامل، أنا والجميع، والصحراء أيضا.. فلم تتبقّ سوى دقيقة ليحلّ وقت الغداء، السّاعة 12..

تحوّل العالم على الفور إلى أجزاء صغيرة منفصلة. سمعت رنين الشارة الذهبيّة لأحدهم على الدرجات، ولكنّها لم تعني لي شيئا فسحقتها بكعب حذائي. ها هو الصوت مجددا "ولكنّني متأكّد.. كان وجهًا".. ها أنا أمام مستطيل قاتم، باب حجرة القيادة مفتوح والأسنان البيضاء تبتسم ابتسامة حادّة. وفي تلك اللّحظة، بدأت السّاعة تدقّ ببطء لا متناهٍ من دون حتّى أن تلتقط أنفاسها بين الدّقّة والأخرى، وتحرّكت الصّفوف الأماميّة، وقام ذراعان طويلان مألوفان بحماية الباب المستطيل.

"قف".

انغرزت في كفّي أصابع.. إنّها *'i-330'* بجانبي "من هذا؟ هل تعرفه؟".

"أليس.. لكن أليس...؟".

ها هو الآن محمول على كتفي أحدهم، هناك فوق كلّ الوجوه، فوق مئات الوجوه، ولكن وجهه كان بارزا ومتفرّدا".

"باسم الحرّاس، أوجّه كلامي هذا إلى الذين أثق تماما أنّهم يسمعونني، إلى كلّ فرد منهم، اسمعوني جيّدا: نحن نعرف كلّ شيء.. لا نعرف أرقامكم تحديدا ولكنّنا نعرف كلّ شيء. لن تستحوذوا على "الأنتغرال". ستتواصل الرحلة التجريبيّة حتى النهاية وستنهونها بأيديكم، لن تجرؤوا على القيام بأيّ حركة، وفيما بعد.. حسنا لقد أنهيت".

غلّف الصمت المكان. أصبح الرصيف تحت قدمي ناعما وقطنيّا، وحتّى رجليّ أصبحتا ناعمتين كالقطن. لاحت بجانبي ابتسامة بيضاء ناصعة وانطلقت من بين أسنانها شرارة زرقاء نحو أذني "فعلتها إذن؟ أدّيتَ واجبك؟ حسنا فليكن".

جذبت يديها من بين يدي بعنف وابتعدت عنّي ملكة الفالكيري بخوذتها وجناحيها. توجّهت إلى حجرة القيادة صامتا ومتجمّدا كالجميع. ولكنّني لم أفعلها.. لم أخبر أحدا عمّا سنفعله ما عدا هذه الصفحات الخرساء. كنت أصرخ في داخلي بصوت يائس مكتوم.. كانت تجلس أمامي على الطاولة بجانب شخص ذي صلعة ناضجة، ولكنّها كانت تتجنّب النظر إليّ. سمعتها تقول "النبل؟ ولكن أستاذي العزيز.. إنّ مجرّد تحليل فلسفيّ بسيط لهذه الكلمة يبيّن أنّها مجرّد وهم، بعض من مخلّفات العصور الإقطاعيّة القديمة، ولكن نحن.." شعرت أنّني أبدو شاحبا، وأنّ الجميع سيلاحظ ذلك.. ولكن الفونوغراف الذي بداخلي أتمّ عدّ الخمسين مضغة المقرّرة لكلّ قضمة، ثمّ تكوّرت على نفسي كمنزل قديم غير شفّاف وسددتُ النوافذ بالحجارة وأسدلت الستائر.

بقيت آلة التحكّم بين يدي، وواصلت الرحلة التجريبيّة طريقها نحو نهاية متجمّدة يائسة، عبر الغيوم السوداء والليل المشمس المليء بالغيوم، وتواصل مرور الدقائق والساعات. يدور بداخلي المحرّك المنطقيّ طوال الوقت بسرعة محمومة، وكنتُ الوحيد الذي أسمع صوته. وفجأة، برز مشهد في وسط الفضاء الأزرق، رأيت خدّي 'U' الشبيهين بالخياشيم، كانت تجلس عند مكتبي وبجانبها سجلاّتي المنسيّة.. وصار من الجليّ أن لا أحد غير 'U'.. اتّضح كلّ شيء لي الآن..

آه لو أنّني كنت قادرا فقط على الوصول إلى آلة اللاّسلكيّ.. الخوذة ذات الأجنحة.. رائحة البرق الأزرق. تذكّرت أنّني كنتُ أخبرها عن شيء ما بصوت عالٍ، فقالت عن بعد وهي تنظر من خلالي كأنّني قطعة بلور "أنا مشغولة بتلقّي إرسال من الأسفل، يمكنك إملاء رسالتك هناك".

وقفتُ في مربّع المقصورة الصغير، وفكّرت لثانية، ثمّ أصدرتُ أمرا بحزم "السّاعة 14:40، استعدّوا للهبوط.. أوقفوا المحرّكات، انتهى كلّ شيء".

وفي حجرة القيادة، شاهدتُ قلب الأنتغرال يتوقّف. وبدأنا نسقط تدريجيا، ولكن قلبي عجز عن الهبوط بتلك السرعة، بل تخلّف عن الجميع وحاول الرجوع إلى حلقي ومواصلة الصّعود..

ها هو وجه الصانع الثاني الأبيض الخزفي المشوّه.. أظنّه هو من دفعني بكلّ قوّته فارتطم رأسي بشيء ما وفقدت الوعي، وأصبح المكان حولي مظلما، وبينما كنتُ أهوي على الأرض، سمعتُ صوتا ضبابيّا يقول "شغّلوا المحرّكات الخلفيّة بأقصى قوّتها".

قفزة حادّة صاعدة نحو الأعلى.. هذا كلّ ما أذكر.

السِجلّ الخامس والثلاثون

في وسط الطوق

الجزرة

جريمة قتل

عجزتُ البارحة عن النّوم.. قضّيت الليل بأكمله غارقا في فكرة واحدة، أعيدها مرارا وتكرارا..

رأسي مشدود بضمّادات بعد ما حصل البارحة، أو ربمّا ليست ضمّادات بل شيئا شبيها بالطوق، نعم إنه طوق زجاجيّ يضغط على رأسي دون هوادة.. كنتُ أدور في حلقة شبيهة بهذا الطوق، وتجول ببالي فكرة واحدة: قتل 'U'.. نعم سأقتل 'U' ثمّ أذهب إلى 'i-330' وأقول لها "هل صدّقتني الآن؟" ولكنّ القتل شيء قذر ومثير للاشمئزاز.

التفكير في تهشيم جمجمة شخص ما يثير فيّ إحساسا غريبا، مقزّزا وحلو المذاق، أتحسّسه في فمي فلا يمكنني حتى ابتلاع ريقي، بل لا أكفّ عن البصاق في المنديل الخاصّ بي، ويبقى فمي جافا..

وجدت في خزانتي قضيب مكبس ثقيل مكسورا (كان عليَّ فحص الكسر تحت المجهر).

قُمت بلفّ سجلاّتي بشكل أسطوانيّ (فلتقرئني بالكامل، من أوّل حرف لآخر حرف) وحشرت فيها الجانب المكسور من القضيب وتوجّهت للأسفل. بدت لي السلالم لامتناهية، والدرجات لزجة ورطبة، وظللت أمسح العرق المتصبّب بمنديل.

وصلت إلى الطابق السفلي وقلبي يدق بقوة، ثمّ أخرجت القضيب وتوجهت نحو مكتب المناوبة.. ولكنّني لم أجد 'U'، كان مكانها خاليا ومتجمدا.

فتذكرت أنّ اليوم عطلة وعلى الجميع الذهاب والخضوع للعملية.

من المنطقيّ أن تتغيّب، فلا سبب لوجودها إذ لا أحد سيقوم بالتسجيل..

الريح تهب في الشارع والسماء مغشاة بسبائك حديدية تتسابق فيما بينها، وتماما كما حدث البارحة، انقسم العالم بأسره إلى جزيئات صغيرة منفصلة وكلّ جزء مستقل بذاته، يهوي للأسفل ثمّ يتوقف للحظة ويظلّ معلّقا أمامي في الهواء ثمّ يتلاشى من دون أثر..

وبدا لي النّاس في الشارع كالحروف الدقيقة السوداء التي تتحرك بتململ فوق الصفحة ثمّ تطير مذعورة متدافعة في كلّ الاتجاهات ولا يبقى على الصفحة سوى العدم، الـ"وبلاسلزتنقاشعقفشفبلابو" هكذا كانوا متناثرين لا مصطفّين كالعادة.

لقد كانوا يروحون جيئة وذهابا إلى الأمام والخلف بالطول والعرض.

ثمّ تلاشى الجميع وتجمّد كلّ شيء.

في الطابق الثاني هناك، في ذلك القفص الزجاجيّ، يوجد رجل وامرأة يتبادلان القبل، وجسد المرأة يتلوّى للمرّة الأخيرة...

ومررت عند الزاوية بشجيرة رؤوس متشعبة يرفعون راية ترفرف عاليا كُتب عليها "لتقسط الآلة، لتسقط العملية".

وقفت فصدح صوت في داخلي (منفصل عنّي) بفكرة آنية: "أمن المعقول أن يحوي قلب كلّ فرد منا ألمًا لا يُستأصلُ إلّا باستئصال القلب؟ وأنّ على كلّ فرد منّا فعل شيء قبل أن...؟ وأصبح العالم للحظة لا يحتوي شيئا سوى (يدي) يد الحيوان التي تحمل الحديد الثقيل الملفوف في كومة من الأوراق.

ظهر الآن صبيّ صغير يتقدّم بكلّ قوّته، شفته السفلى مثنيّة للدّاخل مثل كُمّ ملفوف، وكانت تتدلّى محدثة ظلاّ أسفلها.. أمّا وجهه فكان مقلوبا بالكامل، وكان يصرخ ويعدو هاربا من خطوات تلاحقه.

استخلصت من مشهد ذاك الطفل استنتاجا مهما، "هذا صحيح. لابدّ أن تكون 'U' في المدرسة الآن.. عليَّ أن أذهب إلى هناك سريعا" ثمّ هرعت نحو أقرب مدخل لمترو الأنفاق. هناك شخص يصيح ورائي عند المدخل "إنّ القطارات لا تشتغل اليوم. لا تشتغل".

ولكنّني واصلت طريقي نحو الأسفل، نحو الهذيان المطلق. حيث تلمع الشّمس الكريستالية على الأرصفة المدجّجة بالرؤوس. هناك يقبع القطار فارغا جامدا.

انبثق صوتها من رحم هذا الصمت، لم ألمحها ولكنّني تمكّنت من تمييز صوتها، ذاك الصوت المرن الّذي يلذع كجلدة سوط، كنت مدركا أنّ المثلّث الحادّ المشدود بين الحاجبين موجود في مكان مّا بين الحشود.

صرخت بأعلى صوت "دعوني أمرّ، دعوني أمرّ. عليَّ أن..".

لكنّ أحدهم أحكم قبضته عليَّ وثبّت ذراعي وكتفي وسمعت صوت *'i-330'* يخترق الصمت "سيعالجونك هناك، سيحشونك بسعادة غنيّة حتّى تمتلئ، سوف تعود لتحلم أحلاما هادئة منظّمة، وسنشخر جميعا في إيقاع واحد منتظم. ألا تسمع معي صوت سنفونية الشخير العظيمة؟ أيّها النّاس الأغبياء، ألا تفهمون؟ إنّهم يريدون أن يخلّصوكم من علامات الاستفهام التي تلتوي داخلكم وتقضمكم كالديدان، وأنتم تقفون هنا وتستمعون إليّ! عودوا أدراجكم واصعدوا السلالم وتوجهوا نحو غرف العمليّة. ما شأنكم إن بقيت هنا وحيدة؟ ما شأنكم إن كنت أرفض أن يقرّر أحد غيري ما أريده؟ إن كنت أرغب في فعل ما أريده أنا فقط؟ إن كنت أرغب في المستحيل؟".

ارتفع صوت آخر ببطء وتثاقل "آها. المستحيل؟ أي الركض خلف الأوهام المبتذلة ورؤيتها على مقربة من أنفك؟ لن نسمح بهذا أبدا، سنمسك بها ونسحقها ثمّ..".

'ثمّ.. ثمّ تشهقونها وتزفرونها بعيدا، ثمّ ستحتاجون شيئا آخر معلّقا تحت أنوفكم. يقال إنّ القدماء كان لديهم حيوان يدعى الحمار، كانوا يعلقون جزرة يعجز عن أكلها أمامه كي يواصل التقدّم وإن أدركها... إن أكلها...".

فجأة أفلتتني اليد التي تقبض عليَّ فانطلقت بسرعة نحو المكان الّذي كانت تتكلّم فيه وفي تلك اللحظة بالذات تحرك الجميع إلى الأمام وحدث انفجار تلاه صراخ أحدهم "إنّهم قادمون، إنهم يتجهون نحونا".

ارتعش الضوء ثمّ انطفأ، أظن أنّ أحدهم قطع سلك الكهرباء ثمّ انهمر سيل من الصراخ والعويل والرؤوس والأصابع. لا أدري كم من الوقت انقضى ونحن نتدحرج في هذا النفق، وأخيرا، أدركنا بعض السلالم التي ينبعث نور خافت عند نهايتها، ثمّ بدأ النور يغمرنا تدريجيّا وانتشرنا في الشارع مجدّدا، واتّجه كلّ منّا إلى وجهة مختلفة.

وها أنا وحيد مرّة أخرى ومحاط بالرياح، مغمور بشفق رماديّ داكن. وفي عمق زجاج الرصيف المبلل تنعكس الأضواء والجدران والناس المقلوبون، والأوراق الملفوفة الثقيلة في يدي تسحبني نحو الأسفل.

لم تكن 'U' موجودة في مكتبها في الأسفل، وكانت غرفتها مظلمة وفارغة. دخلت إلى منزلي وأشعلت النور، ما يزال الطوق يضغط على رأسي وصدغي فيدقّان بعنف، وما أزال أدور في حلقة مفرغة: طاولة، ورقة بيضاء ملفوفة على الطاولة، سرير، باب، طاولة، ورقة بيضاء ملف...

كانت ستائر البيت الواقع على يساري قد أُسدلت، وفي البيت الأيمن كان الأصلع ذو الجبين الشبيه بمظلة صفراء منكبّا على كتاب. كانت التجاعيد على جبينه تشكّل خطوطا صفراء مبهمة.. وحين تلتقي نظراتنا، أشعر أنّ تلك الخطوط تتكلّم عنّي.

دخلت 'U' الغرفة على السّاعة التاسعة تحديدا. وأذكر جيّدا أنني كنت أتنفس بقوة لدرجة أنني تمكنت من سماع صوت أنفاسي وحاولت أن أُهدّئ من روعي ولكنني فشلت. جلسَت وعدّلت من زيّها الموحد عند ركبتيها ثمّ اهتزت خياشيمها الوردية البنية "آه عزيزي.. هل هذا صحيح؟ هل أصبت؟ ما إن سمعت بهذا حتّى..".

كان القضيب الحديديّ أمامي على الطاولة. قفزت من مكاني وصوت أنفاسي يعلو أكثر فأكثر. توقفت عن الكلام ولسبب ما نهضت من مكانها.. نظرتُ إليها ولاحظتُ البقعة على رأسها، واغرورق فمي بلعاب حلو مقزّز، بحثت عن منديلي ولكنني لم أجده، فبصقت على الأرضيّة.

كان ذاك الأصلع في البيت الأيمن بتجاعيده الصفراء الحادّة التي لا تهتم إلّا بي. يجب ألّا يرى هذا المشهد، سيكون الأمر أكثر إثارة للاشمئزاز لو أنّه شاهده. ضغطت على الزرّ لأسدل الستائر-ليس لي الحق في إسدالها الآن، فليكن.. الأمر سيّان الآن..

من الواضح أنها لاحظت شيئا وفهمت الأمر برمّته فهرعت نحو الباب، ولكنّني سبقتها إليه وأنفاسي تزداد حدّة ولم أزح عيني عن تلك البقعة على رأسها.

"أنت.. لقد جننت.. إيّاك أن تتجرأ.." تراجعتْ إلى الخلف فجلستْ أو بالأحرى سقطت على السرير ووضعت يديها المتشابكتين المرتعشتين عند ركبتيها. كنت موشكا على الانفجار، ومن دون أن أحوّل نظراتي التي تسمّرها في مكانها، مددت يدا واحدة نحو الطاولة وقبضت على القضيب الحديديّ..

"أرجوك.. أمهلني يوما.. يوما واحدا فقط. غدا.. نعم، أعدك أنّني سأذهب في الغد، سأقوم بكلّ ما..".

ما الذي تتحدث عنه؟ ثمّ هويت عليها بالقضيب. أعتبر أنّني قتلتها.. هذا صحيح يا قرّائي المجهولين، أنتم على حقّ في نعتي بالمجرم. أعرف أنّني كنتُ سأهشّم رأسها لو أنّها لم تصح: "بحقّ الـ... لا تفعل هذا.. أنا موافقة.. أمهلني لحظة فقط".

نزعت زيّها الموحَّد بيديها المرتعشتين واتّكأ جسدها الضخم المترهّل الأصفر على السرير.. حينها فقط فهمتُ أنّها ظنّت أنّ الستائر.. أنّني قمت بإسدالها كي... أنّني أريد...

كان هذا صادما وغبيّا، لدرجة أنيّ انفجرتُ فجأة في موجة من الضحك الهستيريّ. تهاوى الضغط في داخلي فتراخت ذراعي وسقط القضيب الثقيل أرضا محدثا قعقعة.. وحينها فقط استنتجت من تجربتي الشخصية أنّ الضحك يمثل سلاحا مخيفا وأنّك بضحكة واحدة تستطيع أن تقتل جريمة القتل ذاتها..

جلست عند الطاولة وواصلتُ ضحكتي الأخيرة اليائسة، لم أجد لي مخرجا من هذا الموقف الغبيّ. لا أعرف كيف كان الأمر سينتهي إن اتّخذت الأمور مجراها الطبيعيّ. ولكن عند هذه النقطة تحديدا برز عامل خارجيّ، رنّ جرس الهاتف.

هرعت نحوه ورفعت السماعة فقد تكون هي على الخطّ، سمعت صوت غريبا يقول "لحظة من فضلك" تلتها خشخشة طويلة قاسية، ثمّ سمعت خطى متثاقلة تقترب شيئا فشيئا وتزداد رنينا وقسوة، ثمّ "D-503؟ أنت تتحدث مع حامي الحِمى شخصيّا. تعال إليّ في الحال" دن- أُغلق الخطّ- دن

كانت 'U' ممدّدة على السرير وقد أغمضت عينيها وارتسمت على خياشيمها ابتسامة عريضة. أخذتُ ثيابها المنتشرة على الأرضيّة ورميتها بها مغمغما "هيا أسرعي".

اتّكأت على مرفقيها وتهدّل نهداها على جانبيها، بدت عيناها مستديرتين، أما باقي جسدها فكأنه قُدّ من شمع.

"ماذا؟".

"لا تهتمّي.. هيا ارتدي ثيابك بسرعة".

أمسكت زيّها وتكوّرت على نفسها ثمّ قالت بصوت مختنق "أدر وجهك" أدرتُ وجهي وأسندت جبيني على الزجاج، كانت الأضواء والأرقام والشرارات ترتعش على سطح المرآة الرّطب الدّاكن.. لا، أنا الذي يرتعش لا المرآة. لماذا اتصل بي؟

هل اكتشف أمري وأمرها، هل عرف كلّ شيء؟

لبست 'U' زيّها ووقفت عند الباب على بعد خطوتين منّي، ها أنا بجانبها، يدي تضغط على يدها كأنّني أريد أن أعتصر منها المعلومات التي أحتاجها، قطرة تلو الأخرى.

"اسمعيني جيّدا، اسمها.. تعرفين من أقصد أليس كذلك؟ هل أعطيتهم اسمها؟ أخبريني الحقيقة، عليَّ أن أعرف الحقيقة... الأمر سيّان بالنسبة إليّ، فقط أريد معرفة الحقيقة"

"لا".

"لا، كيف؟ ولكنّك كنت ذاهبة لتبلّغي عن..؟".

انقلبت شفتها السفلى مثل ذلك الطفل وانحدرت قطرات على خديها "لأنّني.. لأنّني خفت أنّي لو بلّغت عنها فستتوقّف عن حبّــ.. آه، لم أستطع... لم أقدر على فعل ذلك".

فهمت كلّ شيء الآن، هذه هي الحقيقة، الحقيقة الإنسانيّة السخيفة.. وفتحت الباب.

السِجلّ السّادس والثلاثون

صفحات خالية

الإله المسيحيّ

عن أمّي

سأقص عليّكم حدثا غريبا. أشعر أن رأسي خاو كصفحة بيضاء.

لا أذكر كيف ذهبت إلى هناك وكم من الوقت انتظرت (من المؤكّد أنني انتظرت لبعض الوقت). لا أذكر شيئا البتّة، لا أذكر أيّ صوت أو وجه أو حركة.. كأنّ الحبال الّتي تربطني بالعالم قد قُطعت بالكامل. عندما عدت لرشدي، كنت واقفا أمامه وكنتُ مذعورا.. فلم أقوَ حتّى على رفع عيني لمواجهته، كلّ ما استطعت رؤيته هو يداه الحديديتان الضخمتان فوق ركبتيه، بدا لي أنّ يديه قد ثقلتا عليه فانثنتا فوق ركبتيه. كان يحرّك أصابعه بتثاقل. وكان وجهه في مكان مّا شاهق العلوّ، وكأنّ السبب الوحيد الذي جعل صوته لا يدوي كالرّعد ولا يصيبني بالصمم –بل إنّه حتّى بدا كصوت إنسان عاديّ- هو أنّه يبلغني من ذلك العلوّ الشّاهق!

"إذن.. أنت أيضا منهم؟ أنت يا صانع "الأنتغرال"؟ أنت يا من كنت قاب قوسين أو أدني من أن تصبح واحدا من أعظم الغزاة؟ أنت يا من كان اسمك سُيدشّن فصلا جديدا رائعا في تاريخ الدولة المُوحَّدة؟ أنت؟".

تدفّق الدم إلى رأسي وخديّ، وأصبحت مجدّدا صفحة بيضاء خالية إلاّ من النبض العنيف في صدغيّ، وصدى الصوت يتردّد في رأسي.

لم أعد إلى رشدي إلّا حين توقّف عن الكلام، شاهدت اليد تتحرك ببطء كأنها تزن ألف طنّ وتزحف رويدا رويدا ثمّ تشير نحوي "حسنا، لم أنت صامت هكذا؟ هل ما قلته صحيح؟ هل 'جلاّد' هي الكلمة الصحيحة؟".

أجبته بخضوع تامّ "نعم هذا صحيح، جلاّد" وانطلاقا من تلك اللحظة، سمعت كلّ كلمة قالها بوضوح شديد.

"ماذا قلت؟ أتخالني أخاف من هذه الكلمة؟ ولكن هل قمت يوما بتجربة إزالة قشرتها الخارجية وفحص ما يوجد بالداخل؟ حسنا دعني أرِك هذا. تأمل هذا المشهد: هضبة زرقاء وصليب وحشود. البعض في الأعلى غارقون في الدماء، يعلّقون جسدا على الصليب، والبعض الآخر في الأسفل غارقون في الدموع. ألا ترى أن عمل أولئك الذين في الأعلى أصعب وأهمّ؟ هل كانت هذه المأساة الرائعة لتحدث دونهم؟

لقد كافأتهم الحشود الجاحدة بالصفير في حين أنهم يستحقّون أن يكافئهم الإله، مؤلّف هذه المأساة، بسخاء كبير. ثمّ ألا يُعدّ هذا الإله المسيحيّ الذي يُلقي كلّ معارضيه ليحترقوا ببطء في نار جهنّم جلاّدا؟

وهل الناس الذين أحرقهم المسيحيّون أقلّ عددا من المسيحيين الذين تمّ إحراقهم؟ ولكن رغم كلّ هذا، عبَد النّاس هذا الربّ على مرّ العقود واعتبروه إلهًا للحبّ..

أتظنّ أنّ هذه سخافة؟ لا على العكس تماما، إنها شهادة مختومة بالدم تقرّ بالحكمة المتجذرة في الإنسان. حتى حين كان في حالة بربرية همجيّة، أدرك الإنسان أن الحبّ الجبريّ للجنس البشريّ لا يُعتبر حبّا حقيقيّا إلاّ إذا كان قاسيا ولا إنسانيّا، إنّ الحبّ كالنّار.. لا تُعتبر حقيقيّة إلاّ إذا اشتعلت.

هل بإمكانك أن تريني نارا لا تشتعل؟ هيا؟ أثبت لي وجهة نظرك؟ قدّم حجّة ما.."

كيف لي أن أناقشه؟ كيف لي أن أناقش قناعاتي (السابقة)؟ بالطبع لم أكن يوما قادرا على تغليف أفكاري بدرع لامع مصقول مثله. ظللتُ صامتا.

"حسنا، السكوت علامة الرضا. ما دمت تتّفق معي فلنتحدّث بصراحة تامّة كالكبار بعد أن يخلد أطفالهم للنّوم. سأسألك سؤالا: ما هو الشيء الذي يحلم به الجميع ويتألمون بسببه منذ صغر سنهم؟ إن كلّ ما يتوقون له هو شخص يحدّد لهم معنى السعادة بشكل قطعيّ ويسوقهم مسلسلين نحوها، أليس هذا بالضبط ما نقوم به الآن؟ ألسنا نحقّق لكم الحلم الأزليّ بالجنّة؟ فلتتذكر جيّدا أنه في الجنة يفقد النّاس الشعور بالرغبة والشفقة والحبّ، إنهم محظوظون فقد استُؤصلت مخيلتهم. (ولذا فهم في قمّة السعادة) وأصبحوا ملائكة، عبيدا للربّ.. والآن، في اللحظة التي حقّقنا فيها هذا الحلم وأمسكناه بقبضتنا الحديديّة (قال هذا وانقبضت يده بقوّة ولو كان فيها حجر لاستخرجت منه هذه القبضة عصيرا) ولم يتبقّ سوى أن نسلخ الفريسة ونجزّأها.. في هذه اللحظة بالذات.. قمت أنت.. أنت..

انقطع الصوت الحديديّ فجأة. كنت محمرّا كقطعة حديد وُضعت على السندان متلقّية ضربات المطرقة المتتالية، ثمّ توقّفت المطرقة عن الدقّ وصمتت... الانتظار مرعب أكثر من..

وفجأة "كم عمرك؟".

."32"

"وتتصرّف بسذاجةِ صبيّ عمره 16 سنة. اسمعني جيّدا، ألم يتبادر إلى ذهنك أبدا أنهم لجأوا إليك لأنّك صانع "الأنتغرال"، وأنّهم يستغلّونك فقط لكي يدخلوا إليه – نحن لم نعرف أسماءهم بعد، ولكنّنا سنتحصّل عليهم منك أنت..".

صرخت "توقف. لا تفعل هذا".

كنتُ كمن يحمي رأسه بيديه ضدّ طلقة رصاص ويصرخ: 'لا!' ويواصل سماع صدى صرخته حتّى بعد أن اخترقته الرصاصة وأردته صريعا.

نعم، نعم، أنا صانع "الأنتغرال"، نعم، وعدتُ على الفور إلى مشهد وجه 'U' الغاضب وخياشيمها المرتجفة الحمراء عندما كانت هي و'i-330' في غرفتي ذاك الصباح. بدا لي المنظر في غاية الوضوح فانفجرت ضاحكا ورفعت عيني، فوجدت أمامي ذلك الرجل الأصلع الشبيه بـ 'سقراط' وحبيبات العرق متناثرة على صلعته.. كم كان الأمر بسيطا. كان الأمر برمّته ساذجا وتافها وبسيطا..

كنت أختنق ضحكا، سيل الضحك يتدفق من فمي فسددته بيدي وهرعت مرتبكا نحو الخارج.

خطوات وريح ورطوبة وشظايا متفاوتة من النور، وجوه وفي أثناء العدو، فكّرت "لا.. يجب أن أراها، يجب أن أراها للمرّة الأخيرة " صفحة بيضاء جديدة وكلّ ما أذكره هو الأقدام.. لا أتذكر النّاس بل أقدامهم، مئات الأقدام، أمطار غزيرة من الأقدام، تتساقط وتقرقع على الرصيف. ثمّ سمعت أغنية لعوبا تلتها صرخة "مهلا.. أنت.. تعال هنا"

ثمّ وصلت إلى ساحة مهجورة مغمورة برياح متوترة. وفي وسطها كتلة باهتة ثقيلة مشؤومة، إنها آلة حامي الحِمى. ينبعث منها صدى مدهش يخترقني: وسادة بيضاء ناصعة استلقى فوقها رأس بعينين نصف مغمضتين وحزمة من الأسنان الحادّة الحلوة. كلّ هذا مرتبط بالآلة ارتباطا سخيفا -أظنّني أعرف نوع الارتباط ولكنّني لا أريد أن أُقرّ به أو أن أعبرّ عنه بصوت عال، لا أريد، لا أستطيع..

أغمضت عينيّ وجلست على الدرجات المؤدية للآلة. أظنّ أنّ السماء تمطر فقد تبلّل وجهي. سمعت عن بعد صوت صراخ مكتوم، ولكن لا أحد يسمعني، لا أحد يسمع صراخي "أنقذوني من.. ساعدوني.. النجدة".

كم أتمنّى لو كانت لي أمّ كالقدامى، أمّي أنا فقط. تلك التي تراني كقطعة بشريّة، قطعة منها، قطعة مسحوقة منبوذة، لا كصانع "الأنتغرال"، أو كالرقم 'D-503' أو كخليّة من خلايا الدولة المُوحَّدة، ولنفترض أنّني سأصلب أحدهم أو أنّهم سيصلبونني – من المؤكد أنّها كانت ستسمعني- ستسمع ما لن يسمعه أحد وشفتاها القديمتان المتجعدتان ستلتويان.

السِجلّ السّابع والثلاثون

النقاعيات

يوم القيامة

غرفتها

كنتُ في غرفة الطعام صباحا حين همس لي جاري الّذي على يساري بصوت مرتعش "هلاّ أكلت، إنهم يراقبونك" استجمعت كلّ طاقتي لأحيّيه بابتسامة. بدت ابتسامتي كشرخ في وجهي، كلّما ابتسمت زاد الشرخُ عمقا وزادت حدة ألمي.

ثمّ حدث التالي: ما إن تمكّنت من مسك مكعّب بشوكتي حتى اهتزّت هذه الأخيرة بين أصابعي وسقطت على الطبق محدثة قرقعة، ثمّ اهتز كلّ شيء: الطاولات والجدران والأواني وحتّى الهواء. وفي الخارج، سمعت جلبة حديديّة دائرية ضخمة تغلّف الطرقات وترتفع فوق الرؤوس والمنازل وتشقّ طريقها نحو السّماء، ثمّ تلاشت بعيدا مخلفة آثار دوائر ضئيلة شبيهة بحلقات مرتسمة على سطح الماء. رفعت بصري لأرى وجوها شاحبة تماما وأفواها متسمرّة وأشواكا متجمّدة في الهواء.

ثمّ خرجت الأمور عن السيطرة وقفز كلّ منّا من مكانه كيفما اتفق بطريقة عشوائية (من دون أن يؤدّوا نشيد الدولة المُوحَّدة) وهم ما يزالون يمضغون الطعام في أفواههم ويغصّون به.

"ماذا هناك؟ ماذا حدث؟ ماذا؟".

تناثرت الشظايا المبعثرة للآلة التي كانت في السابق متماسكة وموحّدة، وتبعثرت الخطوات أسفل المصاعد، وعلى الدّرج، كأجزاء رسالة ممزّقة تبعثرها الرياح..

تواصل تدفّق الجميع من البناية المجاورة وماهي إلاّ دقيقة حتى أصبح الشارع كقطرة ماء تحت المجهر: نقاعيات محصورة وسط القطرة الشفّافة الزجاجيّة تهيج وتموج صعودا وهبوطا في كلّ الاتّجاهات.

قال أحدهم بنبرة نصر "آها"، نظرتُ لأرى أمامي رأس أحدهم وإصبعه يشير نحو السّماء، أتذكّر بوضوح الظفر الورديّ المائل للصفرة وتحته هلال أبيض يزحف رويدا رويدا نحو الأفق. كان هذا الإصبع أشبه ببوصلة تتبّعته مئات العيون متطلّعة نحو السماء.

هناك في الأعلى، الغيوم تتدافع وتتكتّل فوق بعضها البعض هاربة من شيء خفيّ يلاحقها. وطائرة الحرّاس السوداء ذات خراطيم التجسّس الضخمة قد اصطبغت بلون الغيوم ثمّ هناك بعيدا، عند الغرب، برز شيء شبيه بـ...

في البداية لم يفهم أحد -حتى أنا- (مع الأسف) ماهيته، أنا الذي أفوقهم معرفة عجزتُ عن فكّ شيفرة ذاك الشيء. كلّ ما رأيناه هو مجرّد نقاط صغيرة متسارعة لا تُرى بالعين المجرّدة كـأنّها سرب هائل بعيد من الطائرات السوداء. كانت تقترب رويدا رويدا. ثمّ بدأت قطرات صوتية جشّاء بالتساقط فوقنا. سرب طيور سوداء غطّى السماء، كانت تهوي إلى تحت، ثاقبة وحادّة كمثلّثات ألقتها عاصفة وتتدافع نحو القباب والشرفات والأعمدة والأسطح.

"آها" استدار الرأس المنتصر مجدّدا وتمكّنت من معرفة من يكون، إنّه ذاك الرقم الذي اعتاد أن يحمل لي رسائل *'i-330'*، المتجهّم ذو الجبهة العريضة. ولكن لم يتبقّ شيء من ذاته القديمة، كان شبيها بكتاب اختفى ولم يبق منه سوى العنوان. بدا أنّه تخلّص بطريقة مّا من جبهته المترهّلة، وارتسمت على وجهه -حول عينيه وشفتيه- خطوط مشعّة.. وكان يبتسم.

"أتدركون الأمر؟" صرخ بي عبر صفير الرياح وصوت الأجنحة ونعيق الطيور "أتدرك هذا؟ لقد اخترقوا السّور، السّور. أتفهمني" وفي مكان ما في الخلف، الأرقام تهرع بجانبي مشرئبّة الأعناق وتندفع نحو مداخل البنايات، وفي منتصف الرصيف، سيل مندفع سريع يحمل الذين خضعوا للعملية ويتجه نحو الغرب (رغم ثقل وزنهم).

أمسكت باليد التي اعتادت أن تحمل لي رسائلها قائلا "أين هي؟ أين *'i-330'*؟ هل هي في الجانب الآخر من السّور؟ عليَّ أن.. هل تسمعني؟ عليَّ أن أراها حالا، لا أستطيع أن..".

"إنها هنا". صرخ عبر أسنانه الصفراء القويّة كسكران منتش "إنها هنا في المدينة وهي تقف وراء كلّ هذا. مرحى، ها نحن نفتكّ المدينة بأكملها".

ما هذه الـ "نحن"، من أكون أنا؟

كان يقف بجانب حوالي خمسين آخرين يشبهونه تماما، كانوا قد نزعوا عنهم التجهّم الأبديّ وأصبحوا يتحلّون بأصوات عالية مرحة وأسنان صفراء، كانوا يبتلعون العاصفة ويلوّحون بأسلحتهم الكهربائية القاتلة الّتي تبدو في ظاهرها مسالمة (ولكن من أين لهم بها؟).

كانوا يتوجّهون نحو الغرب خلف الذين خضعوا للعمليّة، ولكنهم يسلكون طريقا موازية عبر الطريق 48.

كنت أركض نحوها متعثرا بسياط الريح الّتي تجلدني، لماذا أركض؟ لا أدري؟ كنت أسير بخطوات متعثّرة عبر الشوارع الفارغة، وبدت لي المدينة بأكملها غريبة وموحشة، ولم يتوقّف صراخ الطيور المنتصرة.

إنه لَيوم القيامة. وفي طريقي لمحت عبر الجدران الزجاجية لعدّة مبان، أرقاما إناثا وذكورا تمارس الجنس في وضح النهار دون خجل، من دون أن يسدلوا الستائر ومن دون أيّ تذكرة.

ها أنا أقف أمام بنايتها، الباب مفتوح على مصراعيه ومكتب المناوبة فارغ. والمصعد عالق في منتصف طريقه، هرعتُ متسلّقا السلالم اللاّمتناهية بأنفاس متقطّعة، وصلت إلى الردهة ثمّ مرّت أمامي الأرقام متتالية: 320، 326، 330... *'i-330'*

وقفت أتأمل المكان عبر الباب الزجاجيّ، كان كلّ ما في الغرفة مهشّما ومبعثرا، أحدٌ مّا قلب الكرسيّ على عجلة فبدا كبقرة نفقت بقوائمه الأربعة المتّجهة للأعلى، وكان السرير مرميّا في زاوية قرب الجدار، التذاكر الورديّة مبعثرة على الأرضية كبتلات ورود مسحوقة، انحنيت أجمعها واحدة تلو الأخرى، كانت كلّها تحوي عبارة 'D-503'. كنت مرسوما على كلّ التذاكر، قطرات ذائبة منّي متناثرة على الأرضيّة.. هذا كلّ ما تبقّى من..

انتابني إحساس مفاجئ، إنه من غير اللائق تركها هنا على الأرضية ليدهسها الجميع. فجمعت حفنة ووضعتها على الطاولة ثمّ بسطتها بعناية وحملقت فيها وضحكت..

لم أعرف هذا مسبقا ولكنّني اليوم أدركته جيّدا وأدركتموه أنتم أيضا: الضحك له ألوان وهيئات مختلفة. فقد يكون الضحك صدى انفجار مدوّ بداخلك وقد يكون صواريخ العيد الملونة بالأحمر والأزرق والذهبيّ وقد يكون أيضا شظايا جسم بشريّ ممزّق.

لمحتُ على التذاكر اسما مجهولا لم أسمع عنه قطّ، لا أتذكر الأرقام ولكن أذكر جيّدا الحرف 'F'، رميت جميع التذاكر على الأرض ودهستها بكعب حذائي (دهست نفسي) ثمّ غادرت الغرفة.

جلست على حافة نافذة في الردهة أمام بابها وانتظرت دون جدوى، لا أدري كم من الوقت انتظرتها. سمعت وقع خطى متثاقلة قادمة من اليسار. إنّه رجل طاعن في السن، وجهه يبدو فارغا ومليئا بالتجاعيد كبالون مثقوب وهناك شيء شفاف غريب ينهمر عبر الثقب، أدركت بعدها أنّها دموع.

كان قد توجه نحو بيت آخر حين استفقت من شرودي وناديته "عفوا، اسمعني، هل تعرف الرقم '*i-330*'؟".

استدار الرجل نحوي ولوّح لي بيأس ثمّ تلاشى. عدت إلى منزلي عند المغيب، وكانت السماءُ في الغرب تعتريها كلّ دقيقة تشنّجات زرقاءُ باهتة متأتّية من صدى الصوت المكتوم. والطيور متناثرة هنا وهناك فوق الأسطح كمشاعل ناريّة متوهّجة.

استلقيتُ على السرير، تكوّرت على نفسي وغرقت فورا في نوم عميق كحيوان منهك.

السِجلّ الثّامن والثلاثون
لا أدري ما الذي يحدث هنا بالضبط
قد يكون مجرّد أعقاب سيجارة

أيقظني الضوء الساطع الذي أحرق عيني فصحوتُ وحككتهما، الدخان الأزرق يلفّ رأسي، وبدا كلّ شيء حولي ضبابيًا، سمعتُ صوتي عبر الضباب "ولكنّني لا أذكر أنّني أشعلتُ النّور.. كيف..؟"

وثبتُ من مكاني بسرعة، كانت 'i-330' جالسة عند الطاولة، تسند ذقنها بيدها وتنظر لي وتبتسم ابتسامة ساخرة.. كنتُ جالسا أكتب عند الطاولة نفسها الآن، لقد صارت هذه الخمس أو العشر دقائق ورائي بالفعل-هذه الدقائق الملفوفة بوحشيّة في أضيق نابض على الإطلاق- ولكنّني أشعر أنّها أغلقت الباب خلفها للتوّ، وأنّني ما زلتُ قادرا على اللحاق بها وإمساكها من يدها، ربّما ستضحك حينها وتقول...

هرعت نحو 'i-330' التي ما زالت تجلس عند الطاولة..

"هذه أنت.. أنت. لقد ذهبت، ذهبت إلى غرفتك اليوم، وظننت أنّ...".

ولكن بعد أن قطعت نصف المسافة التي تفصلنا، وجدت نفسي أمام رموشها الحادّة الثابتة فتوقفت على الفور، تذكّرتُ أنّها رمقتني بالنظرة ذاتها ذاك اليوم على سطح "الأنتغرال"، والآن لديّ ثانية فقط لأجد طريقة أفسّر بها كلّ شيء كي تتفهّمني، وإلاّ لن يكون أبدا مجال لــ...

"اسمعيني جيّدا يا 'i-330'.. عليّ أن.. عليّ أن أخبرك كلّ شيء بالتّفصيل.. انتظري قليلا.. أنا بحاجة لشربة ماء".

فمي جافّ كأنّه ملفوف بورق نشّاف، حاولت سكب بعض الماء في الكأس ولكنّني لم أستطع. وضعتُ الكأس على الطاولة وتناولتُ الإبريق بكلتا يديّ، رأيت دخانا أزرق

يتصاعد من سيجارة قرّبتها من شفتيها وارتشفت منها رشفة عميقة ثم استنشقت الدخان، تماما كما احتسيتُ أنا الماء بنهم، وقالت "لا تهتم، لا تقل شيئا، لم يعد هذا مهمّا. لقد أتيتُ لرؤيتك رغم كلّ شيء.. إنّهم ينتظرونني في الأسفل وأنت تريد أن تحوّل دقائقنا الأخيرة إلى...".

ألقت السيجارة على الأرض وانحنت إلى ذراع الكرسيّ (هناك زرّ في الجدار من الصعب الوصول إليه) أذكر كيف ارتفعت قائمتا الكرسيّ عن الأرض ثم أسدلت الستائر.

اقتربت منّي وطوّقتني بذراعيها بحدّة ثمّ برزت ركبتاها من خلال ثوبها كسُمٍّ بطيء المفعول، دافئ، معطاء وحنون.

وفجأة... -ما حدث الآن شبيه بغوصي في نوم عميق دافئ، قبل أن أحسّ بطعنة فأثب من مكاني وأفتح عينيّ على مصراعيهما- هذا ما حدث لي تماما: رأيتُ فجأة أرضيّة غرفتها المكسوّة بالتذاكر الورديّة التي تحمل حرف 'F' تليه بضع أرقام أخرى، هذه الأرقام متشابكة معي في عقدة موحَّدة، لا أدري ما أحسست تجاه هذا ولكنّني ضممتها بقوّة حتى صرخت من شدّة الألم.

مرّت دقيقة أخرى من تلك العشر أو الخمس عشرة دقيقة، كان رأسها ممدّدا على تلك الوسادة البيضاء الناصعة وعيناها نصف مغمضتين، وطاقم أسنانها الحادّة الحلوة أمامي، ذكّرني هذا كلّه بشيء ما، شيء عجزت عن التخلّص منه، شيء ساذج ومؤلم، لم يكن عليّ أن أفكّر فيه سابقا، ما كان عليّ التفكير فيه الآن.. ثمّ ضممتها بحنان ووحشيّة حتّى تركتْ أصابعي علامات زرقاء بارزة فوق جسدها. قالت (دون أن تفتح عينيها) "يُقال إنّك كنتَ عند حامي الحِمى البارحة، هل هذا صحيح؟".

"نعم صحيح".

ثمّ اتّسعت عيناها. كنتُ أتلذّذ بمنظر وجهها الذي ابيضّ ثمّ تلاشى تماما تاركا عينيها فقط. أخبرتها بكلّ شيء ما عدا أمرا واحد فقط، لا أدري لمَ كتمته. لا، هذا ليس صحيحا، أنا أعرف. لم أخبرها عمّا قاله في النهاية، أنّهم يحتاجونني فقط لأنّني..

بدأ وجهها في الظهور تدريجيّا كصورة شمسيّة نُقِعَتْ في المادّة الـمُظْهِرَة للأفلام: برز وجهها فخدّاها ثم طاقم أسنانها الأبيض وشفتاها. ثمّ نهضتْ وتوجّهت نحو باب الخزانة الذي عُلّقت عليه المرآة.

جفّ فمي مجدّدا فسكبت كأس ماء، ولكن فكرة شربه أشعرتني بالاشمئزاز. أعدتُ الكأس إلى مكانه فوق الطاولة وقلت لها "لهذا أتيتِ؟ لتعرفي هذا؟".

نظرت إليّ من خلال المرآة، وارتفع المثلّث الحادّ الساخر نحو حاجبيها واستدارت لتجيبني، ولكنّها لم تقل شيئا.

لا حاجة لأن تقول شيئا، فقد فهمتُ كل شيء.

هل عليّ أن أودّعها؟ حرّكتُ قدميّ – أو بالأحرى قدمين غريبتين عنّي- وضربتُ بهما الكرسيّ فخرّ صريعا مقلوبا كذاك الذي في غرفتها. كانت شفتاها باردتين تماما كبرودة الأرضيّة قرب السرير في غرفتي في وقت مّا. ولكن بعد أن ذهبتْ، جلستُ على الأرضيّة وتمدّدت فوق السيجارة التي ألقتها هناك...

لا أستطيع مواصلة الكتابة، لا أريد ذلك!

السِجلّ التّاسع والثلاثون

النهاية

كان كلّ هذا شبيها بآخر حبّة ملح تضافُ إلى محلول مُشبع: بدأت القطع البلّورية المتجمّدة تظهر على السطح كإبر حادّة، وبان لي بوضوح أنّ الأمر قد حُسم وسأخضع للعملية غدا صباحا، شعرتُ أنّ هذا شبيه بقتل نفسي ولكنّني أظنّها الطريقة الوحيدة لأبعث من جديد، فلا بدّ من أن يموت المرء ليُبعث من جديد.

كانت السماء تخوض تشنّجات زرقاء في الغرب في كلّ ثانية، رأسي ملتهب ومحموم ويدقّ دقّات متواصلة. ظللت على هذه الحالة طيلة الليل ولم يُغمض لي جفن إلّا حوالي الساعة السابعة صباحا، عندما انزاحت الظُلمة تاركة مكانها للخضرة. وتمكّنتُ من رؤية الطيور كنقط فوق الأسطح. حين استيقظت كانت السّاعة تشير إلى العاشرة (لم يرنّ جرس الاستيقاظ هذا الصباح على ما يبدو).

كوب الماء الذي ملأته بالأمس ما يزال موضوعا على الطاولة، شربت الماء بنهم فقد كنت أشعر بظمأ شديد وركضت مسرعا، فقد كان عليَّ إنهاء العديد من الأمور في أسرع وقت ممكن.

السماء زرقاءُ خاوية تماما والعاصفة تتركها وتبتعد، وزوايا الظلال الحادّة تنساب عبر الهواء الخريفيّ الأزرق، كانت تبدو هشّة لدرجة أنك تخاف أن تتحوّل لو لمستها إلى مسحوق زجاجيّ وتتطاير بعيدا.

كنت أعاني من الهشاشة نفسها في داخلي وأكرّر مرارا: لا تفكّر، لا تفكّر وإلّا..

لم أكن أفكّر، فقدتُ حتى القدرة على النظر. كنتُ منكبّا على تسجيل اسمي.

لمحت هناك على الرصيف أغصانا قادمة من مكان ما عليها أوراق خضراء وكهرمانية وقرمزيّة، الطيور والطائرات تتقاطع جيئة وذهابا فوق رؤوسنا، ولا بدّ أنّ هذا كلّه ما كان ليصدر هذا العويل والطنين.

بدت الشوارع خالية كأن مرض الطاعون قد اكتسح المدينة، أذكر أنني تعثّرت في شيء رخو لا يُحتمل ولكنني لم أنجح في إزالته فقد كان جامدا وثقيلا رغم مرونته. انحنيت لأرى ماهيته، وإذا بي أمام جثّة ملقاة على ظهرها بساقين مفتوحتين وركب مثنية كجسد امرأة.. أمّا الوجه..

تمكّنت من تمييز الشفاه الإفريقية السميكة التي بدت مبتسمة ويتناثر منها الرذاذ حتى في وضعها هذا، كانت عيناه مطبقتين وبدا كأنه يبتسم لي. استوقفني منظره لثانية ثمّ خطوت فوقه متابعا طريقي فلم يكن لديّ متّسع من الوقت وعليَّ القيام بعدة أمور بأسرع وقت ممكن وإلاّ سأكسر وسأتقوّس كسكّة حديديّة تحمل ثقلا لا طاقة لها به.

لحسن الحظ أنه لم تتبقّ سوى عشرين خطوة لأبلغ العلامة التي خُطّت عليها بأحرف ذهبية عبارة "مكتب الحرّاس".

توقفت عند المدخل، استنشقت الهواء ملء رئتيّ ودخلتُ.

في الردهة، الأرقام مصطفة في خطّ لا متناه، بعضهم يحمل أوراقا والبعض الآخر يحمل دفتر مذكراته السميك. كانوا يخطون خطوة أو خطوتين ثمّ يتوقّفون.

هرعت إلى أول الصف، رأسي يكاد ينفجر من شدة الألم.. وبدأت أجذب الأرقام من أكمامهم وأتوسّل إليهم تماما كرجل مريض يتوسل الطبيب لإعطائه دواءً يضع حدّا لوجعه اللاّمحدود.

هناك امرأة ترتدي حزاما ضيّقا فوق زيّها الموحد، كان الحزام يعلو الشحم المكدّس حول خصرها وأردافها، كانت تُحرّك أردافها يمنة ويسرة كأنهما عينا مراقبة.

أشارت نحوي وصرخت "إنّه يشكو ألما في المعدة، خذوه إلى المرحاض، عند الباب الثاني على اليمين".ضحك الجميع ساخرين منّي، فصعد شيء ما في حنجرتي وكنت على وشك أن أصرخ عاليا أو أن... وفجأة أمسكني أحدهم من مرفقي فالتفتّ.

إنّه ذو الأذنين الشفافتين كالأجنحة، ولكنّهما لم تكونا ورديتين كالعادة بل قرمزيتين، وكانت تفّاحة آدم تعلو وتهبط في حلقه النحيل كأنها على وشك تمزيقه.

سألني وعيناه تخترقانني "لمَ أتيت إلى هنا؟"

تشبّثتُ به بقوّة قائلا "هيّا أسرع فلنذهب إلى مكتبك. سأخبرك بكلّ شيء.. عليَّ فعل هذا فورا.. أنا سعيد أنّني وجدتك.. قد يكون أمرا فظيعا أن أخبرك أنت بهذا ولكن هذا أمر جيّد، جيّد جدا'

هو أيضا يعرفها، سيزيد هذا من حدّة ألمي ولكنّه سيندهش لسماع ما سأقوله وقد يطلب منّي أن نقتلها معا وهكذا لن أقوم بهذا وحدي في نهاية الأمر.

أُغلق الباب خلفنا. أتذكّر أنّ قطعة ورق عُلّقت أسفل الباب أحدثت أزيزا حين أُغلق، ثمّ تلاه نوع خاص من الصمت، صمت خانق يُطبق علينا كقبّة زجاجية.

كنت على أتمّ الاستعداد للاعتراف بكلّ شيء لو أنه قال أيّ كلمة، أيّ كلمة لا معنى لها، ولكنّه لم ينبس ببنت شفة.

كنت في غاية التوتر ولم تكفّ أذناي عن الطنين ثمّ قلت (من دون أن أنظر إليه) "لطالما كرهتها منذ البداية، قاومتها كثيرا.. ولكن لا، لا تصدّقني، كنت قادرا على إنقاذ نفسي إن شئت ولكنّني فضّلت أن أموت، فضّلت أن أخسر أعزّ ما لديّ.. لم أكن أريدها أن تموت بل أردتها أن تنجو.. وحتّى الآن بعد أن عرفت الحقيقة ما زلتُ.. هل تعرف أنني ذهبت للقاء حامي الحِمى؟".

"نعم، أعرف".

"ولكن، ما قاله لي.. شعرت أنّ الأرض تهتزّ تحت قدميّ وأحسستُ أنّني أرتعش أنا وكلّ ما وُجد فوق الطاولة من حبر وورق، وتناثرت بقع الحبر ولطّخت المكان بأكمله".

"قل ما جئت من أجله بسرعة. العديد ينتظرون في الخارج".

ثمّ أخبرته بارتباك عن القصة بأكملها، القصّة المدوّنة هنا. أخبرته عن الأنا الحقيقيّ والأنا الأشعث، وعمّا قالته عن يدي. نعم، فحينها بدأت الحكاية. وكيف أنّني لم أعد أريد القيام بواجبي وخدعت نفسي. أخبرته أيضا كيف حصلتُ على الشهادة الطبية المزوّرة وكيف أصبحتُ مخالفا أكثر فأكثر على مرّ الأيّام، أخبرته عن الدهاليز السفليّة وعن.. عن الجانب الآخر للسور.

قلت هذا كلّه بطريقة غير منظمة وبأنفاس متقطّعة وكنت عاجزا عن انتقاء الألفاظ التي أريدها بينما كانت الشفاه الملتوية ذات الانحناءة المزدوجة تبتسم لي وتمرّر لي الكلمات الّتي أبحث عنها فأشكرها قائلا نعم نعم، ثمّ (وأواصل الحديث). كأنّه هو من يوجّه الحديث وكنت أنا أنصت إليه، "نعم، وماذا حدث فيما بعد؟ نعم هذا ما حدث تماما، نعم نعم".

شعرت بالبرد يتسرّب إلى ياقة زيّي الموحّد كأن أحدهم سكب عليَّ الأثير، وتمكّنت بعد جهد جهيد من أن أسأل "ولكن كيف.. كيف عرفت هذا؟ كيف استطعت أن تعرف كلّ هذه التفاصيل؟".

واجهتني الابتسامة الساخرة بصمت، ثمّ قال "أنت تحاول إخفاء شيء عنّي، لقد أخبرتني عن كلّ من قابلتهم في الجانب الآخر من السّور ولكنّك نسيت أحدهم. تقول إنّك لم تره؟ ولكن ألا تتذكّر أنّك رأيتني مارًا من هناك لبضع لحظات؟ نعم، أنا".

ثمّ ساد الصمت للحظة.

وفجأة صُعقت بحقيقة لمعت كبرق خاطف داخل رأسي: إنه فرد منهم وتبيّن أن كلّ هذا مجرّد مزحة، كلّ ما قلته وكلّ عذابي وكلّ ما استجمعت قوتي لجلبه إلى هنا وعملي البطوليّ العظيم. كلّ هذا مجرّد سذاجة وحماقة. كان هذا كقصّة إبراهيم وإسماعيل: إبراهيم يتصبّب عرقا رافعا سكّينه لذبح ابنه... لذبح فلذة كبده! عندما هتف به صوت قادم من الأعلى 'لا تفعل هذا، إنّها مجرّد مزحة'.

استندتُ إلى حافّة الطاولة من دون أن أزيح عيني عن ابتسامته الساخرة التي كانت تزداد اعوجاجا، ودفعت الكرسيّ للخلف رويدا رويدا ولملمت ذاتي ثمّ اندفعت بسرعة نحو الخارج عبر الصرخات والخطوات والأفواه.

لا أذكر كيف انتهى بي الأمر في أحد المراحيض العامّة في محطّة مترو الأنفاق في الطابق الأرضيّ.

الخراب يعمّ المكان في الأعلى، لقد انهارت أعظم الحضارات وأكثرها عقلانية هنا. ولكنّ شخصًا مّا في الأسفل يحاول الحفاظ على النظام المتناسق نفسه. عندما أفكّر أنّ كلّ هذا سيفنى وسيغطّيه العشب، وأن لا شيء سيبقى منّا، ما كلّ هذا إلاّ الأساطير... إنه لشيء غير معقول أن يكون مصيرنا الفشل والفناء!

تأوّهتُ بصوت عال وفي اللحظة نفسها أحسست بلمسة على كتفي تواسيني، إنّه جاري يجلس في المقعد على اليسار، لمحت جبينه العريض الأصلع الّذي بدا كمظلة، خُطّت عليها تجاعيد وخطوط صفر مبهمة، كانت هذه الخطوط تتحدث عنّي.

قال "أنا أفهمك، أفهمك جيّدا. ولكن مع ذلك، عليك أن تهدّئ من روعك، لا داعي لانفعالك، سيعود كلّ شيء إلى طبيعته لا محالة. أهمّ شيء الآن هو أن أخبر الجميع عن اكتشافي وستكون أنت أوّل من أخبره بهذا، لقد تمكّنتُ بطريقة حسابيّة أن أُثبت أنّه لا وجود للاّنهاية"

رمقته بنظرة غاضبة.

"نعم، أؤكد لك صحة ما أقول، لا وجود للآنهاية.. إن كان العالم لا متناهيا فكثافة المادة فيه عليها أن تساوي صفرا، ولكن بما أننا نعرف جميعا أنها لا تساوي صفرا فالعالم إذن محدود. إن شكل الأرض كرويّ ومربّع وقطرها y2 يساوي معدل الكثافة المضروبة في... لقد حسبت الضارب الرقمي ثمّ.. أترى معي أن كلّ شيء بسيط وسهل وقابل للحساب، وهكذا سنفوز بطريقة فلسفية بحتة، ولكنّك يا سيّدي تُعيق إنهاء عمليّتي الحسابيّة بصراخك هذا".

لا أدري ما الذي أثار ذهولي أكثر، اكتشافه الفذّ أو ثباته في خضمّ هذه القيامة. رأيت في يده دفترا (لم ألاحظه حتى الآن) ولوحة اتصال لوغاريتمي، وأدركت أنه من واجبي (تجاهكم يا قرائي المجهولين) أن أنهي سجلاتي حتى ولو كان العالم على وشك الفناء.

طلبت منه أن يعطيني بضعة أوراق وكتبت عليها هذه الأسطر الأخيرة، أردت أن أضع نقطة تماما كما يحدد القدماء قبور موتاهم بصليب ولكنّ قلم الرصاص اهتز وسقط من يدي.

أمسكت بجاري "اسمع، اسمعني جيّدا، عليك أن تجيبني، ماذا يوجد في عالمك المحدود؟".

ولكن، لم يكن له الوقت الكافي ليجيبني إذ سمعت وقع خطوات على الدرج فوقنا..

السِجلّ الأربعون

الوقائع

الجرس

أنا متأكّد

طلع النهار وبدا في غاية الصفاء، وأشار مقياس الضغط إلى 760.

هل يمكن أن أكون أنا 'D-503' حقّا من كتب هذه الـ 225 صفحة؟ هل يمكن أن أكون قد أحسستُ بهذا فعلا أم أنّه نسج من محض خيالي؟

إنّه خطّ يدي، يتواصل لصفحات وصفحات، ولحسن الحظ أن الخطّ فقط هو خطّي، لم يعد هناك هذيان ولا تشابيه سخيفة ولا أحاسيس، كلّ ما تبقى هو مجرّد سرد للوقائع. فأنا بخير تماما، أنا بكامل صحتي وعافيتي، ها أنا أبتسم –لا أستطيع ألاّ أبتسم– لقد استخرجوا شظيّة من رأسي وأضحى رأسي الآن بسيطا وفارغا، أو ربمّا ليس فارغا بل بالأحرى لم يعد هناك شيء غريب بداخله يمنعني من الابتسام (الابتسام هي الحالة الطبيعيّة لأيّ شخص عاديّ).

سأسرد عليكم الوقائع: لقد قبضوا علينا في ذاك المساء أنا وجاري الذي اكتشف أن الكون محدود وكلّ من كان معنا واتّهمونا بأنّنا لا نحمل بعد ترخيصا للخضوع للعمليّة، وقادونا نحو أقرب قاعة (رقمها 112 بدا مألوفا لسبب ما).

شدّوا وثاقنا إلى الطاولات، وأخضعونا للعمليّة العظيمة، وفي اليوم الموالي توجهتُ أنا 'D-503'، إلى حامي الحِمى وأخبرته أنني أعرف من هم أعداء السعادة. لا أفهم كيف كان يصعب عليَّ فعل هذا سابقا؟ هناك تفسير واحد، حصل هذا بسبب مرضي السابق (الروح).

وفي ذلك المساء، جلستُ لأول مرّة قرب حامي الحِمى على الطاولة نفسها في غرفة الغاز الشهيرة، قاموا بجلب تلك المرأة وكان من المفترض أن تدلي بشهادتها في

حضرتي، لكنّها لزمت الصمت بعناد ولم تتوقّف عن الابتسام، لاحظتُ أنّ أسنانها بيضاء، حادّة وجميلة.

ثمّ وضعوها تحت الجرس فابيضّ وجهها. وبما أنّ عينيها داكنتان ومستديرتان فقد بدا منظرها جميلا، ألقت رأسها للخلف حين بدؤوا بضخّ الهواء عبر الجرس، وكانت عيناها نصف مفتوحة، وشفتاها مطبقتين، فذكّرني هذا بمشهد ما.

ظلّت تنظر إليّ وهي متشبّثة بذراع الكرسيّ حتّى أغمضت عيناها كلّيا. عندئذ سحبوها من هناك وشحنوها بواسطة أسلاك كهربائية لتعود إلى وعيها. ثمّ أعادوها مجدّدا تحت الجرس، أعادوا الكرّة ثلاث مرات، ولكنّها لم تقل حرفا واحدا. الآخرون الذين جاؤوا بهم معها كانوا أكثر صدقا واعترفوا بكلّ شيء بعد المرّة الأولى، سيصعدون جميعا المدرجات غدا نحو آلة حامي الحِمى. لا مجال للتأجيل فما تزال الفوضى والجثث والوحوش تعمّ الأحياء الغربية. ولسوء الحظ، هناك بضعة أرقام خانهم العقل وانضموا للعدم. ولكن في الشارع 40 الممتدّ عرضا عبر المدينة، تمكّنوا من بناء سور وقتيّ متكوّن من موجات كهربائية عالية.

آمل أن نفوز. بل أنا واثق من فوزنا، فالعقل هو من يجب أن يفوز في النهاية.